Carlo Levi:
Christus kam nur bis Eboli

Deutsch von Helly Hohenemser-Steglich

Deutscher
Taschenbuch
Verlag

Ungekürzte Ausgabe
1. Auflage April 1982
4. Auflage Juli 1983: 36. bis 50. Tausend
Deutscher Taschenbuch Verlag GmbH & Co. KG,
München
Lizenzausgabe mit freundlicher Genehmigung des Europa
Verlags, Zürich
Titel der Originalausgabe:
›Cristo si è fermato a Eboli‹
© der deutschsprachigen Ausgabe: Europa Verlag AG,
Zürich · ISBN 3-203-50447-2
Umschlaggestaltung: Celestino Piatti
Gesamtherstellung: C. H. Beck'sche Buchdruckerei,
Nördlingen
Printed in Germany · ISBN 3-423-01769-4

Viele Jahre sind vergangen, Jahre voller Kriege, in denen sogenannte Geschichte gemacht wurde. Vom Zufall hin- und hergetrieben, habe ich das beim Abschied gegebene Versprechen, zu meinen Bauern zurückzukehren, bis jetzt nicht halten können; wer weiß, ob es überhaupt dazu kommen wird. Aber hier in meinem Zimmer, in meiner in sich abgeschlossenen Welt, lege ich gern in der Erinnerung den Weg wieder zurück in jene andere, in Schmerz und Brauchtum verstrickte, unendlich geduldige Welt, die abseits von Geschichte und Staat liegt, in dieses herbe, trostlose Land, wo der Bauer in Elend und Verlassenheit auf karger Scholle im Angesicht des Todes seiner starren Sitte lebt.

»Wir sind keine Christen«, sagen sie, »Christus ist nur bis Eboli gekommen.« Christ bedeutet in ihrer Ausdrucksweise Mensch; und der sprichwörtliche Satz, den ich hundertmal habe wiederholen hören, ist in ihrem Munde wohl nichts anderes als der Ausdruck eines trostlosen Minderwertigkeitskomplexes. »Wir sind keine Christen, keine Menschen, wir gelten nicht als Menschen, sondern als Tiere, als Lasttiere und noch geringer als Tiere und Koboldwesen, die doch ihr freies, teuflisches oder engelhaftes Dasein leben; denn wir müssen uns der Welt der Christen jenseits unseres Horizontes unterwerfen, ihre Last und ihren Widerspruch ertragen.« Aber der Satz hat noch einen viel tieferen Sinn: wie jede symbolische Ausdrucksweise gilt er auch buchstäblich. Christus ist wirklich nur bis Eboli gekommen, wo Straße und Eisenbahn die Salernitaner Küste und das Meer verlassen und in das öde lukanische Land eindringen. Christus ist niemals bis hierher gelangt, ebensowenig wie die Zeit, die individuelle Seele, die Hoffnung oder das Band zwischen Ursache und Wirkung, wie die Vernunft und die Geschichte. Christus ist nicht bis hierher vorgedrungen, wie auch die Römer nicht bis hierher vorgedrungen waren, welche die großen Straßen beherrschten, aber sich von den Bergen und Wäldern fernhielten, ebensowenig wie die Griechen, welche am Meer die blühenden Städte Metapont und Sybaris bewohnten. Keiner der kühnen Männer des Westens hat bis hierher den Sinn für die sich wandelnde Zeit, seine Staatstheokratie oder seinen ewigen, sich selbst noch steigernden Tatendrang gebracht. Niemand hat diese Erde berührt, es sei denn als Eroberer oder als Feind oder als verständnisloser Besucher. Die Jahreszeiten gleiten über die Mühsal der Bauern dahin, heute wie dreitausend Jahre vor Christi Geburt; keine menschliche oder göttliche Botschaft wurde an diese halsstarrige Armut gerichtet. Wir reden eine andere Sprache: unsere Worte sind hier unverständlich. Die großen Entdecker haben die Grenzen ihrer eigenen Welt nicht verlassen; sie haben die Pfade ihrer eigenen Seele, die Wege des Guten und Bösen, der Moral und der Erlösung durchlaufen. Christus ist in die unterirdische Hölle der jüdischen Ethik hinabgestiegen, um dort die Pforten der Zeit aufzubrechen und sie in Ewigkeit zu versiegeln. Aber in dieses düstere Land ohne Sünde und ohne Erlösung, wo das Übel nicht moralisch, sondern nur irdisches Leid ist, das ewig den Dingen anhaftet, ist Christus nicht herabgestiegen. Christus ist nur bis Eboli gekommen.

Ich kam an einem Augustnachmittag in einem kleinen klapprigen Auto in Gagliano an. Meine Hände waren gefesselt, und ich wurde von zwei robusten Vertretern der öffentlichen Ordnung mit roten Streifen an den Hosen und ausdruckslosen Gesichtern begleitet. Ich kam ungern und war darauf gefaßt, alles unerfreulich zu finden, weil ich auf einen unerwarteten Befehl hin plötzlich Grassano hatte verlassen müssen, wo ich vorher gewohnt und Lukanien kennengelernt hatte. Anfangs war das ziemlich mühsam gewesen. Wie alle Orte hierzulande, liegt Grassano als weißer Fleck auf dem Gipfel eines hohen, kahlen Hügels, wie ein kleines erträumtes Jerusalem in der Einsamkeit einer Wüste. Ich ging gern zu der windumwehten Kirche oberhalb des Ortes hinauf, von wo das Auge nach allen Richtungen einen unendlich weiten Horizont umfassen kann, der in der ganzen Runde vollkommen gleich ist. Man steht wie mitten in einem Meer weißlicher, eintöniger und baumloser Erde: in der Ferne auf Hügelkuppen weiße Ortschaften, Irsina, Craco, Montalbano, Salandra, Pisticci, Grottole, Ferrandina; Gebiet und Schlupfwinkel der Briganten bis dorthin, wo vielleicht das Meer und Metapont und Tarent liegen. Ich glaubte, den verborgenen Wert dieses ausgesogenen Landes erraten zu haben; ich hatte begonnen, es zu lieben, und der Wechsel war mir unangenehm. Ich bin so veranlagt, daß ich alles Loslösen schmerzlich empfinde; deshalb war ich voreingenommen gegen den neuen Ort, wo ich mich zu leben bequemen mußte. Dagegen freute mich die Reise, die Möglichkeit, die Orte zu sehen, von denen ich so viele Geschichten hatte erzählen hören und die ich mir in meiner Phantasie hinter den Bergen, die das Basental abschließen, vorstellte. Wir kamen an der Schlucht vorbei, in welche die Musikkapelle aus Grassano im vorigen Jahr gestürzt war, als sie spät abends von einem Konzert auf der Piazza in Accettura zurückkehrte. Seitdem treffen sich die toten Musikanten um Mitternacht unten in der Schlucht und blasen auf ihren Trompeten, und die Hirten meiden jene Gegend in ehrfürchtigem Grauen. Aber als wir dort vorbeikamen, war es heller Tag, die Sonne schien, der afrikanische Wind versengte die Erde, und kein Ton drang aus dem Lehmgrund herauf.

Ich wußte, daß ich in San Mauro Forte, ein Stückchen weiter oben am Berg, am Eingang des Ortes, noch die Pfähle sehen würde, auf denen Jahre hindurch die Köpfe der Briganten aufgespießt wurden, und daß wir dann in den Wald von Accettura kommen würden, einen der wenigen, der noch von den alten Forsten, die ganz Lukanien bedeckt hatten, übriggeblieben ist: Lucus a non lucendo, weiß Gott, heute ist Lukanien, das Waldland, vollständig kahl. Endlich einmal wieder Bäume zu sehen mit frischem Unterholz und grünen Pflanzen und den Duft der Blätter einzuatmen, war für mich wie eine Fahrt ins Feenland. Das hier war einst das Reich der Räuber, das man heute noch, allein wegen der fernen Erinnerung, mit einem merkwürdigen Gefühl der Beklemmung durchquert. Aber es ist ein recht kleines Reich, das man sehr bald wieder verläßt, um nach Stigliano hinaufzuklettern, wo der uralte Rabe Marco seit Jahrhunderten wie ein Lokalgott auf dem Platz sitzt und schwarz über die Steine hin flattert. Hinter Stigliano geht es hinunter ins Saurotal, mit dem großen Flußbett voll weißer Steine und dem schönen Olivenhain des Fürsten Colonna auf der Insel, wo ein Bersaglieribataillon durch die Briganten von Boryes*, die auf Potenza zu marschierten, vernichtet wurde. Hier verläßt man an einer Kreuzung die Straße nach dem Agrital und schlägt nach links hin eine kleine, vor wenigen Jahren gebaute Nebenstraße ein.

Leb wohl, Grassano, lebt wohl ihr von ferne erblickten oder erträumten Landstriche! Wir sind jetzt auf der andern Seite der Berge, und es geht ruckweise nach Gagliano hinauf, das bis vor kurzem das Rad noch nicht kannte. In Gagliano hört die Straße auf. Mir mißfiel alles: der Ort wirkt auf den ersten Blick gar nicht als Ort, sondern wie eine kleine Anhäufung von verstreuten, weißen, bei allem Elend irgendwie anspruchsvollen Häuschen. Er liegt nicht wie alle anderen auf der Bergkuppe, sondern in einer Art von unregelmäßigem Sattel inmitten von tiefen, malerischen Schluchten, und er hat zunächst nicht das strenge und schreckliche Aussehen aller anderen Ortschaften hier. Bei der Ankunft sieht man ein paar Bäume und ein bißchen Grün; gerade dieser Mangel an Charakter war mir zuwider. Ich war nun einmal an die nackte und dramatische Strenge Grassanos gewöhnt, an seinen abbröckelnden Kalkbewurf, an seine geheimnisvoll trübe Stimmung, und mir erschien der ländliche

* Der Katalane Boryes war von den Bourbonen eigens aus Spanien gerufen worden, um die legitimistischen Banden anzuführen. 1861 wurde er gefangengenommen und hingerichtet. (Anmerkung der Übersetzerin.)

8

Eindruck, den Gagliano machte in dieser Gegend, die nirgends ländlichen Charakter hat, als falscher Ton. Außerdem empfand ich es, vielleicht aus Eitelkeit, als störend, daß der Ort, an dem ich zu leben gezwungen wurde, nicht auch äußerlich eingeengt wirkte, sondern weiträumig und beinah freundlich war. So fühlt sich auch der Gefangene wohler in einer Zelle mit übertrieben festen, rhetorischen Gittern als in einer, die sich den Anschein eines gewöhnlichen Zimmers gibt. Aber mein erster Eindruck war nur teilweise richtig.

Nachdem ich abgeladen und dem Gemeindesekretär, einem mageren, trockenen, schwerhörigen Mann in Jägerjacke, mit schwarzem, in Spitzen ausgedrehtem Schnurrbart und gelbem Gesicht, übergeben, dem Bürgermeister und dem Carabinieri-feldwebel vorgestellt worden war und von meinen Wächtern, die eilig wieder wegfuhren, Abschied genommen hatte, blieb ich mitten auf der Straße mir selbst überlassen. Da merkte ich, daß man den Ort beim Ankommen nicht gleich übersah; denn wie ein sich schlängelnder Wurm senkte er sich mit seiner einzigen, stark abfallenden Straße auf engem Grat zwischen zwei Schluchten, stieg dann wieder an, um abermals zwischen zwei anderen Schluchten hinunterzuklettern und schließlich im Leeren zu enden. Die idyllische Ländlichkeit, die ich bei meiner Ankunft zu sehen geglaubt hatte, war nicht mehr vorhanden; auf allen Seiten sah man nichts als weiße Lehmabstürze, an denen die Häuser hingen, als schwebten sie in der Luft; und ringsumher noch mehr weißer, baum- und rasenloser Lehm, vom Wasser durchfurcht mit Löchern, Kegeln und gefährlich aussehenden Hängen wie eine Mondlandschaft. Fast alle Türen der rissigen, baufälligen Häuser, die sich kaum über dem Abgrund zu halten schienen, waren sonderbar eingerahmt von schwarzen Fähnchen, von denen einige neu, die anderen von Sonne und Regen entfärbt waren, so daß es aussah, als wäre der ganze Ort in Trauer oder zu einem Totenfest geschmückt. Ich erfuhr später, daß es Brauch ist, diese Fähnchen an den Türen der Häuser, in denen jemand stirbt, anzubringen und daß man sie nicht wegnimmt, bis sie durch die Zeit gebleicht sind.

Es gibt weder richtige Läden noch Gasthäuser im Ort. Der Sekretär hatte mich an eine verwitwete Schwägerin verwiesen, die ein Zimmer für die wenigen, hier durchkommenden Reisenden bereit halte und die mich auch verpflegen würde. Es war eins der ersten Häuser des Ortes, ein paar Schritte vom Gemeindehaus. So ging ich, ehe ich meinen neuen Aufenthaltsort näher angesehen hatte, zu der Witwe, trat mit meinen Koffern und meinem Hund Baron durch eine der Trauertüren ein und setzte mich in die Küche. Tausende von Fliegen verdunkelten die Luft und bedeckten die Wände; ein alter gelber Hund lag unendlich gelangweilt auf dem Boden. Die gleiche Langeweile und ein Ausdruck von Ekel, von erlittener Unbill und von Grauen lag auf dem bleichen Antlitz der Witwe, einer Frau mittleren Alters, die nicht in Tracht war, sondern die ein gewöhnliches Kleid anhatte, wie es besser gestellte Leute tragen, aber mit einem schwarzen Schleier auf dem Kopf. Ihr Mann war vor drei Jahren eines schrecklichen Todes gestorben. Eine Bäuerin, die eine Hexe war, hatte ihn mit Liebestränken in ihre Netze gezogen, und er war ihr Geliebter geworden. Als sie eine Tochter bekam, hatte er die sündige Beziehung lösen wollen; da gab ihm die Hexe einen Trank, der ihn umbringen sollte. Es war eine lange und geheimnisvolle Krankheit, der die Ärzte keinen Namen zu geben wußten. Der Mann hatte die Kräfte verloren und sein Gesicht hatte sich verändert, war bronzefarben und dann immer dunkler geworden, und schließlich war er gestorben. Seine Frau, eine »Signora«, war mit geringen Mitteln samt ihrem zehnjährigen Jungen allein zurückgeblieben und mußte sehen, wie sie durchkam. Deshalb vermietete sie das Zimmer; ihre Verhältnisse gaben ihr eine Zwischenstellung zwischen den besseren Leuten und den Bauern; von den einen hatte sie die Manieren und von den andern die Armut. Der Junge war ins Kolleg zu den Priestern in Potenza gesteckt worden und war gerade in den Ferien zu Hause, ein stilles, gehorsames, sanftes Kind, schon gezeichnet durch die religiöse Erziehung, mit geschorenen Haaren und einem grauen, bis zum Hals zugeknöpften Kolleganzug.

Ich war erst ein Weilchen in der Küche der Witwe und erkundigte mich gerade näher nach dem Ort, als es an die Tür klopfte und einige Bauern schüchtern Einlaß begehrten. Es waren sieben oder acht, schwarz gekleidet, mit schwarzen Hüten auf dem Kopf und einem tiefernsten Blick in ihren schwarzen Augen. »Bist du der Doktor, der heute angekommen ist?« fragten sie mich. »Komm mit, jemand ist krank.« Sie hatten im Gemeindehaus sofort von meiner Ankunft erfahren und hatten gehört, daß ich Arzt wäre. Ich sagte ihnen, ich wäre zwar Arzt, aber ich praktizierte seit vielen Jahren nicht mehr; es gäbe doch sicher einen Arzt im Ort, den sollten sie rufen, denn ich würde nicht kommen. Sie antworteten, es gäbe keine Ärzte hier und ihr Kamerad läge im Sterben. »Ist es denn möglich, daß es keinen Arzt gibt?« – »Es gibt keinen.« Mir war die Sache sehr ungemütlich: ich wußte wirklich nicht, ob ich nach so vielen Jahren, in denen ich mich nicht mehr mit der Heilkunde befaßt hatte, imstande sein würde, irgendwie zu helfen. Aber wie konnte ich ihren Bitten widerstehen? Einer von ihnen, ein weißhaariger Alter, trat an mich heran und nahm meine Hand, um sie zu küssen. Ich glaube, ich bin zurückgewichen und vor Scham rot geworden, und das gleiche geschah jedesmal, wenn im Laufe des Jahres andre Bauern die gleiche Gebärde wiederholten. War es ein Anflehen oder das Überbleibsel einer feudalen Huldigung? Ich stand auf und folgte ihnen zu dem Kranken.

Das Haus war nicht weit entfernt. Der Kranke lag, vollständig angezogen mit Schuhen und Hut, auf einer Art Bahre gleich neben dem Eingang. Das Zimmer war düster, man konnte im Halbdunkel kaum die Bäuerinnen unterscheiden, die klagten und weinten. Ein kleiner Trupp von Männern, Frauen und Kindern stand auf der Straße, und alle kamen ins Haus und drängten sich um mich. Ich erfuhr aus ihren unzusammenhängenden Erzählungen, daß der Kranke vor ein paar Minuten ins Haus gebracht worden war aus dem fünfundzwanzig Kilometer entfernten Stigliano, wohin man ihn auf einem Esel befördert hatte, um die dortigen Ärzte zu befragen; daß es zwar in Gagliano Ärzte gebe, daß man sich aber nicht an sie wende, da es Quacksalber und keine richtigen Ärzte seien; daß der Doktor in Stigliano ihm nur gesagt habe, er solle wieder umkehren und zu Hause sterben. So sei er nun wieder daheim, und ich solle ihn retten. Aber es war nichts mehr zu machen, der Mann lag im Sterben. Die Spritzen, die im Haus der Witwe zum Vorschein gekommen waren und mit denen ich, nur um mein Gewissen zu beruhigen, ihn wieder zu beleben versuchte, taten keine Wirkung mehr. Es handelte sich um einen bösartigen Malariafall, das Fieber stieg höher als die höchsten Fiebergrade, und der Organismus reagierte nicht mehr. Erdfarben lag der Mann, schweratmend und ohne zu sprechen, auf der Bahre; seine Gefährten umdrängten ihn klagend. Kurz darauf war er tot. Man ließ mich durch, und ich ging allein hinaus auf den Platz, von wo aus man einen Blick über Schluchten und Täler bis nach Sant'Arcangelo hat. Es war die Stunde des Sonnenuntergangs; die Sonne versank hinter den Bergen Kalabriens, und vom Schatten verfolgt, eilten die Bauern, klein in der großen Weite, auf fernen Pfaden über den Lehmboden ihren Heimstätten zu.

Der Platz, die »Piazza«, ist nur eine Erweiterung der einzigen Straße des Ortes an einer ebeneren Stelle, wo Ober-Gagliano, der höchstgelegene Teil, aufhört. Von dort steigt man erst noch ein Stückchen, und dann geht es wieder hinunter über ein andres Plätzchen nach Unter-Gagliano, das auf dem Erdrutsch endet. Nur auf einer Seite der Piazza stehen Häuser; auf der gegenüberliegenden Seite erhebt sich ein niedriges Mäuerchen über einem Abgrund, dem Bersaglierigraben, der so heißt, weil die Briganten dort einen piemontesischen Bersagliere, der sich zu jener Zeit in diesen Bergen verirrte, gefangengenommen und hinabgestürzt hatten.

Die Dämmerung war hereingebrochen, am Himmel flogen Raben, und auf der Piazza erschienen zu ihrer Abendunterhaltung die Honoratioren des Ortes. Sie gehen hier jeden Abend spazieren, bleiben stehen, setzen sich auf das Mäuerchen und warten mit dem Rücken gegen die letzten Sonnenstrahlen auf die Abkühlung, wobei sie ihre billigen Zigaretten rauchen. Auf der anderen Seite lehnen an den Häusern die Bauern, die von den Feldern heimgekehrt sind; ihre Stimmen hört man nicht.

Der Bürgermeister erkennt mich wieder und ruft mich zu sich. Ein junger Mensch, groß, plump und dick, mit einem Schopf schwarzer, eingefetteter Haare, die ihm unordentlich in die Stirne fallen, einem gelben, bartlosen Mondgesicht mit kleinen, boshaften Äuglein voller Falschheit und Selbstzufriedenheit. Er trägt hohe Stiefel, karierte Reithosen, eine kurze Jacke und spielt mit einer Reitpeitsche. Es ist der Professor Luigi Magalone: aber er ist gar kein Professor. Er ist der Volksschullehrer von Gagliano; doch seine Hauptaufgabe besteht darin, die Konfinierten* in seinem Ort zu überwachen. Darauf verwendet er (wie ich bald feststellen muß) seinen Eifer und seine ganze Kraft. Ist er doch, wie er sofort Gelegenheit findet, mir mit seinem hellen Kastratenstimmchen mitzuteilen, das dünn und aufgeblasen aus der Fleischmasse herausschrillt, von Seiner Exzellenz dem Präfekten als jüngster und faschistischster aller

---

* Das »confine«, die Verbannung an einen bestimmten Ort, ist eine in Italien gebräuchliche, meist auf politisch Verdächtige angewendete Strafart, die unter dem Faschismus besonders üblich war. (Anmerkung der Übersetzerin.)

Bürgermeister der Provinz Matera bezeichnet worden. Was kann ich andres tun, als dem Professor gratulieren. Und der Professor erklärt mir sofort das Nötige über den Ort und über die Art, wie ich mich zu verhalten habe. Es gäbe mehrere Konfinierte, im ganzen zehn. Ich dürfe sie nicht sehen, weil es verboten sei. Übrigens handle es sich um üble Leute, Arbeiter, Gelichter. Ich dagegen sei ein Herr, das sehe man gleich. Ich merke, wie stolz der Professor ist, daß er zum ersten Male seine Macht über einen Herrn, einen »Signore«, einen Maler, einen Doktor, einen gebildeten Menschen, ausüben kann. Auch er ist ein gebildeter Mensch; er hält darauf, mir dies sofort beizubringen. Mit mir will er liebenswürdig sein, wir stehen auf der gleichen Stufe. Aber wieso bin ich denn eigentlich konfiniert worden? Und gerade in diesem Jahr, wo das Vaterland so groß wird. Aber diese Behauptung klingt ein bißchen ängstlich. Wir sind eben am Beginn des abessinischen Krieges. Hoffentlich geht alles gut. Hoffentlich! Jedenfalls wird es mir hier gefallen. Der Ort ist gesund und reich. Ein bißchen Malaria, nicht der Rede wert. Die Bauern sind beinah alle kleine Grundbesitzer; auf der Armenliste steht fast niemand. Es ist einer der reichsten Orte der Provinz. Nur muß ich aufpassen, denn es gibt viel böses Volk. Man muß allen mißtrauen. Jedenfalls soll ich mit niemandem in Berührung kommen. Er hat viele Feinde. Er hat erfahren, daß ich jenen Bauern behandelt habe. Es ist ein Glück, daß ich gekommen bin und praktizieren kann. Ich möchte das lieber nicht? Ich soll, durchaus! Er wird sich wirklich sehr darüber freuen. Dort hinten kommt ja gerade sein Onkel, der alte Doktor Milillo, der Gemeindearzt. Ich soll keine Angst haben, er wird schon dafür sorgen, daß sein Onkel sich nicht über meine Konkurrenz ärgert. Übrigens hat sein Onkel überhaupt nichts zu sagen. Was den andern Arzt anlangt, der dort einsam auf und ab spaziert, so muß ich mich in acht nehmen: der ist zu allem fähig; aber wenn ich ihm seine ganze Kundschaft wegfangen kann, um so besser, und der Professor wird mich verteidigen.

Doktor Milillo nähert sich mit kleinen Schrittchen. Er muß siebzig Jahre alt sein oder doch nur wenig darunter. Er hat Hängebacken und die tränenden, gutmütigen Augen eines alten Jagdhundes. Er ist ungeschickt und langsam in seinen Bewegungen, was aber mehr seiner Veranlagung als seinem Alter zuzuschreiben ist. Seine Hände zittern, und die Worte kommen stotternd zwischen einer enorm langen Oberlippe und einer hängenden Unterlippe heraus. Der erste Eindruck ist der eines gutmütigen, vollkommen vertrottelten Mannes. Selbstverständlich ist er nicht sehr entzückt von meiner Ankunft, aber ich versuche ihn zu beruhigen. Ich habe keine Absicht zu praktizieren. Ich bin heute nur deshalb zu dem Kranken gegangen, weil es ein dringender Fall war und ich nichts von den ortsangesessenen Ärzten wußte. Der Doktor ist befriedigt, mich so reden zu hören, und auch er fühlt wie der Neffe das Bedürfnis, mir seine Bildung zu zeigen, indem er in den Winkeln seines Gedächtnisses nach ein paar veralteten medizinischen Ausdrücken sucht, die dort noch von seinen Universitätsjahren her haften geblieben sind wie eine auf dem Dachboden vergessene Trophäe. Aber ich verstehe von seinem Gestammel nur das eine: daß er nämlich von Medizin überhaupt nichts mehr weiß, wenn er je etwas davon verstanden hat. Die berühmten Lehren der bekannten neapolitanischen Schule haben sich in seinem Geist verflüchtigt und sich in der Eintönigkeit des ewigen, gleichgültigen Alltags verwirrt. Die Trümmer seiner verlorenen Kenntnisse schwimmen sinnlos in einem Schiffbruch von Langeweile auf einem Meer von Chinin, dem einzigen Mittel gegen sämtliche Übel. Ich lenke ihn vom gefährlichen Boden der Wissenschaft ab und frage ihn aus über den Ort, seine Bewohner und das Leben hier.

»Gute Menschen, aber primitiv. Vor allem hüten Sie sich vor den Frauen. Sie sind jung und Sie sehen gut aus. Nehmen Sie nichts von einer Frau an, weder Wein noch Kaffee, keine Speise und kein Getränk. Sie würde ganz sicher irgendeinen Zaubertrank hineintun. Sie werden den hiesigen Frauen bestimmt gefallen. Alle werden Ihnen Zaubertränklein brauen. Nehmen Sie nur nie etwas von den Bäuerinnen an.« Auch der Bürgermeister ist der gleichen Ansicht. »Diese Tränke sind gefährlich. Es ist nicht einmal angenehm, sie zu trinken. Im Gegenteil, sie sind ekelhaft.« – »Wissen Sie, woraus sie gemacht werden?« Und der Doktor neigt sich zu meinem Ohr und flüstert stotternd und selig, daß er sich endlich an einen richtigen wissenschaftlichen Ausdruck erinnert. »Blut, wissen Sie – Men-stru-al-blut«, während der Bürgermeister aus dem Hals heraus lacht wie ein Huhn. »Sie tun auch Kräuter hinein und sprechen Zauberformeln darüber, aber das wichtigste ist eben das. Ungebildete Leute: Sie mischen es überall hinein, in die Getränke, in die Schokolade, in die Blutwurst, womöglich auch ins Brot. Menstrualblut. Geben Sie acht!« Ach Gott, wieviel Zaubertränke werde ich wohl im Laufe des Jahres, ohne es zu ahnen, hinuntergeschluckt haben? Sicherlich habe ich nicht den Rat des Onkels und des Neffen befolgt und habe täglich dem Wein und dem Kaffee der Bauern Trotz geboten, auch wenn sie von einer Frau aufgetischt wurden. Wenn Zaubertränke darin waren, haben sie sich vielleicht gegenseitig neutralisiert. Jedenfalls haben sie mir nicht geschadet: vielleicht haben sie mir auf irgendeine geheimnisvolle Art geholfen, in jene verschlossene, schwarz verschleierte, blut- und erdhafte Welt einzudringen, in die andre Welt der Bauern, in die man nicht ohne einen Zauberschlüssel hineinkommt.

Vom Berg Pollino senkt sich der Abendschatten auf uns nieder. Die Bauern sind jetzt alle in den Ort zurückgekehrt, in den Häusern werden die Lichter angezündet, von allen Seiten hört man Stimmen, Eselsgeschrei und Ziegengemecker. Auf der Piazza sind jetzt alle Signori des Ortes versammelt. Der Feind des Bürgermeisters, der einsam dahinwandelnde Arzt, brennt offenbar darauf, mich kennenzulernen. Er zieht seine Kreise immer enger um uns wie ein schwarzer Teufelspudel. Es ist ein älterer, dicker Mann mit einem Bäuchlein, in steifer Haltung, mit einem grauen Spitzbart und einem Schnurrbart, der über einen sehr großen Mund mit einem Gehege gelber, unregelmäßiger Zähne herabfällt. Sein Gesicht hat einen Ausdruck von neidischem Mißtrauen und einer fortwährenden, schlecht verhehlten Wut. Er trägt eine Brille, eine Art schwarzen Zylinder auf dem Kopf, einen schwarzen, abgeschabten Überzieher und alte schwarze, zerrissene und abgetragene Hosen. Er schwenkt einen mächtigen schwarzen Baumwollschirm. Mit diesem Schirm werde ich ihn später immer sehen; er hält ihn im Sommer wie im Winter stets geöffnet, völlig senkrecht, würdevoll, gleichsam als geheiligten Baldachin über dem Tabernakel seiner eigenen Bedeutung. Doktor Gibilisco ist wütend. Sein Ansehen scheint leider sehr gelitten zu haben. »Die Bauern hören nicht auf mich. Sie rufen mich nicht, wenn sie krank sind.« Das erzählt er mir mit der giftigen und zornigen Miene eines Papstes, der gegen eine Ketzerei den Bannfluch schleudert. »Oder sie wollen nicht zahlen. Sie wollen zwar behandelt werden, aber nichts zahlen. Aber Sie werden es schon merken. Sie haben gesehen, daß man mich heute nicht zu dem Kerl gerufen hat. Er ist nach Stigliano gegangen. Er hat Sie rufen lassen. Er ist gestorben, und es geschieht ihm recht.« Über diesen Punkt war übrigens, wenn auch mit größerer Mäßigung, Doktor Milillo der gleichen Meinung. Er sagte bestätigend: »Die sind eigensinnig wie die Maulesel. Alles soll nach ihrem Kopf gehen. Man gibt ihnen Chinin und immer wieder Chinin, und sie wollen es nicht nehmen. Da ist nichts zu machen.« Ich versuche, auch Gibilisco über meine Absicht, ihm keine Konkurrenz zu machen, aufzuklären: aber seine Augen sind voller Mißtrauen und Verdacht, und sein Zorn hat sich nicht gelegt. »Sie trauen uns nicht, sie trauen der Apotheke nicht. Es ist klar, es kann nicht alles vorrätig sein; aber man kann doch Ersatz schaffen. Wenn Morphium fehlt, gibt man eben Apomorphin.« Auch Gibilisco liegt daran, ebenso wie Milillo seine Wissenschaft leuchten zu lassen. Aber ich merke sehr bald, daß seine Unwissenheit viel schlimmer ist als die des Alten. Er weiß überhaupt gar nichts und redet ins Blaue hinein. Er weiß nur eine einzige Sache, nämlich, daß die Bauern dazu da sind, sich von Gibilisco behandeln zu lassen und ihm Geld und Lebensmittel für seine Besuche zu geben; und diejenigen, deren er habhaft werden kann, müssen ihn auch für die andern, die ihm entwischen, bezahlen. Die ärztliche Kunst ist für ihn nichts andres als ein Recht, ein Feudalrecht über Leben und Tod der »Cafoni«*. Und weil die armen Patienten sich gern diesem ius necationis entziehen, lebt er in einem Dauerzustand der Wut und des Hasses, wie ein reißendes Tier gegenüber der armen bäuerlichen Herde. Wenn die Folgen nur selten tödlich sind, so liegt das gewiß nicht am fehlenden guten Willen, sondern allein an der Tatsache, daß es, um einen Menschen mit Kunst zu töten, auch einiger Brocken von Wissen bedarf. Ob er die oder jene Medizin anwendet, ist ihm ganz gleich: er kennt keine und gibt sich auch keine Mühe, sie kennenzulernen. Sie sind für ihn bloß die Waffen seines Rechtes: Ein Krieger darf sich, um sich Respekt zu verschaffen, wie es ihm beliebt, mit Bogen oder Schwertern, mit Seitengewehren oder Pistolen oder meinetwegen auch mit einem malaiischen Kris bewaffnen. Das Recht Gibiliscos ist ererbt: sein Vater war Arzt, sein Großvater war auch Arzt. Sein vor einem Jahr verstorbener Bruder war natürlich Apotheker. Die Apotheke hatte keinen Nachfolger gefunden und hätte eigentlich geschlossen werden müssen; aber durch irgendeinen Freund an

---

* »Cafone«, ursprünglich ein Dialektausdruck Süditaliens, der dort allgemein auf den Bauern im Gegensatz zum Herrn, dem »Signore«, angewendet wird und einen verächtlichen Sinn hat, dient heute auch im übrigen Italien zur Bezeichnung eines rohen, unmanierlichen, tölpelhaften Menschen. (Anmerkung der Übersetzerin.)

der Präfektur in Matera hatte man es erreicht, daß sie, zum Wohl der Bevölkerung, weiter offenbleiben durfte, bis die Vorräte erschöpft waren, und zwar unter der Leitung der Töchter des Apothekers, die nicht studiert hatten und also auch nicht zum Verkauf der Gifte hätten ermächtigt werden dürfen. Selbstverständlich gingen die Vorräte nie zu Ende; in die halbleeren Gläser wurden ein paar harmlose Pulver geschüttet, womit die Gefahr von Irrtümern beim Abwiegen vermindert war. Aber die Bauern sind eigensinnig und mißtrauisch. Sie gehen nicht zum Arzt und sie gehen nicht in die Apotheke, sie erkennen das Recht nicht an. Und so ist es nur recht und billig, daß sie an Malaria draufgehen.

Ich lasse mir ein bißchen über die Herren erzählen, die auf und ab wandern oder in schweigenden Gruppen auf dem Mäuerchen sitzen. Dort geht der Carabinierifeldwebel vorbei. Ein schöner, junger Kerl aus Apulien, mit pomadisierten Haaren und einem bösen Gesicht, eingezwängt in eine auf Taille gearbeitete Uniform, mit blanken Reitstiefeln, parfümiert, eilig und hochfahrend. Mit ihm werde ich nur sehr wenig reden; er betrachtet mich von weitem wie einen Verbrecher, den man kurz halten muß. Seit drei Jahren ist er hier und hat bereits, so erzählt man mir, vierzigtausend Lire auf die Seite gelegt, als Frucht einer weisen Ausübung seiner Autorität über die Bauern – zehn Lire pro Mal. Er ist der Geliebte der Hebamme, einer hochgewachsenen, mageren, leicht hinkenden Frau mit großen, glänzenden, schmachtenden Augen und einem langen Pferdegesicht, die schlecht angezogen und betriebsam ist und die Bewegungen und sentimentalen, übertriebenen Ausdrücke einer Varietédiva in einem Provinzcafé hat. Der Feldwebel bleibt einen Augenblick stehen und spricht leise mit dem Bürgermeister, dessen Exekutivgewalt im Zivilleben er darstellt. Ich werde sie später noch oft in geheimnisvollem Ton miteinander flüstern sehen, vielleicht über die beste Art, die Ordnung aufrechtzuerhalten und das Ansehen der Behörden zu vermehren. Jetzt macht er sich gleich davon, mustert uns, ohne zu grüßen, von oben herab und wendet sich der Tür seiner Freundin dort im Hintergrund zu. Vielleicht geht er aber auch, wie man sich zuflüstert, zu der schönen Sizilianerin, einer konfinierten Angehörigen der Mafia, die hinter dem Haus der Hebamme wohnt. Sie ist ein prachtvolles Geschöpf, schwarz und rosa, die niemand je zu Gesicht bekommt, da sie nach dem Brauch ihrer Heimat das Geheimnis ihrer Schönheit verborgen hält. Um ihre

Zurückhaltung besser wahren zu können, hat sie es sogar erreicht, daß sie, anstatt täglich, nur einmal in der Woche in das Gemeindehaus zu gehen braucht, um sich in die Liste einzutragen. Offenbar macht ihr der Feldwebel in ebenso galanter wie drohender Weise den Hof. So sehr auch die verschämte Sizilianerin im Ruf steht, unnahbar zu sein, und obwohl man erzählt, daß es dort unten in Sizilien mehrere Männer gebe, die bereit seien, ihre Ehre zu rächen, wird es doch auf die Dauer für die verschleierte Schöne schwierig sein, der verkörperten Macht des Gesetzes zu widerstehen. Die drei schwarzgekleideten Herren mit doppelreihiger Weste nach altmodischem Schnitt, die neben uns schweigend rauchen, sind drei Grundbesitzer voller Würde und Trübsal. Aber der andre, der allein abseits steht, der dürre Alte mit dem klugen Gesicht, das ist der reichste Mann im Ort, der Rechtsanwalt S. Ein guter und freudloser Mensch, voller Mißtrauen und Verachtung für die Welt, in der er zu leben gezwungen ist. Im vorigen Jahr ist ihm sein einziger Sohn gestorben, und seine beiden schönen Töchter, Concetta und Maria, sind von da an nie mehr aus dem Haus gegangen, nicht einmal zur Messe. Das ist hier so Brauch, wenigstens unter den Honoratioren: Wenn der Vater stirbt, bleiben die Töchter drei Jahre lang eingeschlossen; stirbt der Bruder, dann ein Jahr. Der Alte mit dem langen, weißen Bart, der ihm bis auf die Brust reicht, der neben dem Rechtsanwalt raucht, ist der einstige, jetzt pensionierte Postmeister, Gevatter von Doktor Gibilisco in der Sankt-Johannes-Brüderschaft*. Er heißt Poerio und ist der letzte des gaglianischen Zweiges der Patriotenfamilie. Er ist taub und krank. Er kann nicht urinieren und ist ganz mager geworden. Sicherlich wird er sehr bald sterben.

Das alles erfahre ich von dem Rechtsanwalt P., einem vergnügten jungen Mann, der sich unsrer Gruppe angeschlossen hat. Er erzählt mir gleich, daß er vor ein paar Jahren in Bologna seinen Doktor gemacht hat. Nicht etwa weil er Neigung zum Studieren oder beruflichen Ehrgeiz hätte, beileibe nicht. Ein Onkel hatte ihn zum Erben seiner Güter und seines Hauses im Ort eingesetzt, unter der Bedingung, daß er seinen Doktor mache. Deshalb ist er nach Bologna gegangen. Das Studentenleben jener Jahre ist für ihn das große Abenteuer gewesen. Nach dem Examen kehrte er zurück, um in Frieden seine Erbschaft zu

* Die Gevatterschaft spielt in ganz Italien, vor allem aber im Süden, eine große Rolle; ihre Bande sind häufig fester als verwandtschaftliche Beziehungen. (Anmerkung der Übersetzerin.)

verzehren, heiratete eine Frau, die älter war als er, und hat nicht wieder fortreisen können. Er tat absolut nichts, als innerhalb seiner bäuerlichen Umwelt ein Fortführen seines Studentenlebens zu versuchen. Wie soll man die Stunden des Tages und alle Tage des Jahres hinbringen? Mit der Passatella*, dem Kartenspiel, einem bißchen Geschwätz auf der Piazza; und die Abende schlägt man in den verschiedenen Weinschenken tot. Die Erbschaft des Onkels hatte er bereits in Bologna im Spiel zum großen Teil durchgebracht, noch ehe er in ihren Besitz gelangt war; jetzt waren die Güter alle mit Hypotheken belastet, sie brachten wenig ein und die Familie vermehrte sich. Aber der gute Junge blieb weiter der heitere und gedankenlose Bologneser Student. Der Jüngling, der sich dort auf der andern Seite des Platzes so laut gebärdet, ist einer seiner Wein- und Passatellagenossen, seines Zeichens Hilfslehrer an der Volksschule. Er ist heute abend, wie fast immer, betrunken, was bis zum Morgen dauert. Der Wein hat aber bei ihm eine üble Wirkung; er wird brutal, wütend und streitsüchtig. Wenn er Schule hält, hört man sein Gebrüll im ganzen Dorf.

Alle stehen plötzlich auf und wenden sich zur Post. Da sieht man auch schon oben auf der Straße das alte Botenfuhrwerk mit dem Sack für die Zeitungen und Briefe, der jeden Tag von einem Maulesel an der Saurokreuzung abgeholt wird, dort, wo der klapprige Autobus vorbeifährt, der die unseligen Reisenden auf tausend Biegungen und unter fürchterlichem Gerüttel aus dem fernen Matera ins Agrital bringt. Alle rennen zum Postamt und warten, bis Don Cosimino, ein Buckliger mit einem spitzen Gesicht, die Postsäcke geöffnet und sortiert hat. Das ist die abendliche Zeremonie, bei der niemand fehlt und an der auch ich dann das ganze Jahr hindurch täglich teilnehmen werde. Alle bleiben erwartungsvoll draußen; nur der Bürgermeister und der Feldwebel gehen hinein und kontrollieren, unter dem Vorwand, die amtliche Post einzusehen, neugierig alle Briefe. Aber an diesem Abend kommt die Post verspätet, die Nacht bricht herein, und ich darf nicht länger im Freien bleiben. Ich sehe den kleinen und dürren Erzpriester mit der großen Bommel am Hut heranhinken; niemand grüßt ihn. Ich muß jetzt gehen. Ich pfeife meinem Hund Baron, der mit großen Sprüngen voranhüpft, ganz begeistert von den neuen Gerüchen, den neuen Hunden und Schafen und Ziegen und Vögeln an diesem Ort, und ich steige langsam zum Haus der Witwe hinauf.

* Ein italienisches Trinkspiel, siehe Seite 158f.

Der Bersaglierigraben ist voller Schatten, und Schatten umhüllen die schwarzen und lila Berge, die den Horizont auf allen Seiten einengen. Die ersten Sterne glänzen auf, hinter dem Agri funkeln die Lichter von Sant'Arcangelo und weiter hinten, kaum mehr sichtbar, die von ein paar andern unbekannten Orten, vielleicht Noepoli oder Senise. Die Straße ist eng, die Bauern sitzen in dem immer tiefer werdenden Dunkel unter ihren Türen. Aus dem Haus des Toten dringen die Klagen der Weiber. Um mich herum gleitet in großen Kreisen unbestimmtes Geflüster, und jenseits davon herrscht tiefes Schweigen. Mir ist, als sei ich vom Himmel gefallen wie ein Stein in einen Teich.

»So sieht also ein Ort von lauter Ehrenmännern aus«, dachte ich, während ich auf das Abendessen im Haus der Witwe wartete. Das Feuer unter dem Kessel brannte, weil die gute Frau sich eingebildet hatte, ich wäre müde von der Reise und brauche etwas Warmes. Gewöhnlich wird nämlich abends kein Feuer gemacht, nicht einmal in den Häusern der reichen Leute, wo die Reste vom Mittag, ein bißchen Brot und Käse, ein paar Oliven und die üblichen getrockneten Feigen genügen. Die Armen essen überhaupt das ganze Jahr hindurch nur Brot, das manchmal mit einer rohen, sorgfältig zerdrückten Tomate oder einem bißchen Knoblauch mit Öl oder mit heftig beißenden spanischen Pfefferschoten, dem sogenannten Diavolesco, gewürzt wird. »So sieht also ein Ort von lauter Ehrenmännern aus.« Ich konnte mir noch nicht über meine Eindrücke klar werden und ebensowenig schon in alle Geheimnisse der Politik und der einheimischen Leidenschaften eindringen; aber mir waren die Würde und die Manieren der Herren auf der Piazza aufgefallen und mehr noch der allgemeine Ton von Bosheit, Verachtung und gegenseitigem Mißtrauen in der Unterhaltung, die ich mitangehört hatte, sowie die Leichtigkeit, mit der elementare Haßgefühle geäußert wurden, ohne jede, eigentlich doch natürliche Zurückhaltung einem eben erst eingetroffenen Fremden gegenüber. Dadurch wurde ich sofort von jedem über alle Laster und Schwächen der andren unterrichtet. Obwohl ich es noch nicht mit Sicherheit feststellen konnte, war es mir doch klar, daß hier ebenso wie in Grassano die gegenseitigen Haßgefühle aller gegen alle zu einer Spaltung in zwei Parteien geführt hatten. Hier ebenso wie in Grassano und in allen andern Orten Lukaniens verwandeln die besseren Leute, die aus Unfähigkeit oder Armut, aus Geschäftsgründen oder wegen zu früher Heiraten nicht in die Paradiese Neapel oder Rom hatten auswandern können, ihre eigenen Enttäuschungen und ihre tödliche Langeweile in einen dauernden Zustand der Wut, in unaufhörlichen Haß, in ein immerwährendes Wiederkäuen uralter Gefühle, in einen ununterbrochenen Kampf, um auf dem kleinen Erdenfleck, wo sie zu leben gezwungen sind, gegen alle andern ihre Macht zu behaupten. Gagliano ist ein winziger Ort, weit ab von

Straßen und Menschen; daher sind hier die Leidenschaften elementarer und einfacher, aber nicht weniger heftig als anderswo; und ich nahm an, daß es nicht schwerfallen werde, mir bald den Schlüssel dazu zu verschaffen.

Grassano dagegen ist ziemlich groß und liegt an einer Durchgangsstraße nicht weit vom Hauptort der Provinz; dort sind nicht wie hier alle mit allen dauernd in Berührung; die Leidenschaften können deshalb verborgener bleiben, weniger deutliche Formen annehmen und unter den verschiedensten Verkleidungen auftreten. Die Geheimnisse von Grassano waren mir in den ersten Tagen nach meiner Ankunft von einem ihrer leidenschaftlichsten Mitspieler verraten worden. Auf welche Weise werde ich wohl die von Gagliano erfahren? In Gagliano soll ich drei Jahre zubringen, eine unendliche Zeit. Die Welt ist mir verschlossen, der Haß und die Kämpfe der Signori sind die einzigen Tagesereignisse; und ich habe es schon auf ihren Gesichtern lesen können, wie tief und gewaltig sie sind; armselig, aber heftig wie in einer griechischen Tragödie. Ich muß mir wie ein Stendhalscher Held einen Plan zurechtlegen, um keinen Fehler zu begehen. In Grassano wurde ich vom Chef der Miliz, Leutnant Decunto, auf dem laufenden gehalten. Wer kann hier eine solche Rolle übernehmen? Als ich von Leutnant Decunto, dem Chef der Miliz in Grassano, am Tag nach meiner Ankunft aus dem römischen Gefängnis Regina Coeli den kategorischen Befehl erhielt, mich bei ihm zu melden, war ich auf Unannehmlichkeiten gefaßt, da ich mich noch gar nicht eingelebt hatte und nicht genau wußte, was eigentlich in der Welt vorging und wie die Stimmung im Lande hinsichtlich des kurz bevorstehenden Krieges in Afrika sei. Ich fand jedoch in dem Zimmerchen, das ihm als Büro diente, einen kleinen, jungen, blonden und liebenswürdigen Menschen, mit einem bitteren Zug um den Mund und hellblauen, abirrenden Augen, die spröde zur Seite blickten, nicht so sehr aus Angst, als aus so etwas wie Scham und Ekel. Er hatte mich rufen lassen, weil ich wie er Reserveoffizier war und er meine Bekanntschaft machen wollte. Er beeilte sich, mir zu sagen, daß er zwar die Miliz befehlige, aber weder mit der Polizei oder den Carabinieri noch mit dem Bürgermeister oder dem faschistischen Sekretär etwas zu tun habe. Besonders der letztere war ein Verbrecher und die andern alle seiner würdig. Das Leben in Grassano war unmöglich, und nichts konnte da Abhilfe schaffen. Alle waren Diebe, ehrgeizig, unehrlich und gewalttätig. Er mußte ein Mittel finden, um wegzukommen:

man ging hier zugrunde. Deshalb hatte er sich als Freiwilliger nach Afrika gemeldet; wenn alles schief ging, mußte man es eben hinnehmen. Viel gab es ohnehin nicht zu beklagen. – »Wir setzen alles aufs Spiel«, sagte er, indem er an mir vorbei in die Ferne blickte. »Das ist das Ende, verstehen Sie? Das Ende. Sollten wir siegen, wird sich vielleicht einiges ändern, wer weiß? Aber England wird es nicht erlauben. Wir werden uns den Kopf einrennen. Das ist unsere letzte Karte. Und wenn es schief geht ...« Es folgte eine Gebärde, als wollte er sagen: dann geht die Welt unter. – »Es wird schief gehen. Aber es kommt nicht darauf an. So kann es ohnehin nicht weitergehen. Sie werden hier eine Zeitlang bleiben. Sie stehen außerhalb unsrer Probleme und werden sich ein Urteil bilden können. Wenn Sie gesehen haben werden, was das hier für ein Leben ist, dann werden Sie mir recht geben.«

Ich schwieg, weil ich ihm nicht traute. Aber im Lauf der nächsten Tage merkte ich, daß Leutnant Decunto, wenn er mich vielleicht auch überwachte, doch vollkommen aufrichtig und daß sein Pessimismus echt war. Ich war ihm sympathisch, weil ich ein Fremder war und er bei mir seiner Erbitterung Luft machen konnte. Jedesmal, wenn ich zur Kirche zuoberst im Dorf hinaufstieg und, vom Wind umweht, die öde Landschaft betrachtete, tauchte er neben mir auf, blond und grau wie ein Gespenst, und sprach zu mir, ohne mich anzublicken. Er war nur das letzte Glied einer Kette von Haß, der viele Generationen weit zurückging: hundert Jahre, mehr noch, zweihundert, wer weiß, vielleicht seit je her. Er nahm teil an dieser ererbten Leidenschaft, gegen die er machtlos war und die ihn verzehrte. Seit Jahrhunderten hassen sie sich hier, und sie werden sich immer hassen inmitten der gleichen Häuser, vor den gleichen weißen Steinen des Basento und in den gleichen Irsinagrotten. Heute waren natürlich alle Faschisten. Aber das wollte gar nichts besagen. Vorher waren sie Anhänger Nittis oder Salandras gewesen und noch früher Giolittianer oder Anti-Giolittianer, Angehörige der Rechten oder der Linken, für die Briganten oder gegen sie, in der Gefolgschaft der Bourbonen oder Liberalen, und vorher weiß Gott was. Aber der wahre Grund war folgender: es gab eben die anständigen Leute, die sogenannten »Galantuomini« und die Briganten, die Söhne der Galantuomini und die Söhne der Briganten. Daran hatte der Faschismus nichts geändert. Im Gegenteil, früher, als es Parteien gab, konnten die anständigen Leute auf der einen Seite unter einer besonderen Fahne stehen und sich von den andern unterscheiden und im Rahmen der Politik kämpfen. Heute ist uns nichts anderes übriggeblieben als anonyme Briefe und Ausübung von Druck und die Korruption in der Präfektur. Denn alle sind Faschisten. – »Sehen Sie, ich stamme aus einer liberalen Familie. Meine Urgroßväter waren unter den Bourbonen im Gefängnis. Aber der Parteisekretär, wissen Sie, was der ist? Der Sohn eines Briganten, eines richtigen Briganten. Und alle, die um ihn herumtanzen und die heute das Land beherrschen, sind aus dem gleichen Holz. Und in Matera ist es genau so. Der Nationalrat N. stammt aus einer hiesigen Familie, welche die Briganten unterstützte. Auch Baron Collefusco, dem das ganze Land ringsum gehört, der Besitzer des Palastes auf dem Hauptplatz, was ist der eigentlich? Er lebt natürlich in Neapel und erscheint nie in dieser Gegend. Kennen Sie ihn nicht? Die Barone Collefusco waren im geheimen die wahren Häupter des Räuberunwesens in den sechziger Jahren in dieser Gegend. Sie waren es, die zahlten und Waffen lieferten.« – Seine kleinen, blauen Augen funkelten vor Haß. – »Sie setzen sich, wie ich oft gesehen habe, häufig auf die Steinbank vor dem Palast des Barons. Vor hundert Jahren, sogar mehr als hundert Jahren, saß auf dieser Bank allabendlich wie Sie, um die Kühle zu genießen, der Urgroßvater des jetzigen Barons, und dabei pflegte er einen seiner kleinen Söhne im Arm zu halten. Eben dies Kind wurde später der Großvater des Barons und Abgeordneter und Beschützer der Briganten. Auf dieser Bank wurde der Alte von einem Verwandten meines Urgroßvaters ermordet. Von einem Apotheker, dem Bruder des Arztes, namens Palese. Wir Decuntos hier in Grassano stammen aus der gleichen Familie. In Potenza gibt es noch mehrere Enkel des Doktors. Das ging so zu: es gab damals bei uns eine Carbonarigruppe*, zu der die beiden Brüder Palese gehörten, sowie ein Lasala, aus der gleichen Familie wie der Tischler Lasala, den Sie kennen, ein Ruggiero, ein Bonelli und viele andre, und zu ihnen gesellte sich auch der Baron Collefusco, der sich als Liberaler ausgab. Aber der Baron war ein Spitzel. Er war eingetreten, um sie alle zu denunzieren.

---

* Carbonari (Köhler) nannten sich die Mitglieder einer geheimen politischen Gesellschaft in Italien zur Zeit der Bourbonenherrschaft, deren Ziel die Einführung liberaler Staatsformen und die nationale Unabhängigkeit war. Ihre Zeichen entstammten der Kohlenbrennerei, und ihre Hauptmetapher war die »Reinigung des Waldes von Wölfen«, das heißt der Kampf gegen die Tyrannei. (Anmerkung der Übersetzerin.)

Eines Tages hatten sie eine Sitzung, um über irgendeine in Kürze auszuführende Aktion zu verhandeln. Gleich nach Schluß geht der Baron nach Hause, ruft einen vertrauten Diener, läßt sein bestes Pferd für ihn satteln und gibt ihm einen Brief mit der Liste sämtlicher Verschwörer, den er zum Gouverneur nach Potenza bringen soll. Aber das Wegreiten des Dieners bleibt nicht unbemerkt. Man hatte schon Verdacht geschöpft: was hatte jener Diener zu jener Stunde auf der Straße nach Potenza auf dem besten Pferd des Ortes zu suchen? Es war keine Zeit zu verlieren, um ihn zu verfolgen, festzunehmen und den Verrat aufzudecken. Vier Carbonari sprangen in den Sattel: aber das Pferd des Barons war besser als ihre Gäule und hatte eine Stunde Vorsprung. Die vier benutzen alle Abschneider und Seitenpfade und reiten die ganze Nacht hindurch so rasend, daß es ihnen glückt, den Diener gerade noch vor den Toren von Potenza an einem Waldrand zu erreichen. Sie schießen von weitem im Galopp auf das Pferd, und das Pferd stürzt; sie packen den Diener, binden ihn an einen Baum, durchsuchen ihn und finden den Brief des Barons. Sie lassen ihn dort angebunden, ohne ihn umzubringen, und kehren mit verhängten Zügeln nach Grassano zurück. Der Verräter muß bestraft werden: die Carbonari halten eine Versammlung ab und ziehen das Los, wer den Baron töten soll. Es trifft den Doktor Palese, aber sein Bruder ist ein besserer Schütze, ist Junggeselle und verlangt und erreicht es, daß er sich für seinen Bruder stellen darf. Damals gab es noch keine Häuser gegenüber dem Palast wie heute, sondern dort begann das freie Feld, und es stand dort eine dicke Eiche. Es war Abend. Der Apotheker versteckte sich hinter der Eiche und wartete, daß der Baron herauskäme, um die frische Luft zu genießen. Der Vollmond stand am Himmel. Der Baron trat vor die Türe, aber er hielt das Kind im Arm und setzte sich auf die Steinbank, um es auf seinen Knien reiten zu lassen. Der Apotheker wartete; denn er wollte nicht das unschuldige Kind treffen, doch da jener keine Anstalten machte, das Kind wegzuschicken, mußte er sich entschließen. Er war ein ausgezeichneter Schütze und schoß nicht fehl. Er traf ihn mitten in die Stirne, gerade, als das Kind ihn umarmte. Natürlich versteckten sich alle Liberalen, aber sie wurden doch verhaftet und verurteilt. Der Apotheker starb im Gefängnis zu Potenza; der Doktor saß dort viele Jahre und würde wahrscheinlich auch gestorben sein, wenn nicht die Frau des Gouverneurs eine sehr schwere Geburt gehabt hätte und, da sie das Kind nicht zur Welt bringen konnte, in Lebensgefahr schwebte. Keiner der Ärzte in Potenza konnte ihr helfen; da fiel es jemandem ein, den Doktor zu holen, der im Gefängnis war. Er kam, rettete die Gouverneurin, die ein schönes Kind gebar und gleich nach ihrer Genesung nach Neapel fuhr und sich der Königin zu Füßen warf. Der Doktor wurde begnadigt, aber er kehrte nicht nach Grassano zurück. Er blieb in Potenza, und seine Nachkommen leben noch heute dort. Der Junge, den der Apotheker so sorgfältig geschont hatte, wurde später, wie ich schon sagte, der erste Abgeordnete Grassanos im italienischen Parlament, und er gab sich als Liberaler aus, aber gleichzeitig hielt er es mit den Briganten; und der Enkel, der jetzige, erscheint zwar nie hier, ganz im geheimen aber beschützt er von Rom aus die Gesellschaft, die hierzulande kommandiert: alles Brigantensöhne.« Ich habe niemals feststellen können, ob alle Einzelheiten dieser Geschichte, die in einem gewissen Sinn den gegenseitigen Haß der Signori in Grassano adelt, da sie ihn in so alte Zeiten verlegt und mit wenigstens teilweise idealen Beweggründen verknüpft, wahr sind. Aber das ist schließlich unwichtig. Der Kampf der Signori untereinander hat nichts zu tun mit einer vom Vater auf den Sohn vererbten »Rache«, und es handelt sich auch nicht um einen wirklichen politischen Kampf zwischen Konservativen und Fortschrittlern, selbst wenn er einmal zufällig diese Form annimmt. Selbstverständlich bezichtigt jede Partei die andre der schlimmsten Verbrechen; und dieselben Geschichten, die mir Leutnant Decunto erzählt hatte, wurden umgekehrt mit sentimentalem Ton von Mitgliedern der damals herrschenden Gruppe über die Gegenseite wiederholt. Wahr ist, daß dieser dauernde Kampf der Signori in der gleichen Form über ganz Lukanien verbreitet ist. Das kleine Bürgertum verfügt nicht über die Mittel, um mit dem nötigen Anstand ein Herrenleben zu führen. Alle jungen, einigermaßen tüchtigen Leute, auch die, welche nur eben noch imstande sind, selbständig ihr Fortkommen zu finden, verlassen die Heimat. Die Unternehmendsten gehen wie die Cafoni nach Amerika, die andern nach Rom oder Neapel, und sie kehren nicht wieder zurück. Im Lande bleibt nur der Ausschuß, diejenigen, die gar nichts können, die körperlich Gehemmten, die Unfähigen, die Faulen; durch Langeweile und Gier werden sie bösartig. Diese degenerierte Klasse muß, um leben zu können (die kleinen Güter werfen nichts ab), die Bauern beherrschen und sich im Land Stellen sichern, die etwas einbringen: als Lehrer, Apotheker, Priester, Carabinieriwachtmeister und so weiter. Es ist also eine Frage auf Leben und Tod, die Macht persönlich in den Händen zu haben, selber oder durch Verwandte oder Gevattern an den Kommandostellen zu stehen. Daher der fortwährende Kampf, um die so notwendige und ersehnte Macht an sich zu reißen, sie den andern wegzunehmen. Dieser Kampf wird durch die Enge der Umwelt, den Müßiggang, die Verbindung von privaten und politischen Motiven endlos und brutal. Jeden Tag werden aus allen Orten Lukaniens anonyme Briefe an die Präfektur gesandt. Und das ist der Präfektur keineswegs unangenehm, auch wenn sie das Gegenteil vorspiegelt. »In Matera tun sie so, als wollten sie unsre Streitigkeiten schlichten«, sagte mir Leutnant Decunto, »aber in Wirklichkeit tun sie alles, um sie anzustacheln. In diesem Sinne lauten ihre Weisungen aus Rom. So halten sie, durch Drohungen und Hoffnungen, alle in der Hand. Aber was haben wir schon zu hoffen?« – und hier macht er die charakteristische Handbewegung, die besagt: nichts. »Hier kann man nicht leben. Man muß fortgehen. Jetzt gehen wir nach Afrika. Das ist unsere letzte Karte.«

Das Gesicht des Milizleutnants wurde grau, wenn er so zu mir sprach, und seine abirrenden Augen wurden ganz hell vor ohnmächtiger Wut und nahmen einen verzweifelten und bösen Ausdruck an. Er gehörte ganz zu diesen Menschen mit ihrem Haß und ihren Leidenschaften: er war einer der ihrigen und grämte sich darüber. Es gab in ihm einen Ansatz von Gewissen und von Scham. Auch er glaubte, wie alle andern, an das afrikanische Unternehmen, an den für die heruntergekommenen Kleinbürger notwendigen »Lebensraum«; aber gleichzeitig legte er sich, wenn auch nur ungefähr und rein gefühlsmäßig, Rechenschaft ab über diesen Niedergang und das Elend, und so wurde der Krieg für ihn zur Flucht, zu einer Flucht in eine Welt der Zerstörung. Was ihn im Grunde am meisten an diesem Abenteuer anzog, war eben die Möglichkeit der Niederlage und Vernichtung. Man merkte das am Ton, mit dem er wiederholte: »Es ist unsere letzte Karte.« Das kleine Licht seines Gewissens, das ihn von seinen Mitbürgern unterschied, äußerte sich nur in einer tiefen, beschämenden Selbstverachtung. Zum gegenseitigen Haß der Signori kam bei ihm der Selbsthaß; und das machte ihn für einen aufmerksamen Beobachter noch boshafter und bitterer als die andern, fähig zu jeder bösen Handlung. Er hätte, ohne damit in Widerspruch zu seiner naiven Einfalt eines Jungen aus gutem Hause zu geraten, töten, stehlen, spionieren und vielleicht auch als Held sterben können, eben aus seiner elementaren Verzweiflung heraus. All das bedeutete für ihn den Krieg. Wenn es schief ging, was lag daran? Die ganze Welt mochte in Trümmer gehen, nur um die Erinnerung an Grassano zu begraben, das weiß und unveränderlich auf dem Hügel lag mit seinen Signori und seinen Briganten.

»Aber das kleine und düstere Licht im Gewissen des Leutnants Decunto«, so dachte ich, als ich in der Küche der Witwe auf das Abendessen wartete, »ist etwas Seltenes, vielleicht etwas Einzigartiges.« Ich hatte es in keinem der stumpfen, boshaften und gierig selbstzufriedenen Gesichter meiner neuen Bekannten auf der Piazza entdeckt. Offenbar gingen ihre Leidenschaften keineswegs in die Geschichte zurück, sie reichten nicht über den kleinen Ort mit dem von Malaria verseuchten Boden hinaus, sie wuchsen im engen Bereich zwischen vier Häusern, sie hatten die Dringlichkeit und die Armseligkeit des täglichen Nahrungs- und Geldbedürfnisses; sie kleideten sich, ohne sich zu verbergen, in den Formelkram der Oberschicht; sie blähten sich auf im schmalen Raum kleiner Geister und der trostlosen Landschaft, bis sie zu heftigem Druck wurden, wie der Dampf der dünnen Fleischbrühe der Witwe unter dem Deckel des Tontopfes, den ich über dem kümmerlichen Reisigfeuer im Kamin brodeln und pfeifen hörte. Ich blickte ins Feuer und dachte an die unendliche Reihe von Tagen, die vor mir lagen und in denen auch für mich der Horizont der Menschheit in dem Kreis dieser dunklen Leidenschaften beschlossen sein würde; und unterdessen legte die Witwe das Brot auf den Tisch und stellte den Wasserkrug hin. Es war das hiesige schwarze Brot aus grobkörnigem Weizen in großen Laiben von drei oder fünf Kilogramm, die für eine Woche ausreichen und fast die einzige Nahrung der Armen wie der Reichen darstellen: rund wie eine Sonne oder wie ein mexikanischer Zeitstein. Ich fing an, es in Scheiben zu schneiden mit der nun schon gewohnten Gebärde, indem ich es faßte, gegen die Brust drückte und mit dem scharfen Messer auf mich zu schnitt, wobei ich achtgab, mir nicht das Kinn zu verletzen. Der Krug war wie die in Grassano und alle, welche die Frauen hier wie dort auf dem Kopf tragen, eine Amphora aus Ferrandina aus gelbrötlichem Ton, eingezogen und bauchig wie ein archaisches Frauenbild mit enger Taille, runder Brust und Hüften und kleinen Armen als Henkel. Ich saß allein am Tisch vor dem schweren Tischtuch aus hausgemachtem Leinen; aber das Zimmer war nicht leer. Immer wieder öffnete sich die Türe zur Straße, und Frauen, Nachbarinnen, Bekannte und Gevatterinnen der Witwe traten herein. Sie kamen unter den verschiedensten Vorwänden, brachten Wasser oder fragten, ob sie morgen früh am Fluß für sie waschen sollten: sie blieben weit vom Tisch in der Nähe des Ausganges; da standen sie, eine neben der andern und zwitscherten alle zu gleicher Zeit, wie eine Vogelschar. Sie taten so, als sähen sie mich nicht an, aber von Zeit zu Zeit glitten ihre schwarzen Augen unter den Schleiern flink und neugierig zu mir herüber und flohen sofort wieder wie Tiere des Waldes. Da ich noch nicht an ihre Tracht gewöhnt war (ein kümmerlicher Rest von Tracht, der nichts mehr mit den berühmten Kostümen von Pietragalla und Pisticci zu tun hat), erschienen sie mir alle gleich, mit ihren vom mehrfach gefalteten, auf den Rücken fallenden Schleier umrahmten Gesichtern, den einfachen Blusen aus Baumwollstoff, den weiten, dunklen, glockenförmigen Röcken, die bis an die Waden reichen, und hohen Stiefeln. Sie hielten sich gerade in der feierlichen Haltung der Frauen, die gewohnt sind, ihre Lasten im Gleichgewicht auf dem Kopf zu tragen, und ihre Gesichter hatten einen Ausdruck von scheuer Würde. Ihre Bewegungen waren schwerfällig und ohne weibliche Anmut, ebenso wie die schweren Blicke ihrer neugierigen Augen. Sie wirkten nicht wie Frauen, sondern wie Soldaten eines sonderbaren Heeres oder besser noch wie eine Flottille von schaukelnden und dunklen Barken, die darauf warten, alle zusammen den Wind in ihren kleinen Segeln zu fangen. Ich betrachtete sie und versuchte, ihren Gesprächen in dem mir fremden Dialekt zu folgen, als an die Türe geklopft wurde; da verabschiedeten sich die Frauen unter reichlichem Wippen ihrer Röcke und Schleier, und ein neuer Gast trat in die Küche.

Es war ein junger Mensch mit winzigem roten Schnurrbart, der ein längliches Futteral aus braunem Leder trug. Er war schlecht angezogen, und seine Schuhe waren staubig, aber er trug Kragen und Krawatte und hatte auf dem Kopf eine komische hohe und runde Mütze mit einem Schirm aus Wachsleinwand, in der Art, wie sie früher bei den Akademieschülern üblich waren. Auf dem grauen Grund leuchteten flammend über die ganze Höhe zwei große ausgeschnittene und aufgenähte Buchstaben aus rotem Stoff: »U. E.«. »Ufficiale Esattoriale« – Steuereinnehmer –, erklärte er mir, als ich ihn fragte, was das riesige U und E bedeuteten. Und dabei setzte er sich, nachdem er das Futteral hingelegt hatte, an meinen Tisch, zog aus der Tasche ein Päckchen mit Brot und Käse, verlangte von der

Witwe ein Glas Wein und fing an zu essen. Er war der Steuerbeamte aus Stigliano, der oft aus dienstlichen Gründen nach Gagliano kam; heute war es zu spät geworden, und er mußte hierbleiben und bei der Witwe übernachten. Er hatte auch morgen in Gagliano zu tun. Er sprach nicht gern über seinen Beruf, dafür zeigte er mir voller Stolz sofort den Inhalt seines Futterals. Es war eine Klarinette. Er trennte sich nie von ihr; er trug sie immer bei sich auf seinen Fahrten, wenn er dem Geld der Bauern nachjagte. Er hatte diese Anstellung gefunden, man mußte ja doch leben; aber sein Ehrgeiz zielte in eine ganz andere Richtung: er wollte Musiker werden. Er war noch kein Meister, er studierte Klarinette erst seit einem Jahr, aber er übte dauernd. Ja, er konnte mir eine Probe seiner Kunst geben, da ich, wie er gleich sah, ein Kenner war, aber nur ein einziges Stück, denn er wollte noch ausgehen, um seinen Gevatter zu besuchen, und es war schon spät. Brot und Käse waren zu Ende, und etwas anderes zu essen gab es nicht. Die Klarinette blies unsicher und zaghaft die Noten eines Liedchens, und die Hunde knurrten die Begleitung dazu.

Kaum hatte sich der musikalische Steuereinnehmer entfernt und uns allein gelassen, da überschlug sich die Witwe in Entschuldigungen, daß sie gezwungen wäre, mir ihn als Zimmergenossen zu geben. Doch es ginge nicht anders. Aber es sei ein anständiger junger Mann, sauber, kein Bauer. Ich versicherte ihr, ich würde mich gern mit seiner Gesellschaft abfinden. Ich war nun schon an solche zufälligen Gefährten einer Nacht gewöhnt. Während ich in Grassano im Gasthaus von Prisco wohnte, mußte ich fast allnächtlich neue Gäste in meinem Zimmer aufnehmen. Es gab dort nämlich nur zwei Gastzimmer, und wenn das eine voll war, mußte meines mit herhalten, und nach Grassano kamen häufig durchreisende Fremde, da es an der großen Straße liegt und das Gasthaus von Prisco als das beste in der Provinz bekannt ist, so daß Reisende, die in Geschäften nach Tricarico fahren, es vorziehen, am Abend nach Grassano zurückzukehren, statt in der elenden Schenke dieses Bischofssitzes zu nächtigen.

Es waren also bei mir die verschiedensten Leute durchgekommen, apulische Handelsreisende, Birnenhändler aus Neapel, Fuhrleute und Chauffeure. Eines Nachts, als es schon spät war und ich bereits im Bett lag, hörte ich den ungewohnten Lärm eines Motorrades, und in meinem Zimmer erschien bald darauf der Fahrer mit staubbedecktem Lederhelm. Es war der Baron

Nicola Rotunno aus Avellino, einer der reichsten Gutsbesitzer der Provinz. Er besaß gemeinsam mit seinem Bruder, der Rechtsanwalt war, unendlich große Ländereien in Grassano, Tricarico, Grottole und wer weiß in wie vielen andern Gemeinden im Bezirk von Matera und fuhr auf seinem Motorrad herum, um von den Pächtern das Geld für die Ernte einzukassieren und die fälligen Schulden von seinen Bauern einzutreiben, Schulden, die sie im Laufe des Jahres machen, um existieren zu können, und die meistens höher sind als der ganze Jahresertrag, so daß sie immer anwachsen und jede Hoffnung auf eine bessere Zeit verschlingen. Der Baron, ein hagerer, bartloser junger Mensch mit einem Kneifer, stand in Grassano in dem Ruf, ebenso wie sein Bruder besonders auf seinen Vorteil erpicht zu sein; er brachte es fertig, einen Bauern um weniger Lire willen fortzujagen; er war ebenso schlau in seinen undurchsichtigen Geschäften wie geschickt in der Auswahl ihm ergebener Pächter und unerbittlich gegen alle. Als frommer Mann trug er im Knopfloch seiner Jacke statt des üblichen Faschistenabzeichens das runde der Azione Cattolica. Zu mir war er sehr liebenswürdig. Da er erfahren hatte, daß ich, sein Bettnachbar, konfiniert war, bot er mir sofort an, etwas für meine Befreiung zu tun, was für ihn, wie er sagte, sehr leicht wäre, denn er war ein Freund einer sehr guten Freundin des Senators Bocchini, des römischen Polizeichefs; diese Dame stammte wie er aus Avellino und hegte wie er eine besondere Verehrung für die Madonna, deren berühmtes Heiligtum in der Umgebung dieser Stadt lag. Damit wendete sich das Gespräch den Sanktuarien und den Heiligen zu, und wir kamen auf den heiligen Rochus von Tolve zu sprechen, einen Heiligen, von dessen eigentümlicher Kraft ich selbst Proben und unmittelbare Gunstbezeugungen miterlebt hatte. Tolve ist ein Dorf in der Nähe von Potenza, und gerade in jenen Tagen hatte man, so wie alle Jahre, zu Anfang August eine Pilgerfahrt dorthin unternommen. Männer, Frauen und Kinder aus allen umliegenden Provinzen nehmen, zu Fuß oder auf Eseln reitend, daran teil und wandern Tag und Nacht durch. Der heilige Rochus erwartet sie in der Luft über dem Dach seiner Kirche schwebend. »Tolve gehört mir und ich beschütze es«, sagt der Heilige in den volkstümlichen Drucken, die ihn im braunen Gewand mit seinem goldenen Heiligenschein gegen den blauen Himmel des Landes darstellen.

Aber auch der Heilige von Grassano ist ein guter Heiliger: ein heiliger Mauritius in glänzenden Farben, dort unten in seiner

Kirche, in Waffen starrend, ein glorreicher Krieger aus Papiermaché, so wie man sie heute noch so kunstvoll in Bari herstellt. Vom heiligen Mauritius kamen wir auf seinen Kriegs- und Seligkeitsgefährten und auf viele andere Heilige und auf den heiligen Augustin, den Gottesstaat und schließlich auf die Evangelien. Der Baron zeigte sich erfreut und erstaunt über meine Vertrautheit mit diesem Thema, von dem er angenommen hatte, daß ich gar nichts davon wüßte. Es war sehr spät geworden, mir fielen die Augen vor Müdigkeit zu, als ich den Baron sich plötzlich im Bett aufrichten, seinen Kneifer vom Nachttisch nehmen und sich auf die Nase setzen sah, worauf er auf den Boden sprang und sich schweigend in seinem langen, weißen Nachthemd, das ihm fast bis auf die Füße reichte, wie ein Gespenst meinem Bett näherte. Als er neben mir stand, schlug er mit der Hand ein großes Kreuzeszeichen über mich und sagte mit feierlicher und gerührter Stimme: »Ich segne dich im Namen des Christkindes, gute Nacht.« Nachdem er nochmals ein Kreuz geschlagen hatte, kroch er wieder in die Kissen und löschte das Licht aus. Unter dem Schutze des unerwarteten Segens des reichen Barons schlief ich sofort ein, um, wie immer, in der Dämmerung aufzuwachen beim feinen Klang der Glöckchen der aufs Feld ziehenden Herden und bei dem mörderischen Lärm Priscos, der, wie jeden Morgen, mit Stentorstimme nach seinen verschlafenen Söhnen rief.

Das Zimmer der Witwe, das ich in jener Nacht mit dem Steuereinnehmer teilen mußte, war sehr viel trübseliger als das bei Prisco. Es war ein dunkler, langer und enger Raum mit einem Fensterchen im Hintergrund und grauen, schmutzigen, abbröckelnden Kalkwänden. Darin standen drei schmale Betten, ein Emailwaschbecken in einer Ecke mit einem Krug und eine hinkende Kommode gegenüber den Betten. Eine von altem Fliegenschmutz fleckige Lampe sandte ein schwaches, gelbliches Licht aus. Scharen von Fliegen schwebten in der drückenden Hitze. Das Fenster war geschlossen, um keine Mücken hereinzulassen; aber kaum lag mein Kopf auf dem Kissen, da hörte ich von allen Seiten ihr Summen, das in diesem Malarialand so verdächtig ist.

Inzwischen war auch mein Gefährte zurückgekommen, hatte seine Mütze an einem Nagel gegenüber dem Bett aufgehängt, das Futteral mit der Klarinette auf die Kommode gelegt und sich ausgezogen. Ich fragte, wie seine Arbeit in Gagliano voranginge. »Schlecht«, antwortete er, »heute bin ich gekommen, um

Pfändungen vorzunehmen. Steuern zahlen sie nicht. Wenn man pfänden will, findet man nichts. Ich war in drei Häusern: Möbel sind keine da, es gibt nur das Bett, und das darf man nicht pfänden. Ich mußte mich mit einer Ziege und ein paar Tauben begnügen. Sie haben nicht einmal das Geld, um meine Reisespesen zu bezahlen. Morgen muß ich zu zwei andern gehen: hoffentlich glückt's da besser. Aber es ist ein Elend: die Bauern wollen nicht zahlen. Fast alle hier in Gagliano sind Grundeigentümer; sie haben alle ihr kleines Stück Land, allerdings oft weit vom Ort, zwei bis drei Wegstunden; und manchmal ist es auch sehr schlechter Boden, der wenig hergibt. Offengestanden, die Steuern sind recht hoch, aber das geht mich nichts an; nicht wir bestimmen sie, wir müssen nur dafür sorgen, daß sie bezahlt werden. Und Sie wissen, wie Bauern sind: bei ihnen sind alle Jahre schlecht. Sie stecken voller Schulden, sind malariakrank und haben nichts zu essen. Aber wir würden schön dastehen, wenn wir auf sie hören wollten: wir müssen unsre Pflicht tun. Sie zahlen nicht, und wir müssen uns damit begnügen, ihnen das Bißchen wegzunehmen, was sich findet, ganz wertloses Zeug. Manchmal habe ich die Reise bloß für ein paar Flaschen Öl und ein bißchen Mehl machen müssen. Und dabei werden wir auch noch scheel und voller Haß angesehen. Vor zwei Jahren haben sie in Missanello sogar geschossen. Es ist ein widerlicher Beruf. Aber man muß halt leben.«

Ich merkte, wie sehr ihn das Thema anekelte, und so brachte ich, um ihn zu trösten, das Gespräch auf die Musik. Er hoffte, Lieder komponieren zu können, irgendeinen Wettbewerb, einen Preis zu gewinnen: in diesem Falle würde er das Steueramt aufgeben. Inzwischen spielte er in der Musikkapelle von Stigliano Klarinette. Ich fragte ihn nach den Volksliedern in dieser Gegend, und ob er mir ein paar beibringen und vielleicht auch, da er so geschickt war, aufschreiben könnte. Er fragte mich, ob ich die Musik von »Schwarzes Gesichtchen« oder sonst einem gerade beliebten Schlager wolle. »Nein, das nicht, ich möchte Bauernlieder.« Er überlegte ein Weilchen, als handle es sich um einen ganz neuen Gesichtspunkt, an den er noch nie gedacht hatte. Er könnte mir schon die Noten eines Liedes aufschreiben, indem er sie eine nach der andern auf der Klarinette zusammensuchte. Aber er konnte sich durchaus nicht an irgendein von den Bauern gesungenes Lied erinnern. In Viggiano sangen und spielten sie. Hier dagegen nicht. Vielleicht gäbe es ein paar Kirchengesänge. Er wollte sich erkundigen. Etwas anderes kannte er nicht. Auch mir war in Grassano das gleiche aufgefallen. Weder morgens beim Aufbruch zur Arbeit noch mittags in der Sonne noch abends, wenn sie in langen schwarzen Reihen mit Eseln und Ziegen heimkehren in die Häuser am Berg, unterbricht eine Stimme das Schweigen der Erde. Ein einziges Mal hatte ich am Basento das Klagen einer Schilfflöte gehört, der eine andre Flöte vom gegenüberliegenden Hügel antwortete: es waren zwei fremde Hirten, die mit ihren Herden von Land zu Land zogen und sich von weitem zuriefen. Die Bauern singen nicht.

Mein Gefährte antwortete nicht mehr: ich hörte seinen regelmäßigen, pfeifenden Atem unter dem dauernden Summen der von der Hitze erregten Mücken. Schwaches Licht drang durch die geschlossenen Scheiben von einem im Schein der Mondsichel bleichen Himmel: auf der Wand mir gegenüber konnte ich im Dämmerschein auf der am Nagel hängenden Mütze die großen roten Buchstaben »U. E.« unterscheiden. Ich starrte sie in der Dunkelheit an, bis mir die Augen zufielen und ich einschlief.

Am frühen Morgen weckten mich keine Herdenglöckchen wie in Grassano, da es hier keine Hirten, keine Weiden und kein Gras gibt, sondern das fortwährende Getrappel der Eselshufe auf dem Straßenpflaster und das Meckern der Ziegen. Dies ist der tägliche Auszug. Die Bauern stehen in der Dunkelheit auf, weil sie es weit haben, einige zwei, andere drei, manche gar vier Stunden Weges, um zu ihren Feldern zu gelangen, die an den ungesunden Kiesbetten des Agri und des Sauro oder an den Hängen der fernen Berge liegen. Das Zimmer war voller Licht; die Mütze mit den Buchstaben war verschwunden. Mein Gefährte war offenbar beim Morgengrauen aufgestanden, um den Trost des Gesetzes in die Häuser der Bauern zu bringen, noch bevor diese auf die Felder gezogen waren; und um diese Zeit lief er vielleicht schon mit der in der Sonne blinkenden Mütze, seiner Klarinette und einer Ziege am Strick die Straße nach Stigliano hinunter. Vom Eingang her drang der Klang weiblicher Stimmen und Kinderweinen an mein Ohr. Etwa zehn Weiber mit Kindern auf dem Arm und an der Hand warteten geduldig auf mein Aufstehen. Sie wollten mir ihre Kinder zeigen, damit ich sie kurierte. Es waren bleiche und magere Geschöpfe mit großen, schwarzen und traurigen Augen in den wachsbleichen Gesichtchen, mit aufgetriebenen und gedunsenen Bäuchen wie Trommeln auf krummen und dünnen Beinchen. Die Malaria, die hier niemanden verschont, hatte sich bereits in ihren unterernährten und rachitischen Körpern eingenistet. Ich hatte es vermeiden wollen, mich mit Kranken zu beschäftigen, weil es nicht mein Beruf war, weil ich wußte, wie wenig Sachkenntnis ich hatte, und weil mir klar war, daß ich durch diese Tätigkeit in die starre und eifersüchtige Welt der Interessen der Signori dieses Ortes geraten würde, was mich keineswegs lockte. Aber ich begriff sofort, daß ich meinen Vorsatz nicht lange würde einhalten können. Der Vorgang vom vorigen Tag wiederholte sich. Die Frauen baten mich, segneten mich und küßten mir die Hände. Sie hofften auf mich und vertrauten mir vollkommen. Ich fragte mich, woher das käme. Der Kranke gestern war gestorben, und ich hatte nichts tun können, um seinen Tod abzuwenden; aber die Frauen behaupteten, sie hätten gesehen, daß ich nicht wie die andern sei, kein Quacksalber, sondern ein guter Mensch und daß ich ihre Kinder heilen würde. Vielleicht lag das am natürlichen Ansehen, das der Fremde genießt, der von fern her kommt und eben deshalb wie ein Gott ist; oder eher noch hatten sie gemerkt, daß ich bei meiner Hilflosigkeit doch versucht hatte, etwas für den Sterbenden zu tun, und daß ich ihn mit Teilnahme und echtem Mitgefühl betrachtet hatte. Ich war betroffen und schämte mich ihres so völlig unverdienten Vertrauens. Ich schickte die Frauen mit ein paar Ratschlägen fort und ging hinter ihnen aus dem schattigen Zimmer in das blendende Morgenlicht. Die Häuserschatten waren schwarz und unbeweglich, der heiße Wind, der aus den Schluchten aufstieg, wirbelte Staubwolken auf; die Hunde flöhten sich im Staub.

Ich wollte den Bezirk, der mir zugewiesen war und der mit dem bewohnten Ort zusammenfiel, kennenlernen, wollte eine erste Umschiffung meiner Insel vornehmen: das Land ringsum mußte für mich ein unerreichbarer Hintergrund jenseits der bürgermeisterlichen Säulen des Herkules bleiben. Das Haus der Witwe liegt am obern Ende des Ortes auf einem Plätzchen, das hinten mit der Kirche seinen Abschluß findet, einem kleinen, weißgetünchten Kirchlein, das kaum größer als die Häuser ist. Am Eingang stand der Erzpriester und drohte mit einem Stock einer Gruppe von Buben, die ihm in einer Entfernung von ein paar Schritten Grimassen schnitten, Schimpfworte zuriefen und sich bückten, um Steine aufzulesen und nach ihm zu werfen. Bei meiner Ankunft stoben die Kinder wie die Spatzen davon; der Erzpriester verfolgte sie mit finstern Blicken, schwang seinen Stock und schrie: »Verfluchte, Ketzer, Exkommunizierte! Das ist hier ein von Gott verlassenes Nest!« sagte er dann zu mir gewendet. »Die Kinder kommen nur in die Kirche, um zu spielen. Haben Sie es gesehen? Sonst kommt niemand. Die Messe lese ich vor leeren Bänken. Sie sind nicht einmal getauft. Und die Abgaben von dem bißchen Land, die zahlen sie unter keinen Umständen. Ich habe noch nicht einmal die vom vergangenen Jahr erhalten. Es sind wahrhaftig alles feine Herren in diesem Land, das werden Sie bald merken.«

Es war ein kleines, dürres, altes Männchen mit einer Stahlbrille auf der Hakennase, im Schatten seiner roten Bommel, die vom Hut herabhing; hinter der Brille blickten stechende Äuglein, deren Ausdruck rasch von einem besessenen Starren zu plötzlich aufblitzender Schlauheit wechselte. Der feine Mund war in Falten einer zur Gewohnheit gewordenen Bitterkeit herabgezogen. Unter dem schmutzigen, zerdrückten Rock, der voller Flecken und ohne Knöpfe war, guckten die ausgetretenen und verstaubten hohen Stiefel hervor. Seine ganze Erscheinung atmete schlechtertragenes Elend, wie die schwarzen, mit Unkraut bedeckten Ruinen einer verbrannten Hütte. Niemand im Ort konnte Don Guiseppe Trajella leiden und, wie ich aus der Unterhaltung am Abend vorher erfahren hatte, verabscheuten ihn die hiesigen Signori geradezu. Sie taten ihm jede Art von Schabernack an, stachelten die Kinder gegen ihn auf und beklagten sich beim Präfekten und beim Bischof über ihn. »Nehmen Sie sich vor dem Erzpriester in acht«, hatte mir der Bürgermeister anvertraut. »Er ist ein Unglück für unsren Ort: eine Profanation des Gotteshauses; er ist immer betrunken. Wir konnten ihn bis jetzt noch nicht loswerden, aber wir hoffen, ihn bald wegzujagen. Wenigstens nach Gaglianello, dem Weiler, der sein eigentlicher Sitz ist. Er ist seit vielen Jahren hierher strafversetzt. Sie haben ihn, der Professor am Seminar war, zur Buße nach Gaglianello geschickt. Er erlaubte sich gewisse Freiheiten mit seinen Schülern. Sie verstehen schon. In Gagliano ist er eigentlich zu Unrecht, nur weil kein andrer da ist. Aber das ist eine Strafe für uns.« Armer Don Trajella! Wenn der Teufel ihn auch in seinen jungen Jahren versucht hatte, so ist das schließlich eine alte und vergessene Geschichte. Jetzt konnte er sich kaum mehr auf den Füßen halten, er war nichts andres mehr als ein armer, verfolgter und verbitterter Alter, ein schwarzes und krankes Schaf unter einer Wolfsherde. Aber, das sah man ihm auch noch in seinem Verfall an, in der schönen Zeit, als er Theologie in Melfi oder Neapel lehrte, mußte Don Trajella ein guter, gescheiter Mensch gewesen sein, geistvoll und anregend. Er schrieb über das Leben von Heiligen, malte, bildhauerte und beschäftigte sich lebhaft mit weltlichen Dingen. Das plötzliche Unglück hatte ihn getroffen, hatte ihn aus allem herausgerissen und ihn wie Strandgut an diese ferne ungastliche Küste gespült. Er hatte sich vollkommen sinken lassen, im bitteren Genuß, sein Elend dadurch zu vergrößern. Er hatte kein Buch und keinen Pinsel mehr angerührt. Die Jahre waren dahingegangen, und von allen alten Leidenschaften war nur eine übriggeblieben und nun zur Manie geworden: der Groll. Trajella haßte die Welt, weil die Welt ihn verfolgte. Er war so heruntergekommen, daß er mit niemandem sprach und ganz allein lebte, nur in der Gesellschaft seiner Mutter, einer neunzigjährigen vertrottelten und hinfälligen Alten. Sein einziger Trost (abgesehen vielleicht vom Wein) war es, seine Tage mit dem Verfassen von lateinischen Epigrammen gegen den Bürgermeister, die Carabinieri, die Behörden und die Bauern zu verbringen. »Das ist ein Land von Eseln, nicht von Menschen«, sagte er mir, indem er mich einlud, in die Kirche einzutreten. »Sie können doch Latein, nicht wahr?

Gallianus, Gallianellus
Asinus et asellus
Nihil aliud in sella
Nisi Joseph Trajella.«

Die Kirche bestand nur aus einem großen weißgetünchten, schmutzigen und vernachlässigten Raum, mit einem schmucklosen Altar auf einem Holzpodium im Hintergrund und einer kleinen Kanzel an der einen Wand. Die über und über rissigen Wände waren bedeckt mit alten Bildern aus dem siebzehnten Jahrhundert, deren Leinwand sich geworfen hatte und in Fetzen hing; sie waren schlecht und unordentlich in mehreren Reihen übereinander aufgehängt.

»Die stammen aus der alten Kirche: es ist das einzige, was wir haben retten können. Sehen Sie sich die Bilder an, Sie sind ja Maler. Aber viel sind sie nicht wert. Dies hier war ursprünglich nur eine Kapelle. Die eigentliche Kirche, die Madonna degli Angeli, lag unten am andern Ende des Ortes, wo der Erdrutsch ist. Die Kirche ist vor drei Jahren plötzlich eingestürzt und in die Schlucht gefallen. Gott sei Dank geschah es in der Nacht, wir sind noch gut davongekommen. Hier kommen dauernd Erdrutsche vor. Wenn es regnet, gibt die Erde nach und rutscht ab, und die Häuser stürzen ein. Jedes Jahr stürzt das eine oder das andre hinab. Die Stützmäuerchen sind wirklich lächerlich. In ein paar Jahren wird dieser Ort nicht mehr vorhanden sein. Er wird völlig im Abgrund liegen. Es hatte drei Tage lang geregnet, als die Kirche zusammenstürzte. Aber jeden Winter ist es das gleiche: ein paar mehr oder minder große Unglücksfälle geschehen jedes Jahr, hier und in allen andern Orten der Provinz. Es gibt weder Felsen noch Bäume, und der Lehmboden löst sich auf und fließt hinab wie ein Gießbach, mit allem, was darauf steht. Sie werden's in diesem Winter schon sehen. Aber ich wünsche Ihnen, daß Sie dann nicht mehr hier sind. Die Leute sind noch schlimmer als der Boden. Profanum vulgus.« Die Augen des Erzpriesters funkelten hinter den Brillengläsern.

»Wir müssen uns mit dieser alten Kapelle begnügen. Ein Glokkenturm ist nicht vorhanden, die Glocke hängt draußen an einem Gestell. Man müßte auch das Dach reparieren, es regnet herein. Man müßte es auch stützen. Sehen Sie die Risse in den Wänden? Aber wer gibt mir das Geld? Die Kirche ist arm und das Land noch ärmer, und außerdem sind es keine Christen, sie haben keine Religion. Sie bringen mir nicht einmal die üblichen Geschenkchen; man kann sich also vorstellen, wie es mit dem Glockenturm steht. Und der Bürgermeister, Don Luigi, und die andern sind sich darüber einig, nichts machen zu lassen. Dagegen spielen sie Apotheker. Sie werden schon sehen, was mit den öffentlichen Arbeiten los ist.«

Mein Hund Baron, der sich der Majestät des Ortes nicht bewußt war, guckte beim Eingang herein; das Warten war ihm langweilig, er bellte lustig, und ich konnte ihn nicht wegjagen oder zum Schweigen bringen. Ich verabschiedete mich also von Don Trajella und wendete mich auf der Straße links von der Kirche, auf der ich am Tag vorher angekommen war, den ersten Häusern des Ortes zu. Das war die Gegend, die mir gestern beim raschen Durchfahren mit dem Auto so gastlich und beinah anmutig mit Bäumen und Grün erschienen war. Aber jetzt, unter dem scharfen Licht der Morgensonne, wirkte es, als habe sich das Grün im blendenden Grau der Mauern und der Erde aufgelöst. Es war nur eine unordentlich an den Seiten der Straße erbaute Häusergruppe in elenden Gärtchen mit ein paar mageren Olivenbäumchen. Fast alle Häuser bestanden aus einem einzigen fensterlosen Raum, der durch die Tür sein Licht erhielt. Die Türen waren verschlossen, da die Bauern auf den Feldern waren; auf einigen Schwellen saßen Frauen mit Kindern im Schoß oder spinnende Alte; und alle hatten für mich eine grüßende Gebärde und folgten mir mit ihren großen, aufgerissenen Augen. Manchmal hatten die Häuser auch ein Stockwerk und einen Balkon, und die Haustür war nicht aus altem, schwarzem, abgenutztem Holz, sondern anspruchsvoll glänzend gestrichen und mit einer Messingklinke geschmückt. Das waren die Häuser der »Amerikaner«. Mitten unter den Bauernhütten lag ein langes, schmales, einstöckiges Haus, das vor kurzem in dem sogenannten modernen Stil, wie er in Vorstädten üblich ist, erbaut war: es war die Carabinierikaserne. Auf der Straße und rings um die Häuser grunzten mißtrauisch und böse, in Haufen von Abfall und Unrat, die Säue, inmitten der Familien ihrer Ferkel, die wie gierige, lüsterne Greischen aussahen, und Baron bellte und wich zähnefletschend, mit gesträubten Haaren, von merkwürdigem Entsetzen ergriffen, zurück.

Hinter dem letzten Haus im Ort, wo die Straße bei einem Wäldchen zum Sauro abzufallen beginnt, lag ein kurzes Stückchen unebenen Bodens, das stellenweise mit gelbem, verkümmertem Gras bedeckt war. Das war der Sportplatz, das Werk des Bürgermeisters Magalone. Hier sollten die Jungen der »GIL«* ihre Übungen abhalten und Volksversammlungen stattfinden. Links führte ein Pfad nochmals aufwärts zu einer nahen, mit Oliven bestandenen Anhöhe und endete dann an einem Eisengitter zwischen zwei Pfeilern, die sich in einem niedrigen Ziegelmäuerchen fortsetzten. Hinter dem Mäuerchen ragten zwei schlanke Zypressen hervor; durch das Gitter sah man die weißen Gräber in der Sonne. Der Friedhof war die äußerste obere Grenze des mir zugebilligten Bezirks. Von hier hatte man einen weiteren und weniger trostlosen Blick als von irgendeinem andern Punkt. Man übersah Gagliano nicht ganz, da es wie eine lange, zwischen Steinen lagernde Schlange versteckt ist; aber die rotgelben Dächer des obern Teils waren sichtbar zwischen dem grauen Laub der Oliven, das windbewegt, im Gegensatz zur allgemeinen Starre, wie etwas Lebendiges wirkte. Hinter diesem farbigen Vordergrund schienen die großen öden Flächen der Lehmhügel in der heißen Luft wie am Himmel aufgehängt zu wogen, und über ihr eintöniges Weiß zogen die veränderlichen Schatten der Sommerwölkchen. Eidechsen lagen unbeweglich auf der sonnenheißen Mauer; eine Grille, dann eine zweite, riefen einander abwechselnd zu, als wollten sie einen Gesang probieren, und dann schwiegen sie auf einmal wieder.

Da es mir verboten war, hier weiterzugehen, wendete ich mich zur Rückkehr und stieg auf der vorher begangenen Straße rasch in den Ort hinab; ich kam wieder an der Kirche und am Haus der Witwe vorbei und erreichte dann weiter unten das Postamt und das Mäuerchen über dem Bersaglierigraben. Der Bürgermeister und Schulmeister übte in diesem Augenblick sein Amt als Lehrer aus. Er saß auf dem Balkon seines Schulzimmers und rauchte, indem er die Leute auf dem Platz betrachtete und in demokratischer Weise alle Vorbeigehenden anrief. Er hatte lange Rohre in der Hand, mit denen er von Zeit zu Zeit, ohne

---

* GIL war die faschistische Organisation der halbwüchsigen Jugend, in der die sogenannten »Avanguardisten« militärisch gedrillt wurden. Die Vorstufe dazu war die Kinderorganisation der »Balilla«. (Anmerkung der Übersetzerin)

sich von seinem Sitz zu rühren, durch das offene Fenster die Ordnung wiederherstellte, indem er mit höchst geschickten und wohlgezielten Schlägen Kopf oder Hände der Kinder traf, die, sich selbst überlassen, zuviel Lärm machten. »Schönes Wetter, Herr Doktor«, rief er mir von seiner Rednertribüne zu, als er mich auf dem Platz erscheinen sah. Dort oben, mit seinen Stökken in der Hand, fühlte er sich so recht als Herr des Ortes, als umgänglicher, beliebter und gerechter Herr; und seinen Blicken entging nichts. »Ich habe Sie heute früh noch gar nicht gesehen. Wo waren Sie denn? Sind Sie spazierengegangen? Hinauf, bis zum Friedhof? Gut, gut, gehen Sie nur spazieren. Amüsieren Sie sich. Und kommen Sie hierher auf die Piazza nach dem Essen, so um halb sechs. Vorher werden Sie wohl schlafen. Ich will Sie meiner Schwester vorstellen. Wo gehen Sie jetzt hin? Nach Unter-Gagliano? Um eine Wohnung zu suchen? Meine Schwester wird etwas für Sie finden, machen Sie sich keine Sorgen. Für einen Mann wie Sie taugt kein Bauernhaus. Aber wir werden etwas Besseres auftreiben, Herr Doktor. Alles Gute!«

Hinter der Piazza stieg die Straße wieder an, überwand einen Vorsprung und fiel wiederum ab auf ein winziges Plätzchen, das von niedrigen Häusern umstanden war. Mitten darauf stand ein sonderbares Monument, fast so hoch wie die Häuser und bei der sonstigen Enge feierlich und riesenhaft. Es war ein Pissoir: das modernste, prächtigste und monumentalste Pissoir, das man sich vorstellen kann, eins aus Eisenbeton mit vier Ständen und einem kräftigen, vorspringenden Dach, wie sie erst seit den letzten Jahren in den Großstädten errichtet wurden. Auf der einen Wand sprang wie eine Inschrift ein dem Herzen der Turiner vertrauter Name in die Augen: »Firma Renzi, Turin«. Welcher groteske Umstand oder welcher Zauberer oder welche Fee konnte aus fernen nordischen Ländern diesen Gegenstand durch die Luft hierhergebracht und ihn wie einen Meteor mitten auf dem Platz dieses Dorfes fallengelassen haben, in einem Land, wo es auf Hunderte von Kilometern weder Wasser noch hygienische Einrichtungen irgendwelcher Art gibt? Es war das Werk der Regierung, des Bürgermeisters Magalone. Es mußte, seinem Umfang nach zu urteilen, die Einkünfte einer erheblichen Anzahl von Jahren der Gemeinde Gagliano verschlungen haben. Ich guckte hinein: auf einer Seite trank ein Schwein das im Becken stehende Wasser, auf der andern Seite ließen zwei Buben Papierschiffchen schwimmen. Im Laufe des ganzen Jahres habe ich es niemals zu etwas anderem dienen noch von jemand anderem als Schweinen, Hunden, Hühnern und Kindern betreten sehen, abgesehen vom Abend des Madonnenfestes im September, als ein paar Bauern aufs Dach hinaufkletterten, um von der Höhe das Schauspiel des Feuerwerks besser zu genießen. Ein einziger Mensch benutzte es oft zu dem Zweck, für den es erbaut war, und das war ich; und dabei wurde ich, wie ich gestehen muß, nicht von einem Bedürfnis, sondern nur vom Heimweh getrieben.

In einer Ecke des Plätzchens, wohin der lange Schatten des Monumentes beinah reichte, blies ein schwarzgekleideter Krüppel mit einem trockenen, ernsten, priesterlichen und spitzen Mardergesicht wie ein Blasebalg in den Körper einer toten Ziege. Ich blieb stehen und sah ihm zu. Die Ziege war kurz vorher hier auf dem Plätzchen geschlachtet worden und lag ausgestreckt auf einem Holzbrett über zwei Stützen. Der Lahme hatte in eines der Hinterbeine am Fuß einen kleinen Einschnitt gemacht, ohne sonst in das Fell zu schneiden, und hatte seinen Mund an den Einschnitt gelegt, und durch heftiges Blasen blähte er die Ziege auf und löste so das Fell vom Fleisch. Wenn man ihn so am Tier hängen sah, das allmählich seine Form veränderte und größer wurde, während der Mann, immer in der gleichen Haltung, kleiner zu werden und sich seines Atems völlig zu entledigen schien, war es, als wohnte man einer merkwürdigen Verwandlung bei, bei der der Mensch sich allmählich vollkommen in das Tier ausleerte. Als die Ziege wie eine Montgolfière aufgeblasen war, löste der Mann, gleichzeitig das Bein mit einer Hand zupressend, endlich den Mund vom Fuß des Tieres und wischte ihn mit dem Ärmel ab; dann begann er flink das Ziegenfell umzustülpen, wie einen umgedrehten Handschuh, bis das ganze Fell völlig abgelöst war und die Ziege nackt und geschunden wie ein Heiliger allein auf dem Brett liegen blieb und gen Himmel starrte.

»So wird es nicht verdorben, und man kann Schläuche daraus machen«, erklärte mir der Lahme mit großer Würde, während ein gelehriges und schweigsames Bübchen, sein Neffe, ihm dabei half, das Tier zu zerteilen. »Dieses Jahr gibt es ziemlich viel Arbeit. Die Bauern schlachten alle Ziegen. Sie sind dazu gezwungen. Wer kann die Steuern bezahlen?« Die Regierung hatte anscheinend vor kurzem entdeckt, daß die Ziege ein für die Landwirtschaft schädliches Tier sei, da es die Knospen und zarten Triebe der Pflanzen fresse; und sie hatte daher einen

Erlaß herausgegeben, der für sämtliche Gemeinden des Königreichs ohne Ausnahme galt, wonach für jedes Stück eine so hohe Steuer verlangt wurde, daß sie fast dem Wert des Tieres entsprach. So wurden die Ziegen geopfert und die Bäume gerettet. Aber in Gagliano gibt es keine Bäume, und die Ziegen sind der einzige Reichtum der Bauern, da sie sich von fast nichts nähren, auf dem öden und zerrissenen Lehmboden herumspringen, an Dornbüschen knabbern und dort leben können, wo man, aus Mangel an Wiesen, weder Schafe noch Kälber halten kann. Die Ziegensteuer war demnach ein Unglück, und weil man kein Geld hatte, um sie zu bezahlen, ein unabwendbares Unglück. Man mußte die Ziegen schlachten und hatte keine Milch und keinen Käse mehr. Der Lahme war ein heruntergekommener Grundbesitzer, aber trotzdem stolz auf seine soziale Stellung. Um leben zu können, ging er vielerlei Berufen nach; einer davon war das Ziegenopfer. Dank dem fürsorglichen Erlaß konnte ich in diesem Jahr oft Fleisch bei ihm kaufen; in den vorhergehenden Jahren hätte ich, wie er mir erklärte, mich damit abfinden müssen, nur sehr selten welches zu essen. Er beschäftigte sich auch mit der Verwaltung von Gütern, deren Besitzer nicht im Ort wohnten, überwachte die Bauern, war Makler bei Verkäufen, machte den Heiratsvermittler und kannte alles und alle; und es gab kein Ereignis und keinen Vorfall, bei dem man nicht sein Hinkebein, sein schwarzes Gewand und sein Fuchsgesicht hätte auftauchen sehen. Er war ungemein neugierig, aber er schwatzte nicht viel; seine Sätze brachen in der Mitte ab und gaben zu verstehen, daß er viel mehr wisse, als er sage; und das geschah stets mit furchtbar ernster Würde und Feierlichkeit, fast als wolle er seinen Namen, Carnovale, Lügen strafen. Als er erfuhr, daß ich eine möglichst geräumige und helle Wohnung suchte, wo ich auch malen könnte, dachte er ein Weilchen mit gesammeltem Gesichtsausdruck nach und sagte mir dann, daß der Palast seiner Vettern da sei, von denen ich vielleicht gehört hätte, da sie in Neapel sehr bekannte Ärzte seien. Vielleicht könnte ich einen Teil davon, zwei, drei Zimmer, bekommen; er wolle sofort in die Stadt schreiben, es wäre für mich ein Glück, denn es sei das einzige für mich passende Haus. Es stehe leer, aber ein Bett und das andre notwendige Mobiliar könne er mir verschaffen. Wenn ich es mir inzwischen ansehen wolle, werde er mich gleich von seinem Neffen mit den Schlüsseln begleiten lassen. Ich ging also mit dem Jungen, der ebenso schwarz, traurig und gemessen war wie der Onkel. Die

Straße senkte sich noch hinter dem Plätzchen, bis zu dem Punkt, wo die beiden Schluchten von rechts und links keinen Raum mehr für Häuser ließen, und zog sich dann auf dem engen Grat zwischen zwei niedrigen Mäuerchen hin, über die hinaus der Blick sich ins Leere verlor. Ein Einschnitt von etwa hundert Metern trennte Ober- und Unter-Gagliano; und hier, zwischen den beiden Abgründen, wehte dauernd ein heftiger Wind. In der Mitte des Einschnittes, an der Stelle, wo der Grat sich ein wenig verbreitert, lag einer der beiden einzigen Brunnen des Ortes; den andern hatte ich oben in der Nähe der Kirche gesehen. Der Brunnen, der das Wasser für ganz Unter-Gagliano und einen beträchtlichen Teil von Ober-Gagliano lieferte, war umdrängt von Weibern, wie ich ihn später immer, zu allen Stunden des Tages, sah. Sie bildeten Gruppen um den Brunnen, einige standen, andre saßen auf der Erde, junge und alte, alle mit einem Holzfäßchen auf dem Kopf und mit dem Ferrandineser Tonkrug. Eine nach der andern näherte sich dem Brunnen und wartete geduldig, bis der dünne Wasserstrahl glucksend das Faß gefüllt hatte, was sehr lange dauerte. Der Wind bewegte die weißen Schleier auf ihren geraden, mühelos im Gleichgewicht die Last aufgereckten Rücken. Sie standen unbeweglich unter der Sonne, wie eine Herde auf der Weide, und sie rochen auch wie eine Herde. Zu mir drang das unaufhörliche Stimmengewirr, ein nie abreißendes Gesumm. Als ich vorbeikam, rührte sich niemand, aber ich fühlte mich durchbohrt von vielen schwarzen Blicken, die mir durchdringend und ohne Wimpernzucken folgten, bis ich nach Durchqueren der Senkung wieder zu steigen anfing und die ersten Häuser von Unter-Gagliano erreichte, das sich bis zu der in den Abgrund gestürzten Kirche hinunterzieht. Wir gelangten rasch zum Palast; und es war wirklich das einzige Gebäude im Ort, das diesen Namen mit Recht tragen konnte. Es wirkte von außen recht düster mit seinen schwärzlichen Mauern, den kleinen vergitterten Fenstern und den Zeichen einer jahrhundertelangen Vernachlässigung. Es war die alte Behausung einer Adelsfamilie, die längst von hier weggezogen war. Später hatte es als Carabinierikaserne gedient; doch war diese nun in das neue Haus verlegt worden. Im Innern wahrten der Schmutz und die übel zugerichteten Wände das Andenken an die Soldatenzeit. Es gab noch Gefängniszellen, die man durch Aufteilung des großen Saales hergestellt hatte; sie waren dunkel, mit Luken an den Fensterlöchern und mit großen Riegeln an den Türen, die aber durch Feuchtigkeit und Frost so verquollen waren, daß sie nicht mehr schlossen. Die Fensterscheiben waren alle zerbrochen, und eine dicke Staubschicht, die der Wind hereingeweht hatte, bedeckte alles. Von der vergoldeten und bemalten Decke hingen Fetzen von Malerei und Spinngewebe herab; die schwarz-weißen Mosaikfußböden waren zerbröckelt, und graues Gras wuchs in den Ritzen. Bei unserm Eintritt wurden wir in den Sälen von einem flinken huschenden Geräusch empfangen, als ob Tiere ängstlich in ihre Schlupfwinkel stürzten. Ich öffnete eine der Türen und trat auf einen Balkon mit einem zerfallenen Eisengitter aus dem achtzehnten Jahrhundert. Als ich aus dem schattigen Innern plötzlich herauskam, wurde ich fast geblendet vom weißen Licht. Unter mir lag die Schlucht; vor mir breitete sich, ohne daß irgend etwas sich dem Blick entgegengestellt hätte, in der Sonne die Unendlichkeit der dürren, welligen Lehmhügel aus, ohne ein Zeichen menschlichen Lebens, unermeßlich bis in die fernste Ferne, wo sie sich im weißen Himmel aufzulösen schien. Kein Schatten brachte Abwechslung in dieses unbewegliche Erdmeer, das von der hochstehenden Sonne verzehrt wurde. Es war Mittag, Zeit zum Heimgehen.

Wie sollte ich in diesem verfallenen Adelssitz leben? Trotzdem besaß dieser Platz einen traurigen Reiz: ich würde auf den zerbröckelnden Steinböden der Säle spazierengehen können, und als Nachtgefährten waren Fledermäuse immerhin dem Steuerbeamten und den Wanzen der Witwe vorzuziehen. Vielleicht, so überlegte ich, könnte ich die Scheiben wieder einsetzen und mir aus Turin ein Moskitonetz zum Schutz gegen die Malaria kommen lassen und den finstern, baufälligen Mauern ein neues Leben verleihen. Ich sagte dem Lahmen, der mich auf dem Plätzchen erwartete, er solle nach Neapel schreiben, und stieg dann wieder zu meinem Haus hinauf.

Als ich am Mäuerchen über dem Bersaglierigraben auf der Piazza angelangt war, sah ich einen jungen, blonden, gutaussehenden Menschen mit einem städtischen, kurzärmligen Hemd aus der Tür einer Hütte heraustreten. Er trug in der Hand einen Teller mit dampfenden Spaghetti, überquerte den Platz und stellte mit einem Signalpfiff den Teller auf das Mäuerchen. Dann lief er wieder dort hinein, woher er gekommen war. Ich blieb neugierig stehen, um von weitem die verlassenen Nudeln zu betrachten. Sofort erschien aus einem gegenüberliegenden Haus ein großer, brünetter, sehr hübscher junger Mann mit bleichem, schwermütigem Gesicht, der einen grauen, elegant geschnittenen Anzug trug. Er ging zum Mäuerchen, nahm den Teller mit den Nudeln und ging wieder zurück. Auf der Schwelle angekommen, warf er einen verstohlenen Blick zu den Fenstern und über den Platz, dann drehte er sich nach mir um, lächelte, winkte mir ein freundliches Zeichen des Grußes zu und verschwand sofort wieder im Haus, wobei er sich bücken mußte, um die niedrige, kleine Tür zu durchschreiten. Don Cosimino, der kleine Bucklige von der Post, schloß gerade sein Büro und hatte von seinem verborgenen Winkel aus ebenso wie ich alles mitangesehen. Er bemerkte mein Erstaunen und machte mit dem Kopf ein Zeichen des Verständnisses zu mir hin; aus seinen traurigen und scharfen Augen sprach Teilnahme. »Diese Szene«, erklärte er mir, »spielt sich täglich um diese Zeit ab. Es handelt sich um zwei Leute, die wie Sie konfiniert sind. Der Blonde ist ein kommunistischer Maurer aus Ancona, ein sehr braver Kerl. Der andere ist ein Student der Staatswissenschaft aus Pisa. Er war Milizoffizier und ist ebenfalls Kommunist. Er ist aus einfacher Familie, aber er erhält keine Unterhaltskosten, weil seine Mutter und seine Schwester Lehrerinnen sind und also, wie man behauptet, die Mittel haben, um ihn zu unterstützen. Früher durften die Konfinierten zusammensein, aber seit ein paar Monaten hat Don Luigi Magalone den Befehl gegeben, daß sie sich nicht einmal sehen dürfen. Die beiden, die aus Sparsamkeit gemeinsam kochten, sind jetzt gezwungen, abwechselnd das Essen zu bereiten und es, ein um das andre Mal, auf das Mäuerchen zu stellen, wo der Zweite es abholt, wenn der Erste wieder in seinem Haus verschwunden ist. Andernfalls, wenn sie sich etwa begegneten, könnte es für den Staat gefährlich werden!«

Wir waren zusammen hinaufgestiegen: Don Cosimino wohnte mit seiner Frau und mehreren Kindern in der Nähe des Hauses der Witwe. »Don Luigi legt sehr viel Wert auf diese Dinge. Er ist für Disziplin. Sie denken sich zusammen alles Mögliche aus, er und der Feldwebel. Ich hoffe, Ihnen gegenüber wird das anders sein. Aber auf alle Fälle, machen Sie sich nichts daraus, Herr Doktor!« Don Cosimino sah mich von unten herauf tröstend an. »Die beiden haben die Manie, sich als Polizisten aufzuspielen, und wollen alles wissen. Der Maurer hat auch schon Unannehmlichkeiten gehabt. Er unterhielt sich mit den Bauern und versuchte, ihnen die Darwinsche Theorie zu erklären, daß der Mensch vom Affen abstammt. Ich bin zwar kein Darwi-

47

nist«, Don Cosimino lächelte spitzbübisch, »aber ich sehe auch nichts Böses darin, wenn einer daran glaubt. Don Luigi hat es natürlich erfahren. Und hat eine fürchterliche Szene gemacht. Sie hätten hören sollen, wie er brüllte! Er hat dem Maurer gesagt, die Theorien Darwins seien gegen die katholische Religion, und Katholizismus und Faschismus seien eins und deshalb sei es antifaschistisch, von Darwin zu sprechen. Und er hat auch nach Matera geschrieben an die Quästur, daß der Maurer revolutionäre Propaganda machte. Aber die Bauern haben ihn gern. Er ist freundlich und sehr geschickt.« Wir waren an seinem Hause angelangt. »Halten Sie den Kopf hoch«, sagte er. »Sie sind eben erst angekommen und müssen sich erst eingewöhnen. Aber all das geht vorbei.«

Fast als fürchte er, zuviel gesagt zu haben, grüßte der bucklige Engel mich ziemlich brüsk und entfernte sich.

Der Bürgermeister war am Nachmittag auf der Piazza, um mich zu seiner Schwester zu bringen. Donna Caterina Magalone Cuscianna erwartete uns und hatte Kaffee und selbstgemachtes Gebäck vorbereitet. Sie empfing uns sehr herzlich an der Türe, führte mich in das Wohnzimmer, einen bescheiden möblierten Raum voll billiger Nippsachen, mit Stoffpuppen und Kissen, auf denen Pierrots gestickt waren. Sie fragte mich nach meiner Familie, hatte Mitleid mit meiner Einsamkeit, versicherte mir, daß sie alles tun werde, um mir den Aufenthalt angenehmer zu machen, kurz, sie war die Liebenswürdigkeit in Person. Sie war eine kleine, dickliche Frau von etwa dreißig Jahren. Sie ähnelte ihrem Bruder, aber ihr Gesicht zeigte mehr Willen und Leidenschaft. Ihre Augen und Haare waren kohlschwarz; glänzende, gelbliche Haut und schlechte Zähne ließen sie kränklich erscheinen. Als vielbeschäftigter Hausfrau waren ihr die Kleider wegen Arbeit und Hitze in Unordnung geraten. Sie sprach mit hoher, schriller Stimme, immer aufgeregt und übertrieben. »Sie werden sehen, Herr Doktor, daß es Ihnen gefallen wird. Wegen eines Hauses werde ich sofort Umschau halten. Im Augenblick gibt es keins, aber es werden bald welche frei. Sie müssen eine anständige Wohnung haben und ein Zimmer, um Kranke zu empfangen. Ich werde Ihnen auch ein Dienstmädchen verschaffen. Versuchen Sie diese Brezeln, wenn Sie auch sicher an feinere Sachen gewöhnt sind. Ihre Mutter macht wahrscheinlich bessere. Dies hier sind die landesüblichen. Aber wieso hat man Sie denn konfiniert? Das war bestimmt ein Irrtum. Mussolini kann sich nicht um alles kümmern, es gibt Leute, die vielleicht glauben, es richtig zu machen und dabei Ungerechtigkeiten begehen. Und außerdem, in der Stadt kann man immer Feinde haben. Hier gibt es auch konfinierte Faschisten. In einem Ort in der Nähe ist Arpinati, der Federale von Bologna; er darf aber reisen, wie es ihm paßt. Jetzt werden wir Krieg haben. Mein Mann hat sich als Freiwilliger gemeldet. Sie begreifen, er in seiner Stellung mußte ein gutes Beispiel geben. Es kommt nicht auf Ideen an, sondern auf das Vaterland. Sie sind doch auch für Italien, nicht wahr? Natürlich sind Sie irrtümlich hierher geschickt worden. Aber für uns ist es ein großes Glück, daß Sie gekommen sind.« Don Luigi schwieg mit der Miene eines Mannes, der sich nicht kompromittieren will, und bald darauf verabschiedete er sich, weil er zu tun hätte. Als wir allein geblieben waren, fuhr Donna Caterina fort, während sie mir in das japanische Täßchen Kaffee einschenkte und mich ermunterte, ihre hausgemachte Quittenmarmelade zu kosten, mich im gleichen übertriebenen Ton zu preisen und mir ihre Hilfe zu versprechen, was immer ich auch nötig haben würde. Geschah das nun aus natürlicher Herzlichkeit oder weiblicher Neigung und mütterlichem Gefühl oder aus Vergnügen, ihre Macht und ihre Hausfrauentugenden dem Fremden aus dem Norden zu zeigen? Es war von allem ein bißchen, es steckte darin Herzlichkeit, Mütterlichkeit, politisches Machtgefühl und die Tüchtigkeit als Köchin: Donna Caterina bereitete wirklich gute Marmelade zu, Konserven, Torten, gebackene Oliven, Feigen mit Mandeln darin und Würste mit spanischem Pfeffer. Aber man merkte, es war noch etwas andres dabei: eine echtere, persönlichere Leidenschaft, der meine unerwartete Ankunft als Ansporn und Werkzeug diente, eine Leidenschaft, die durch mein Erscheinen neu entfacht wurde wie ein glimmendes Feuer durch einen plötzlich einsetzenden Wind. »Es ist ein großes Glück, Sie bei uns zu haben! Drei Jahre sollen Sie bleiben? Ich begreife, daß Sie lieber früher wieder wegmöchten, und ich wünsche es Ihnen, aber unsretwegen hoffe ich, daß Sie bleiben. Es ist kein übler Ort, alle sind gute Italiener und Faschisten und dazu ist mein Bruder Bürgermeister; mein Mann war faschistischer Sekretär und während seiner Abwesenheit vertrete ich ihn: es gibt nicht viel zu tun. Sie werden sich ganz zu Hause fühlen. Endlich werden wir einen Arzt haben und nicht jedesmal, wenn wir krank sind, fortreisen müssen. Übrigens werde ich Ihnen meinen Schwiegervater vorstellen, der bei mir wohnt. Doktor Milillo, unser Onkel Josef ist alt und muß seine Praxis aufgeben. Und der andre, der den ganzen Ort mit der Apotheke seiner Nichten vergiftet, wird von nun an niemanden mehr vergiften, er und diese Frauenzimmer, er und diese Huren!« Die Stimme von Donna Caterina schrillte auf einmal in den höchsten Tönen vor wilder Gereiztheit: die verborgene Leidenschaft, die sie nicht mehr geheimhalten konnte, war ohne Zweifel der Haß; ein konzentrierter, zur fixen Idee gewordener Haß, der beim Fehlen jedes anderen Gefühls in der Seele einer Frau findig, schöpferisch und berechnend geworden war. Donna Caterina haßte die »Frauenzimmer« aus der Apotheke, haßte deren Onkel, den Doktor Concetto Gibilisco, haßte die ganze Gruppe von Verwandten und Sankt Johannsbrüdern, deren Haupt er war und haßte die Leute aus Matera, die ihn protegierten. Ich war von der Vorsehung geschickt worden, und es war ganz gleich, was auch immer der Vorwand für meine Ankunft gewesen sein mochte, und zwar eben deshalb, weil ich ihrem Haß als Werkzeug dienen konnte. Ich sollte Gibilisco brotlos machen, die Apotheke schließen oder sie doch seinen Nichten wegnehmen. Donna Caterina war eine aktive und phantasiebegabte Frau. Sie war die eigentliche Herrin des Ortes. Sehr viel gescheiter als ihr Bruder und viel willensstärker, konnte sie mit ihm machen, was sie wollte, wenn sie ihm nur einen Schein von Autorität ließ. Was Fascio und Faschismus bedeutete, wußte sie nicht und interessierte sie nicht. Das Amt des faschistischen Sekretärs war für sie nur ein Mittel wie jedes andere, um zu herrschen. Kaum hörte sie von meiner Ankunft, da dachte sie sofort einen Aktionsplan aus, den sie ihrem Bruder aufzwang; mit etwas mehr Schwierigkeiten hatte sie auch den alten Onkel Milillo dazu gebracht, sich zu fügen. Sie nahm an, daß mir daran liege zu praktizieren und möglichst viel dabei herauszuschlagen; darin sollten sie mich bestärken, mir zusichern, daß ich dank ihrer Autorität keine Unannehmlichkeiten haben würde und mir zu verstehen geben, daß es von ihnen abhinge, ob ich meine Absicht ausführen könnte. So mußte sie sich mir sofort liebenswürdig erweisen und zugleich ihre Macht zeigen, damit ich mich nicht etwa, wenn auch unabsichtlich, mit ihren Feinden ins Einvernehmen setzen könnte. Don Luigino, der gewöhnlich die Konfinierten mit äußerster Strenge behandelte, fürchtete, sich mit seiner Liebenswürdigkeit mir gegenüber zu kompromittieren und wollte mich nicht in sein Haus einladen: seine Feinde könnten ihn anzeigen; daher mußte also seine Schwester in Aktion treten und versuchen, mich auf ihre Seite zu ziehen. Ihr Haß gehörte zu dem altüberlieferten Haß zwischen den beiden das Land beherrschenden Familiengruppen, und vermutlich ging das auch hier wie in Grassano sehr weit zurück. Man kann annehmen, daß die Gibilisco als Arztfamilie vor hundert Jahren Liberale waren und die erst später aus dem Volk heraufgekommenen Magalone mit den Bourbonen und den Briganten zu tun gehabt hatten: ich konnte der Sache aber nie auf den Grund gehen. Sicher ist, daß außer der traditionellen Feindschaft noch ein anderes, besonderes Motiv Donna Caterinas Herz bewegte, und es dauerte nicht lange, bis ich es aus ihren eigenen, nicht sehr zurückhaltenden Äußerungen und durch das Geschwätz der Weiber im Ort erfuhr. Der Mann von Donna Caterina, ein dicker Mensch mit einem martialischen und stumpfsinnigen Ausdruck, dessen Photographie in Hauptmannsuniform im Salon den Ehrenplatz einnahm, der Schullehrer Cuscianna, Sekretär des Fascio in Gagliano und rechter Arm seines Schwagers und seiner Frau beim Regieren des Ortes, war durch die schönen schwarzen Augen, den biegsamen Körper und die weiße Haut der schönen Apothekerstochter, die noch dazu einer feindlichen Familie angehörte, behext worden. Ob sie wirklich ein Verhältnis hatten oder ob die Geschichte nur eine Übertreibung böser Zungen war, habe ich nie feststellen können, aber Donna Caterina war jedenfalls überzeugt davon. Donna Caterina war nicht mehr jung, die zwanzig Jahre und die Schönheit ihrer Rivalin mußten sie zittern lassen. Das angebliche Liebespaar konnte sich niemals treffen an einem so kleinen Ort mit tausend aufmerksam auf sie gerichteten Augen und unter den rastlosen Späherblicken von Donna Caterina, die nicht eine Minute in ihrer Aufmerksamkeit nachließ. Es gab, wie es die verratene Gattin in ihrer Eifersucht sich einbildete, nur ein Mittel, um die unwiderstehliche Leidenschaft zu befriedigen: Donna Caterina mußte verschwinden, dann konnten die beiden heiraten. Die brünette Circe und ihre unbedeutende blonde Schwester waren die unbeaufsichtigten und unberufenen Besitzerinnen der väterlichen Apotheke, deren Leitung ihnen unrechtmäßigerweise übertragen worden war; im ganzen Ort tuschelte man darüber und fürchtete sich vor der Wirkung ihres außerordentlichen Leichtsinns beim Abwiegen der Medizinen. Das Mittel, um Donna Caterina aus dem Wege zu räumen, war also ohne weiteres greifbar: Gift. Und das Gift würde seine Wirkung ausüben können, ohne daß man eine Entdeckung zu befürchten hatte: von den beiden Ortsärzten war der eine der Onkel der Giftmischerin und sicherlich ihr Helfershelfer; der andere war so alt und vertrottelt, daß er nichts merken würde. Donna Caterina würde sterben, und die beiden Liebesleute würden ungestraft und glücklich über ihrem Grab lachen.

Was mag an dieser in Verbrechen schwelgenden Vorstellung Wahres gewesen sein? Was für geheime Indizien, was für aufgefangene Liebesbriefe, was für verschleierte Andeutungen im täglichen Zusammenleben hatten in jener eifersüchtigen und ungestümen Seele zuerst den Zweifel und dann eine Art von besessener Gewißheit erweckt? Ich weiß es nicht, aber Donna

Caterina glaubte an das Produkt ihrer Einbildungskraft und gab am verbrecherischen Plan nicht so sehr ihrem Mann, der eben verhext war, als ihrer Rivalin und allen, die irgendwie mit ihr zu tun hatten, schuld. Der hergebrachte Haß, der persönliche Kampf um die Macht im Ort, angefacht durch diese neuen Beweggründe, wurde heftig und brutal. Die Giftmischerin und alle ihre Angehörigen sollten ihr Verbrechen teuer bezahlen.

Was den Gatten betraf, so wußte Donna Caterina, wie er zu behandeln war. Man durfte keinen Skandal machen, niemand sollte etwas ahnen. Donna Caterina warf ihm zwischen ihren vier Wänden täglich seine Schuld vor, klagte ihn des Ehebruchs und des Mordes an und verweigerte ihm das eheliche Bett. Der einflußreiche, gefürchtete faschistische Sekretär von Gagliano verlor, wenn er nach Hause kam, seine ganze Großtuerei: vor den schwarzen, flammenden Augen seiner Frau war er der schlimmste Missetäter, ein Sünder ohne Aussicht auf Vergebung, der sich dareinfinden mußte, allein auf dem Sofa im Salon zu schlafen. Dieses traurige Dasein dauerte sechs Monate, bis endlich die einzige Möglichkeit einer Rettung und Erlösung erschien: der Krieg in Afrika. Der gedemütigte Verbrecher meldete sich als Freiwilliger, wobei er bedachte, daß er so seine Schuld sühnen, sich bei der Rückkehr mit seiner Frau aussöhnen und inzwischen das Hauptmannsgehalt, das viel höher als das eines Schullehrers war, einstreichen würde – und so reiste er ab. Leider folgte keiner seinem Beispiel. Hauptmann Cuscianna und Leutnant Decunto aus Grassano, von dem ich erzählt habe, waren die einzigen Freiwilligen in diesen beiden Orten. Aber Kriege sind, wenn auch nur für wenige, doch zu etwas gut. Hauptmann Cuscianna war also ein Held, Donna Caterina die Frau eines Helden, und kein Parteimitglied in Matera konnte sich ähnlicher Verdienste rühmen. Und jetzt war ich, offenbar von Gott gesandt, erschienen, um Donna Caterina zu helfen, ihre Rache ins Werk zu setzen.

»Auch Luigino wollte eigentlich als Freiwilliger mitgehen wie mein Mann. Die beiden lieben sich wie Brüder. Immer beisammen, immer einer für den andern. Aber Luigino ist schwächlich; er ist dauernd krank. Gott sei Dank, daß Sie jetzt hier sind. Und außerdem, wer wäre denn hier geblieben, um ein bißchen Ordnung zu halten und Propaganda zu machen?« sagte die Frau zu mir, als Don Pasquale Cuscianna, ihr Schwiegervater, angezogen vom Duft des Gebäcks, mit winzigen, langsamen und stolpernden Schrittchen, in einen weiten Umhang gehüllt, mit einem gestickten Käppchen auf dem Kopf und einer Pfeife im zahnlosen Mund, im Zimmer erschien. Ein alter, dicker, schwerfälliger und tauber Mann, naschhaft und gierig wie eine riesige Seidenraupe. Auch er war, wie sein Sohn und Don Luigi Magalone, Schulmeister, doch seit vielen Jahren pensioniert. Gagliano war damals ebenso wie ganz Italien in der Hand von Schulmeistern. Alle behandelten ihn mit Ehrerbietung, während er den lieben langen Tag entweder aß oder schlief oder auf dem Mäuerchen am Platz saß und rauchte. Er war krank, wie mir seine Schwiegertochter gleich mitteilte; er litt an einer Verengung der Harnröhre und war vermutlich auch ein bißchen zuckerkrank, was ihn jedoch nicht hinderte, sich sofort auf die übriggebliebenen Brezeln zu stürzen und sie mit erstaunlicher Gefräßigkeit zu verschlingen. Dann streckte er sich mit befriedigtem Grunzen auf einem Liegestuhl aus, tat mit einigem Gemurmel so, als nähme er an der Unterhaltung teil, von der er wegen seiner Taubheit gar nichts verstand, und schlief dann, schnaufend und zeitweise schnarchend, ein.

Ich wollte mich eben verabschieden, als zwei Mädchen, zwitschernd, hüpfend, gestikulierend, ins Zimmer stürzten. Sie stießen Rufe der Verwunderung aus, warfen die Arme gen Himmel und fielen Donna Caterina um den Hals. Sie waren fünfundzwanzig Jahre alt, was hierzulande schon ein recht respektables Alter für eine »guagnedda vacantia«, eine mannbare Jungfrau, ist. Sie waren vierschrötig, dicklich, strotzend vor Gesundheit und schwarz wie Kohlensäcke, mit kurzen, schwarzen wehenden Löckchen, schwarzen Augen, die Blitze schossen, schwarzen Schnurrbärten über den fleischigen Mündern und schwarzen Haaren auf den ständig sich bewegenden Armen und Beinen. Es waren die Töchter von Doktor Milillo, Margherita und Maria. Donna Caterina hatte nach ihnen geschickt, um sie mir vorzustellen. Die beiden Mädchen hatten sich aus diesem Anlaß die Lippen mit einer dicken Schicht grellen Rots gefärbt, ihre Gesichter mit einem mehligen, weißen Puder bestäubt; sie hatten hohe Stöckelschuhe angezogen und waren hergerannt. Es waren sehr brave Mädchen, ohne einen Gedanken im Kopf, von unglaublicher Naivität und Unwissenheit. Alles setzte sie in Erstaunen, über alles gerieten sie in Verwunderung: über meinen Hund, meinen Anzug, meine Malerei, wobei sie schrille Schreie ausstießen und herumhüpften und zirpten wie zwei schwarze Heuschrecken. Sofort fingen sie an, von Brezeln, Torten und vom Kochen zu reden. Donna Caterina konnte sich im

Lob über sie gar nicht genug tun: sie seien zwei ausgezeichnete Hausfrauen. Vermutlich gehörten auch Margherita und Maria mit in die leidenschaftlichen Berechnungen von Donna Caterina: sie waren in ihrer Vorstellung gleichzeitig das Mittel, um den Onkel dazu zu überreden, freundlich gegen mich zu sein, und um mich zu ihrer Partei herüberzuziehen und vielleicht sogar für immer zu fesseln. Wer hätte sich in einem Ort wie diesem etwas Besseres wünschen können als die Tochter des Arztes? Donna Caterina hatte mich gefragt, ob ich verlobt sei, und konnte dann sehr bequem durch die von Don Luigino heimlich ausgeübte Postzensur feststellen, ob meine verneinende Antwort der Wahrheit entsprach.

Die beiden armen Mädchen, die, wie ich, unbewußte Werkzeuge einer höheren Vorsehung waren, wurden begleitet von einem etwa achtzehnjährigen, schlecht angezogenen Jungen mit gelbem, schiefem Gesicht, den Augen eines Schwachsinnigen und einer dicken Hängelippe, der sich still und verwirrt in einer Ecke des Zimmers herumdrückte. Es war ihr Bruder, der einzige männliche Sproß des Hauses Milillo. Der alte Doktor, der inzwischen auch erschienen war, vertraute mir an, daß ihm der Junge, der ein sehr guter Kerl sei, Sorgen mache, da er infolge eines Kopfleidens etwas zurückgeblieben sei und durchaus nicht lernen wolle. Er hatte ihn aufs Gymnasium und auf alle möglichen andern Schulen geschickt, aber ohne jeden Erfolg. Er hatte dann versucht, ihn Landwirtschaft studieren zu lassen, aber auch das war nicht geglückt. Jetzt wollte der Junge in den Kurs für Carabinieriunteroffiziere eintreten und sollte binnen kurzem abfahren. Er dachte an nichts andres als an die Uniform. Es war natürlich nicht die Zukunft, die sein Vater für ihn erträumt hatte, aber immerhin doch eine ganz gute Stellung. Ich konnte ihm nicht unrecht geben: der arme Trottel würde ein harmloser Unteroffizier werden.

Donna Caterina brachte, im Einverständnis mit dem Onkel, das Gespräch wieder auf meine ärztliche Kunst. Ich konnte lange reden, um ihr begreiflich zu machen, daß ich nur malen wollte: darauf hörte sie einfach nicht. Und der Doktor empfahl mir mit seinem gewöhnlichen, verworrenen Gestammel, ich solle bei jedem Krankenbesuch aufpassen, mich nicht von meinem guten Herzen zu unangebrachter Großmut verleiten zu lassen; denn alle versuchten, sich vor der Bezahlung zu drücken; aber die staatlichen Tarife waren vorgeschrieben, und man durfte sich aus Solidarität mit seinen Kollegen nicht darüber hinwegsetzen, um dem ärztlichen Ansehen nicht zu schaden oder sonst aus irgendeinem Grund. Der alte Arzt gehörte nur passiv zur Partei seiner Verwandten und nahm bloß aus Familienpflicht an ihren Leidenschaften teil. Er war »viel zu gut«, wie Donna Caterina und Don Luigino erklärten. Als alter Nitti-Anhänger mißbilligte er auch im stillen den Faschismus des Bürgermeisters und kritisierte seine Prahlereien, seinen Autoritätsfimmel und seine Polizeiallüren; aber um des lieben Friedens und auch um seines Vorteils willen fügte er sich. Unter dem Druck seines Neffen und vielleicht auch im Interesse seiner Töchter hatte er sich dazu bequemt, mir keinen Stein in den Weg zu legen; aber er wollte nicht als alter Mann dastehen, mit dem man nicht mehr zu rechnen brauchte und den man nach Belieben beeinflussen konnte. Er war empfindlich und hielt darauf, daß man ihn respektierte. Deshalb mußte ich mir von ihm endlose komplizierte Erklärungen und einen Haufen von väterlichen und eigennützigen Ratschlägen gefallen lassen. Ich sollte aufpassen, daß man mich bezahlte, sollte die Tarife einhalten und nicht dem Geschwätz der Bauern glauben, die unwissende Lügner seien und sich, je mehr Wohltaten man ihnen erweise, um so undankbarer und unerkenntlicher zeigten. Er war seit mehr als vierzig Jahren ortsansässig, hatte sie alle behandelt, ihnen auf jede Art Gutes getan, und zum Dank sagten sie, er sei vertrottelt und unfähig. Aber er sei durchaus nicht vertrottelt. Es sei traurig, die Undankbarkeit der Bauern zu erleben. Und ihren Aberglauben! Und ihren Eigensinn! Und so ging es endlos weiter.

Als ich mich endlich von dem senilen Gestammel des Doktors, dem begeisterten Geschrei seiner Töchter, dem Grunzen Don Pasquales und dem Augurenlächeln von Donna Caterina losmachen konnte, war die Dämmerung schon hereingebrochen. Die Bauern stiegen mit ihren Tieren die Straße herauf und strebten, wie jeden Abend, ihren Häusern zu, mit der ewigen Eintönigkeit von Ebbe und Flut in ihrer dunklen, geheimnisvollen und hoffnungslosen Welt. Die andern, die »Signori«, kannte ich nun schon allzu gut und fühlte mit Ekel den klebrigen Kontakt mit dem sinnlosen Spinnennetz ihres Alltagslebens, einem verstaubten, geheimnislosen Gewirr von Interessen, armseligen Leidenschaften, von Langeweile, gieriger Ohnmacht und Elend. Heute, morgen und immerfort mußte ich ihnen auf dem Weg über die einzige Straße des Ortes, auf der Piazza, begegnen und immer wieder ihrem endlosen neidischen

Geklage zuhören. Zu welchem Zweck war ich denn hier herauf-
gekommen?

Der Himmel in den bezaubernden Farben des Malarialandes,
rosa, grün und lila, wirkte unendlich fern.

Ich blieb etwa zwanzig Tage im Haus der Witwe, in der Erwartung, eine andre Unterkunft zu finden. Der Sommer funkelte in düsterer Glut, die Sonne schien hoch am Himmel stillzustehen, der Lehm barst vor Hitze. In den Rissen der durstigen Erde nisteten Schlangen, kurze, gedrungene Vipern, die tödlich giftig sind und welche die Bauern »Cortopassi« (Kurzschritte) nennen. »Cortopassi, Cortopassi, ove te trova, là te lassi« (wo sie dich finden, da bleibst du liegen), heißt es. Der dauernde Wind trocknete auch die Körper der Menschen aus; die Tage vergingen unter dem erbarmungslosen Licht eintönig in Erwartung des Sonnenuntergangs und der Abendkühle. Ich saß in der Küche und betrachtete die herumschwirrenden Fliegen, das einzige Anzeichen des Lebens im unbeweglichen Schweigen der Hundstage. Die grünlich-blau gestrichenen Holzläden waren mit ihnen bedeckt: Tausende von schwarzen, in der Sonne bewegungslosen Punkten, unbestimmt summend, von denen der träge Blick sich wie verzaubert nicht losreißen konnte. Auf einmal verschwand einer der Punkte mit dem Surren eines plötzlich und unsichtbaren Fluges, und an seiner Stelle erschien ein hell leuchtender weißer Punkt mit goldenen Rändern, wie ein kleiner Stern, der allmählich erlosch. Und dann erhob sich eine andere Fliege in die Luft, ein neues Sternchen erschien auf dem Blau des Ladens; und so ging es weiter, bis Baron, der zu meinen Füßen schlummerte, in irgendeinem kindlichen, ungereimten Traum aufheulte, plötzlich aufwachend in die Höhe sprang, eines der Insekten im Flug erhaschte und so die Stille durch das heftige Zusammenschlagen seiner Kiefern unterbrach.

Vom Balkongitter hingen, träge im Winde schaukelnd, Feigenzöpfe, schwarz von Fliegen, die den letzten Saft aussaugten, bevor die Sonnenglut ihn ganz ausgedörrt hatte. Auf der Straße vor dem Eingang unter den schwarzen Fähnchen trockneten in der Sonne feuchte, ausgebreitete Schichten von Tomatenmus. Scharen von Fliegen wanderten trockenen Fußes über die bereits erstarrten Stellen, zahllos wie das Volk Moses; andre Scharen stürzten sich in die nassen Zonen dieses roten Meeres, beschmierten sich und ertranken beutegierig darin wie die Heere

Pharaos. Die große Stille der Landschaft lastete auf der Küche, und das unaufhörliche Gesumme der Fliegen zeigte das Verstreichen der Stunden an wie die endlose Musik der leeren Zeit. Aber plötzlich setzte von der nahen Kirche her Glockenläuten ein für irgendeinen unbekannten Heiligen oder irgendeinen verödeten Gottesdienst, und der Klang erfüllte klagend das Zimmer. Der Glöckner, ein zerlumpter, barfüßiger Bursche von etwa achtzehn Jahren mit einem heuchlerischen Diebslächeln, folgte beim Läuten einer traurigen, nicht endenden Weise: was auch der Anlaß war, immer ertönte die Totenglocke. Mein Hund, der für die Gegenwart von Geistern empfindlich war, konnte diesen traurigen Lärm nicht leiden und fing an, beim ersten Anschlagen der Glocke mit herzzerreißender Pein zu heulen, als ginge der Tod bei uns um. Oder hatte er vielleicht irgend etwas Teuflisches in sich, das bei dem heiligen Konzert in Wut geriet? Jedenfalls mußte ich, um ihn zu beruhigen, aufstehen und hinaus in die Sonne gehen. Über die weißen Pflastersteine hüpften Flöhe, dicke, hungrige Flöhe auf der Suche nach einer Unterkunft. An den Grashalmen hingen Zecken auf der Lauer. Der Ort schien menschenleer. Die Bauern waren auf den Feldern, die Frauen verbargen sich hinter halboffenen Türen. Die einzige Straße lief zwischen den Häusern und den Schluchten hinab bis zum Erdrutsch, ohne eine Insel des Schattens. Ich stieg auf der Suche nach den mageren Ölbäumen und den Zypressen langsam zum Friedhof hinauf.

Ein tierhafter Zauber schien sich über das verlassene Land auszubreiten. Da entstand im mittäglichen Schweigen ein plötzliches Geräusch: eine Sau wälzte sich im Dreck; dann wurde das Echo geweckt von dem unwiderstehlichen Gewieher eines Esels, das in seiner grotesken phallischen Angst die Glocke übertönte. Die Hähne krähten ihren Nachmittagsruf, der nicht die ruhmredige Arroganz des Morgengrußes hat, sondern die bodenlose Traurigkeit der öden Fluren. Der Himmel war erfüllt vom schwarzen Flug der Raben und weiter oben von den weiten Kreisen der Falken; man spürte, wie ihre starren und runden Augen einen von der Seite beobachteten. Man fühlte die unsichtbare Gegenwart von Tierwesen in der Luft, bis hinter einem Haus mit einem Satz ihrer gebogenen Beine die Königin der Gegend, eine Ziege, erschien und mich mit ihren unergründlichen gelben Augen anstarrte. Hinter der Ziege her liefen halbnackte, zerlumpte Kinder, unter ihnen eine winzige Nonne von vier Jahren im Nonnengewand, mit Halstuch und Schleier, und ein fünfjähriges Mönchlein, mit Tonsur und Strick, die wie Klosterinsassen oder Infanten des Velasquez gekleidet waren, wie es hier oft auf Grund eines Gelübdes Brauch ist. Die Kinder wollten auf der Ziege reiten, der kleine Mönch packte sie am Bart und umhalste sie, das Nönnchen bemühte sich, auf ihren Rücken zu steigen, die andern Kinder hielten sie am Schwanz und an den Hörnern, und so saßen sie für einen Augenblick auf: dann tat die Ziege einen jähen Sprung und schüttelte sich, warf sie in den Staub und blieb stehen, um sie mit boshaftem Lächeln zu betrachten. Die Kinder standen wieder auf, fingen sie von neuem ein und kletterten wieder hinauf; die Ziege floh in wilden Sprüngen, bis alle zusammen hinter einer Biegung verschwanden.

Die Bauern behaupten, die Ziege sei ein diabolisches Tier; auch die andern Tierwesen haben etwas Diabolisches, die Ziege jedoch mehr als alle andern. Das will nicht heißen, daß sie böse sei oder etwas mit den christlichen Teufeln zu tun habe, wenn diese auch zuweilen ihre Gestalt wählen, um sich zu zeigen. Sie ist dämonisch wie alle andern Lebewesen und mehr als andere Geschöpfe, denn unter ihrem tierischen Äußeren verbirgt sich etwas andres, nämlich eine Kraft. Für den Bauern stellt sie wirklich das dar, was einst der Satyr gewesen ist, einen echten, lebendigen Satyr, dürr, zottig und verhungert, mit gebogenen Hörnern auf dem Kopf, krummer Nase und hängenden Zitzen oder Geschlechtsteilen, einen armen, brüderlichen und wilden Satyr auf der Suche nach Dornbüschen am Rande von Abgründen.

Unter den Blicken dieser weder menschlichen noch göttlichen Augen, begleitet von diesen geheimnisvollen Kräften, erreichte ich langsam den Friedhof. Aber die Ölbäume gaben keinen Schatten: die Sonne drang durch ihr lichtes Laub wie durch einen Tüllschleier. Ich zog deshalb vor, durch das verfallene Türchen in den kleinen Friedhofsbezirk einzutreten: die einzige abgeschlossene, frische und einsame Stelle des ganzen Ortes. Vielleicht auch die am wenigsten traurige. Wenn man sich auf den Boden setzte, verschwand das blendende Weiß des Lehms hinter der Mauer: die beiden Zypressen schwankten im Wind, und zwischen den Gräbern wuchsen Rosenbüsche, die in diesem blumenlosen Land merkwürdig wirkten. Mitten auf dem Friedhof lag ein offenes, ein paar Meter tiefes Grab, dessen Wände in Bereitschaft für den nächsten Toten sauber in die trockene Erde geschnitten waren. Eine Sprossenleiter ließ einen ohne Mühe hinunter- und wieder hinaufsteigen. In diesen heißen Tagen war es mir zur Gewohnheit geworden, bei meinen Friedhofsspaziergängen in das Grab zu klettern und mich hineinzulegen. Der Boden war trocken und glatt, die Sonne drang mit ihrer Glut nicht hinunter. Ich sah nichts als ein Viereck hellen Himmels und ein paar ziehende weiße Wolken; kein Laut drang an mein Ohr. In dieser Einsamkeit und Freiheit verbrachte ich ganze Stunden. Wenn mein Hund es satt hatte, den Eidechsen auf der sonnenheißen Mauer nachzurennen, steckte er den Kopf über den Grabesrand und sah mich fragend an, dann rollte er die Leiter hinunter, legte sich zu meinen Füßen und schlief sehr bald ein. Und wenn ich seinen Atem hörte, dann ließ auch ich am Ende das Buch aus den Händen gleiten und schloß die Augen.

Eine merkwürdig klanglose Stimme, die weder Geschlecht noch Alter verriet und unverständliche Worte sprach, weckte uns. Ein alter Mann beugte sich über den Rand des Grabes und redete mich durch zahnlose Kiefer an. Ich sah ihn gegen den Himmel groß und ein wenig gebeugt mit außerordentlich langen Armen wie Mühlenflügeln. Er war fast neunzig Jahre alt, aber sein Gesicht war zeitlos, zerfurcht und verzogen wie ein eingeschrumpfter Apfel; zwischen den Falten seines ausgedörrten Fleisches leuchteten zwei ganz helle, blaue, magnetische Augen. Er hatte weder Bart noch Schnurrbart, und es waren ihm auch niemals auf dem Kinn Haare gewachsen, was seiner alten Haut ein eigentümliches Aussehen gab. Er redete in einem Dialekt, der nicht dem von Gagliano entsprach, ein Gemisch von Mundarten, da er viel umhergewandert war, doch herrschte die Redeweise von Pisticci vor, wo er vor undenklichen Zeiten geboren worden war. Deshalb und wegen des Fehlens der Zähne, wodurch er die Worte verschluckte, sowie wegen der sentenzhaften und raschen Art, sich zu äußern, blieb er mir zunächst unverständlich, dann gewöhnte sich mein Ohr, und wir unterhielten uns lange. Aber mir ist nie klargeworden, ob er mich wirklich hörte oder nur dem geheimnisvollen Knäuel seiner eigenen Gedanken folgte, die aus der unbestimmten Ferne einer tierhaften Welt zu kommen schienen. Dieses unergründliche Geschöpf trug ein schmutziges, zerrissenes, auf der Brust offenes Hemd, und auch dort hatte er keine Haare, dagegen ein hervorspringendes Brustbein, wie Vögel es haben. Auf dem Kopf hatte er eine rötliche Schirmmütze, die vielleicht auf eines seiner vielen öffentlichen Ämter hindeutete: er war zugleich der

Totengräber und der Gemeindeausrufer. Zu allen Stunden schritt er durch die Straßen des Ortes, Trompete blasend und eine Trommel rührend, deren Tragband um seinen Hals hing; so verkündete er mit seiner nicht menschlich klingenden Stimme die Tagesneuigkeiten: die Durchreise eines Händlers, das Schlachten einer Ziege, die Verordnungen des Bürgermeisters und die Stunde eines Begräbnisses. Und er war es auch, der die Gräber aushob, die Toten auf den Friedhof brachte und sie begrub. Das waren seine gewöhnlichen Beschäftigungen, aber neben diesen führte er noch ein andres Leben, das von einer dunklen, undurchdringlichen Macht erfüllt war. Die Frauen scherzten mit ihm, wenn er vorüberging, weil er keinen Bart hatte, und man behauptete, daß er niemals geliebt hätte. »Kommst du heute abend zu mir ins Bett?« riefen sie ihm von den Schwellen aus zu und lachten, indem sie das Gesicht in den Händen verbargen.« Weshalb läßt du mich allein schlafen?« Sie machten Spaß, aber sie hatten doch Respekt, ja, beinah Furcht vor ihm. Denn dieser Alte besaß eine verborgene Macht, er stand mit unterirdischen Kräften in Verbindung, kannte Geister und zähmte Tiere. Sein früherer Beruf, bevor er durch Alter und Umstände sich in Gagliano ansässig gemacht hatte, war der eines Wolfsbeschwörers. Er konnte die Wölfe nach seinem Willen in die Dörfer herabsteigen lassen und sie auch wieder entfernen; diese Raubtiere konnten ihm nicht widerstehen und mußten ihm zu Willen sein. Man erzählte sich, daß er in seiner Jugend durch die Dörfer hier in den Bergen gewandert sei, gefolgt von einer Herde wilder Wölfe. Deshalb war er gefürchtet und geehrt, und in schneereichen Wintern wurde er in die Dörfer gerufen, um die Bewohner des Waldes fernzuhalten, die durch Frost und Hunger in die bewohnten Orte getrieben wurden. Aber auch alle andern Tiere unterlagen dem Zauber dessen, der mit den Frauen nichts zu tun haben konnte; und nicht allein die Tiere, sondern auch die Naturelemente und die Geister in der Luft. Man wußte, daß er als junger Mensch, beim Mähen eines Kornfeldes in einem Tag die Arbeit von fünfzig Männern vollbracht hatte; irgend etwas Unsichtbares arbeitete für ihn. Am Ende des Tages, wenn die andern Bauern schmutzig von Schweiß und Staub waren, schmerzende Rücken von der Mühe hatten und ihnen der Kopf von der Sonne dröhnte, dann war der Wolfsbeschwörer frischer und ausgeruhter als am Morgen.

Ich stieg aus meinem Grab herauf, um mit ihm zu sprechen;

ich bot ihm eine halbe Toskaner Zigarre an, die er sofort anzündete und in ein Mundstück steckte, das aus dem Knochen des rechten Hinterlaufes eines männlichen Hasen gemacht und von den Jahren gebräunt war. Er stützte sich auf den Spaten (er hob immer neue Gräber aus) und bückte sich, um vom Boden ein menschliches Schulterblatt aufzuheben; er hielt es beim Sprechen ein Weilchen in der Hand und warf es dann in eine Ecke. Die Erde war mit Knochen besät, die aus den alten, durch Wasser und Sonne zerstörten Gräbern stammten: alte, weiße und verkalkte Knochen. Für den Alten waren Knochen, Tote, Tiere und Teufel vertraute, miteinander verbundene Dinge, wie sie es übrigens hier im einfachen Alltagsleben für alle sind. »Das Land besteht aus Totenknochen«, sagte er plötzlich in seinem dunklen Kauderwelsch, das wie ein unterirdisches, plötzlich zwischen Steinen heißspritzendes Wasser hervorsprudelte. Dabei machte er mit dem zahnlosen Loch, das ihm als Mund diente, eine Grimasse, die vielleicht ein Lächeln bedeutete. Als ich versuchte, mir erklären zu lassen, was er eigentlich meinte, hörte er mir nicht zu, sondern lachte, wiederholte den gleichen Satz unverändert und weigerte sich, weiteres hinzuzufügen: »So ist es eben, das Land besteht aus Totenknochen«. Der Alte hatte in jedem Sinne recht, sowohl in übertragener und symbolischer Weise als auch wörtlich. Als der Bürgermeister vor einiger Zeit nicht weit vom Haus der Witwe ausschachten ließ, um den Grund für ein neues Häuschen zu legen, das als Werk der Regierung Sitz der Balilla-Organisation werden sollte, fand man zwei Spannen tief statt der Erde Tausende von Totenknochen, und viele Tage hindurch fuhren hochbeladene Karren durch den Ort, welche die Reste unsrer Urahnen zum Bersaglierigraben brachten, um sie dort alle durcheinander hineinzuschütten. Späteren Datums waren die Gebeine in den Gräbern unter dem Fußboden der zusammengestürzten Kirche Madonna degli Angeli; sie waren noch nicht zu Kalk geworden wie die auf dem Friedhof; an vielen hingen sogar noch Fetzen eingetrockneten Fleisches und pergamentartig gewordener Haut; und die Hunde scharrten sie aus, balgten sich darum und liefen unter wütendem Gebell mit einem Schienbein im Maul die Dorfstraße hinauf. Hier, wo die Zeit stillsteht, ist es ganz natürlich, daß die frischen und die älteren und die uralten Knochen gleichmäßig gegenwärtig vor den Füßen des Wanderers liegen. Die Toten der Madonna degli Angeli sind am unglücklichsten daran in ihren zerstörten Gräbern. Abgesehen davon, daß die Hunde und die Vögel ihre Reste verstreuen, wird der furchtbare, schleimige Graben, in den sie unter den Trümmern hinabgeglitten sind, von anderen und schrecklicheren Wesen heimgesucht. Eines Nachts vor nicht allzulanger Zeit, ein paar Monaten oder ein paar Jahren, genau konnte ich es nicht feststellen, weil die Zeitmaße für den alten Zauberer unbestimmt waren, kam er von dem Weiler Gaglianello zurück und spürte plötzlich, als er auf der Anhöhe Timbone della Madonna degli Angeli gerade vor der Kirche angelangt war, im ganzen Körper eine sonderbare Müdigkeit, so daß er sich auf die Stufen vor einem Kapellchen hinsetzen mußte. Es war ihm dann ganz unmöglich, aufzustehen und weiterzugehen: irgend jemand hinderte ihn daran. Die Nacht war dunkel, und der Alte konnte im Finstern nichts unterscheiden; aber aus der Schlucht rief ihn eine tierische Stimme beim Namen. Es war ein Teufel, der sich dort unter den Toten eingerichtet hatte und ihm das Weitergehen verbot. Der Alte bekreuzigte sich, und der Teufel begann die Zähne zu fletschen und im Krampf zu heulen. Im Dunkel unterschied der Alte für einen Augenblick eine Ziege, die grauenerregend in den Trümmern der Kirche herumsprang und dann verschwand. Der Teufel floh heulend in den Abgrund. »Hu! Hu!« schrie er beim Verschwinden; und der Alte fühlte sich plötzlich wieder frei und ausgeruht und erreichte mit wenigen Schritten den Ort. Er hatte übrigens unzählige solcher Abenteuer gehabt und erzählte sie mir, wenn ich ihn darüber befragte, ohne ihnen irgendwelche Bedeutung beizulegen. Er hatte so lange gelebt, daß die Begegnungen selbstverständlich zahlreich gewesen waren. Er war so alt, daß er zur Zeit der Briganten bereits ein erwachsener junger Mann gewesen war. Ich konnte nie mit Gewißheit herausbekommen oder es ihn ausdrücklich bestätigen hören, ob auch er zu den Briganten gehört hatte: sicher war, daß er den berühmten Ninco Nanco gekannt hatte, und er erzählte mir, als wäre er ihr gestern begegnet, daß er die Gefährtin Ninco Nancos, die Brigantin Maria 'a Pastora, gesehen hätte, die wie er aus Pisticci stammte. Diese Maria 'a Pastora war eine wunderschöne Frau, eine Bäuerin, die mit ihrem Geliebten in den Wäldern und auf den Bergen lebte und, immer zu Pferd, in Männerkleidung raubte und kämpfte. Die Bande des Nino Nanco war die grausamste und verwegenste in dieser Gegend; Maria 'a Pastora nahm an allen Unternehmungen, an Überfällen auf Höfe und Dörfer, an Hinterhalten und Racheakten und am Erpressen von Lösegeld teil. Als Nino Nanco mit seinen eigenen Händen dem

Bersagliere, den er gefangen hatte, das Herz aus der Brust riß, hatte ihm Maria 'a Pastora das Messer gereicht. Der alte Totengräber erinnerte sich ihrer sehr gut, und ein wohlgefälliger Klang tönte aus seiner merkwürdigen Stimme, als er mir erzählte, wie schön sie war, hochgewachsen, weiß und rot wie eine Rose, mit langen schwarzen Zöpfen, die ihr bis auf die Füße herabhingen, hochaufgerichtet im Sattel auf ihrem Pferd. Nino Nanco war ermordet worden, aber der Alte konnte mir nicht sagen, wie Maria 'a Pastora, diese bäuerliche Kriegsgöttin, geendet hatte. Sie war damals nicht gestorben, und sie hatten sie nicht erwischt; sie war in Pisticci gesehen worden, ganz in Schwarz gekleidet: dann war sie auf ihrem Pferd im Wald verschwunden, und man hatte nie wieder etwas von ihr erfahren.

Zum Friedhof ging ich nicht bloß zum Zeitvertreib, auf der Suche nach Einsamkeit und Geschichten; es war die einzige Stelle innerhalb des mir zugestandenen Raumes, wo keine Häuser standen und ein paar Bäume eine gewisse Abwechslung in die Geometrie der Elendshütten brachten. Deshalb wählte ich ihn als ersten Gegenstand für meine Bilder. Ich ging mit Leinwand und Farben aus dem Haus, wenn die Sonne zu sinken begann, und stellte meine Staffelei in den Schatten eines Ölbaumes oder hinter die Friedhofsmauer, und fing an zu malen. Das erste Mal, ein paar Tage nach meiner Ankunft, schien meine Beschäftigung dem Feldwebel verdächtig; er benachrichtigte sofort den Bürgermeister und schickte für jeden Fall einen seiner Leute, um mich zu überwachen. Der Carabiniere pflanzte sich zwei Schritte hinter mir auf, um mein Werk vom ersten bis zum letzten Pinselstrich zu verfolgen. Es ist unangenehm, zu malen, wenn jemand hinter einem steht, auch wenn man keine Angst vor bösen Einflüssen hat, wie es offenbar bei Cézanne der Fall war; aber was ich auch anstellte, ich konnte ihn nicht loswerden: er hatte seinen Befehl. Nur wechselte sein dummes Gesicht allmählich von einem forschenden zu einem immer interessierteren Ausdruck; und schließlich fragte er mich, ob ich imstande wäre, in Öl eine Vergrößerung der Photographie seiner toten Mutter zu malen, was schließlich für einen Carabiniere das Höchste an Malerei ist. Die Stunden vergingen, die Sonne sank unter, die Dinge nahmen den Zauber der Dämmerung an, wenn die Gegenstände in ihrem eigenen, inneren, nicht von außen kommenden Licht zu leuchten scheinen. Ein großer, bleicher, durchsichtiger und unwirklicher Mond stand in der rosigen Luft über den grauen Ölbäumen und den Häusern wie ein vom Salzwasser zerfressenes Kalkblatt eines Tintenfisches am Meeresufer. Ich liebte damals den Mond sehr, weil ich viele Monate hindurch in einer Gefängniszelle sein Antlitz nicht hatte sehen können, so daß jedes Wiederfinden für mich eine Freude war. Deshalb malte ich ihn, als Zeichen des Grußes und der Huldigung, rund und leicht mitten am Himmel zur großen Verwunderung des Carabiniere. Aber schon stiegen zur Kontrolle meiner Arbeit die den Ort beherrschenden Dioskuren herauf, der geschniegelte Feldwebel mit dem Säbel in strammer Haltung und der Bürgermeister, ganz Lächeln und affektiertes Wohlwollen, die Höflichkeit selbst. Don Luigino war natürlich ein Kenner und wünschte, daß ich das merken solle, und so kargte er nicht mit Lob über meine Technik. Außerdem schmeichelte es seinem patriotischen Stolz, daß ich Gagliano, seine Heimat, für würdig befunden hatte, gemalt zu werden. Ich machte mir seine Billigung zunutze, um ihm beizubringen, daß ich, zur besseren Wiedergabe der Schönheiten des Ortes, mich ein bißchen weiter vom Wohnbezirk entfernen müsse. Bürgermeister und Feldwebel wollten sich nicht ausdrücklich festlegen hinsichtlich eines solchen Durchbrechens der Verordnung; aber allmählich kamen wir in den folgenden Wochen zu einer Art stillschweigendem Übereinkommen, auf Grund dessen ich mich, nur zum Malen, bis auf zwei- oder dreihundert Meter über die Häuser hinaus entfernen durfte. Diese Konzessionen erreichte ich nicht so sehr durch den Respekt vor der Kunst als durch die Intrigen von Donna Caterina, die mir gern einen Gefallen erweisen wollte, sowie durch den panischen Schrecken vor Krankheiten, von dem Don Luigino ständig besessen war. Wenn man absieht von einer gewissen Hormonstörung, die sich hauptsächlich in seinem zugleich kindischen und sadistischen Charakter offenbarte und die keinen andern körperlichen Nachteil mit sich brachte als die Kastratenstimme und einen gewissen Hang zum Dickwerden, platzte er im übrigen vor Gesundheit. Aber zu meinem Glück war er fortwährend von der Angst vor Krankheiten besessen: Heute hatte er die Schwindsucht, morgen eine Herzkrankheit, übermorgen ein Magengeschwür: er fühlte sich den Puls, maß seine Temperatur, betrachtete seine Zunge im Spiegel, und ich mußte ihn, jedesmal, wenn ich ihm begegnete, wegen all dieser Übel beruhigen. Der eingebildete Kranke hatte endlich einen Arzt zu seiner Verfügung, und so mochte ich also auch manchmal ein bißchen weiter draußen malen. Allerdings nicht zu oft und nur so weit weg, daß man mich noch sehen konnte, und zwar aus eigenem Antrieb und auf eigene Gefahr; denn er hatte viele Feinde, die anonyme Briefe nach Matera schreiben und ihn dort wegen dieser Erlaubnis verleumden könnten. Was ich dabei an Raum und Atem gewann, war nicht viel: denn der Ort war ganz von Schluchten umgeben, und man konnte, abgesehen von der Friedhofsseite (über die ich nicht hinausdurfte, weil das Terrain gleich dahinter abfiel und man mich also aus den Augen verloren hätte), nur auf zwei Pfaden hinauskommen. Der untere ist der, welcher auf dem Grat verläuft und auf- und absteigend von Gagliano nach Gaglianello führt; auf ihm konnte ich bis zum Timbone della Madonna degli Angeli gehen, dort, wo der Teufel dem alten Totengräber erschienen war, ganz nah bei den letzten Häusern. Von hier zweigt rechts ein wenige Spannen breiter Pfad ab, der in sehr steilen Windungen zweihundert Meter hinunter in den Abgrund führt: dies ist der gefährliche Weg, den fast alle Bauern mit Esel und Ziege täglich zu gehen haben, um ihre Felder weiter unten gegen das Agrital zu erreichen, und den sie abends wieder mit ihren Gras- und Holzlasten hinaufklettern wie Verdammte. Der andre Pfad ist oben, am entgegengesetzten Ende des Ortes. Er geht rechts von der Kirche beim Haus der Witwe ab und führt nach wenigen Schritten zu einer kleinen Quelle, die bis vor ein paar Jahren als einzige den Ort mit Wasser versorgte. Ein Wasserstrahl läuft aus einer verrosteten Röhre zwischen zwei Steinen und fällt in einen Holztrog, an dem die Frauen manchmal waschen; hier läuft das Wasser über und versickert ohne irgendeine Fassung in der Erde: ein Moskitoparadies. Der Pfad setzt sich dann ein kurzes Stück zwischen Stoppelfeldern mit ein paar spärlichen Ölbäumen fort und verirrt sich in einem labyrinthischen Gewirr von Hügelchen und Löchern aus weißem Lehm, das plötzlich gegen den Sauro zu in eine Schlucht abstürzt. Hier ging ich spazieren und malte, und hier stieß ich eines Tages auf eine Viper, vor der mich das wütende Gebell meines Hundes beizeiten warnte.

Dieses merkwürdige, zerklüftete Gelände macht aus Gagliano eine Art von natürlicher Festung, aus der man nur auf ganz bestimmten Pfaden herauskommt. Das benutzte der Bürgermeister in diesen Tagen sogenannter nationaler Leidenschaft mit Vorliebe dazu, um eine größere Menschenmenge zu seinen Versammlungen zusammenzutreiben. Angeblich sollte dadurch die Stimmung der Bevölkerung gehoben werden. Am Rundfunk bekam sie die Reden der Lenker des Staatsschiffes, die den Krieg in Afrika vorbereiteten, vorgesetzt. Wenn Don Luigi beschlossen hatte, eine Versammlung abzuhalten, schickte er abends den alten Ausrufer und Totengräber mit seiner Trompete und Trommel durch die Straßen des Ortes; man hörte seine uralte Stimme hundertmal vor jedem Haus auf einer einzigen hohen Note eintönig rufen: »Morgen um zehn, alle auf die Piazza vor dem Gemeindehaus, um Radio zu hören. Keiner darf fehlen.« – »Morgen früh müssen wir zwei Stunden vor Tagesanbruch aufstehen«, sagten dann die Bauern, die nicht einen ganzen Arbeitstag verlieren wollten. Denn sie wußten, daß Don Luigino beim ersten Morgengrauen seine Avanguardisten und Carabinieri auf den Straßen am Ausgang des Ortes aufstellen würde, mit der Weisung, niemanden durchzulassen. Dem größeren Teil glückte es, im Dunkeln auf die Felder loszuziehen, ehe die Wachen auftauchten; die Verspäteten aber mußten sich damit abfinden, mit den Frauen und Schulkindern auf den Platz unter den Balkon zu kommen, von dem die begeisterte und kastratenhafte Beredsamkeit Magalones herabträufelte. Da standen sie, mit dem Hut auf dem Kopf, schwarz und mißtrauisch, und die Reden gingen wirkungslos über sie hin.

Die Signori, auch die wenigen, die, wie Doktor Milillo, anders dachten, waren alle Parteimitglieder, weil die Partei eben die Regierung, den Staat, die Macht darstellte und sie selbstverständlich sich als Teilhaber an dieser Macht fühlten. Aus dem entgegengesetzten Grund war keiner der Bauern eingeschrieben, und sie wären übrigens auch keiner andern politischen Partei, die etwa zufällig bestanden hätte, beigetreten. Sie waren keine Faschisten, wie sie auch keine Liberalen oder Sozialisten oder sonst etwas gewesen wären, weil diese Dinge einer andern Welt angehörten und für sie sinnlos waren. Was hatten sie mit der Regierung, der Macht, dem Staate zu tun? »Der Staat, wie immer er auch beschaffen sein mag, das sind, ›die in Rom‹, und man weiß, die in Rom wollen nicht, daß wir ein menschenwürdiges Dasein führen. Es gibt Hagel, Erdrutsche, Dürre, Malaria, und es gibt den Staat. Es sind unabwendbare Übel, die schon immer da waren und es immer sein werden. Sie zwingen uns, unsere Ziegen zu schlachten, sie tragen unsere Möbel weg, und jetzt schicken sie uns den Krieg. Da kann man nichts machen.«

Der Staat ist für die Bauern ferner als der Himmel und auch böser; denn er ist immer gegen sie. Es ist gleich, wie seine Schlagworte lauten, wie sein Aufbau und sein Programm ist. Die Bauern verstehen sie nicht; denn sie sprechen eine andere Sprache und es ist auch kein Grund vorhanden, warum sie sich um ein Verständnis bemühen sollten. Die einzig mögliche Verteidigung gegen den Staat und die Propaganda ist Resignation, die gleiche dumpfe Resignation, ohne Hoffnung auf ein Paradies, die ihre Rücken unter das Joch der von Natur verhängten Übel beugt.

Daher legen sie sich ganz berechtigterweise auch keinerlei

Rechenschaft darüber ab, was eigentlich der politische Kampf ist: er ist eine persönliche Angelegenheit der Leute in Rom. Es ist ihnen gleichgültig, was die Konfinierten denken und warum sie hierher gekommen sind; aber sie betrachten sie wohlwollend und sehen sie als Brüder an, weil auch sie, aus irgendeinem geheimnisvollen Grund, Opfer des gleichen Schicksals sind. Wenn ich in den ersten Tagen auf dem Pfad außerhalb des Ortes irgendeinem alten Bauern begegnete, der mich noch nicht kannte, hielt er seinen Esel an, um mich zu grüßen, und fragte: »Wer bist du? Addo vades?« (Wo gehst du hin?) – »Ich gehe spazieren«, sagte ich, »ich bin ein Konfinierter.« – »Ein Verbannter?« (Die Bauern hier sagen nicht konfiniert, sondern verbannt.) – »Ein Verbannter? Wie schade. Irgendeiner in Rom ist dir übel gesinnt.« Und er fügte nichts weiter hinzu, setzte sein Eselchen wieder in Trab und blickte mich mit brüderlichem Mitleid an.

Die passive Brüderlichkeit, dies gemeinsame Leiden, diese resignierte, allgemeine, jahrhundertealte Geduld ist das tiefe Gemeinschaftsgefühl der Bauern, ein nicht religiöses, aber natürliches Band. Sie besitzen nicht das, was man politisches Bewußtsein zu nennen pflegt, und können es auch gar nicht besitzen; denn sie sind, in jedem Sinn, Heiden und keine Staatsbürger: die Götter des Staates und der Stadt können hier zwischen diesen Lehmhügeln nicht angebetet werden, wo der Wolf und der uralte schwarze Eber herrschen, wo keine Wand die Menschenwelt von der Tier- und Geisterwelt trennt, ebensowenig wie das Laub der Bäume getrennt ist von ihren dunklen, unterirdischen Wurzeln. Sie können nicht einmal ein richtiges Individualitätsbewußtsein besitzen, hier, wo alles von gegenseitigen Einflüssen abhängt, wo jedes Ding eine unmerklich wirkende Macht hat und wo es keine Grenzen gibt, die nicht von magischen Einflüssen durchbrochen werden. Sie leben versunken in eine Welt, wo die Grenzen verfließen, wo sich der Mensch nicht von seinem Boden, von seinem Tier, von seiner Malaria unterscheidet, wo es weder die von den Literaten, die das Heidentum zurücksehnen, gepriesene Glückseligkeit gibt, noch die Hoffnung, die doch immer auch ein individuelles Gefühl ist, sondern nur die dumpfe Passivität einer leidenden Natur. Lebendig ist in ihnen aber das Gefühl eines gemeinsamen Schicksals und einer gemeinsamen Ergebung. Es ist ein Gefühl, kein Bewußtseinsakt; es drückt sich nicht in Reden oder Worten aus, sondern ist in jedem Augenblick, in jeder Lebensäußerung, in all

den gleichen Tagen enthalten, die über diese Wüsten dahin-
ziehen.

»Schade, irgendeiner ist dir übel gesinnt.« Auch du bist dem
Schicksal unterworfen. Auch du bist hier kraft eines bösen Willens, durch üblen Einfluß, durch feindlichen Zauber hin- und
hergeworfen. Es kommt nicht auf die Beweggründe an, die dich
getrieben haben, nicht auf Politik oder Gesetze oder Vorspiege-
lungen der Vernunft. Es gibt weder Vernunft noch Ursache und
Wirkung, sondern nur ein feindliches Schicksal, einen Willen,
der das Böse will und der die magische Kraft der Dinge ist. Der
Staat ist eine Form dieses Schicksals wie der Wind, der die
Ernten versengt und das Fieber, das im Blut wühlt. Dem Ver-
hängnis gegenüber kann das Leben nur Geduld und Schweigen
sein. Wozu sind Worte nütze? Und was kann man tun? Nichts.

So standen also die wenigen Bauern, denen die Flucht auf ihre
Felder nicht gelungen war, während der Versammlung im Pan-
zer ihrer Geduld und ihres Schweigens still und undurchdring-
lich auf dem Platz, und es wirkte, als hörten sie nicht die opti-
mistischen Rundfunkfanfaren, die von viel zu weit herkamen,
aus einem Land des Forschrittes und der leichten Betriebsam-
keit, welches den Tod so sehr vergessen hatte, daß es ihn zum
Scherz und mit dem Leichtsinn dessen, der nicht an ihn glaubt,
herbeirief.

Ich hatte unterdessen viele Bauern in Gagliano kennengelernt; auf den ersten Blick erschienen sie alle gleich, klein, sonnenverbrannt, mit schwarzen Augen, die nicht glänzen und nicht zu blicken scheinen, wie leere Fenster in einem dunklen Zimmer. Einige hatte ich auf meinen kurzen Spaziergängen getroffen, oder sie hatten mich abends auf den Schwellen ihrer Häuser gegrüßt; aber der größte Teil war gekommen, um sich von mir behandeln zu lassen. Ich hatte mich in meinen neuen Beruf als Arzt fügen müssen, doch vor allem in den ersten Tagen machte ich mir, wie das bei Anfängern immer geschieht, aus dem unangenehmen Gefühl meiner Unzulänglichkeit heraus, die größten Sorgen um das Schicksal meiner Kranken. Ihr außerordentliches, naives Vertrauen verlangte eine Gegengabe. Ich nahm gegen meinen Willen ihre Übel auf mich und empfand sie fast als meine Schuld. Meine Studien waren glücklicherweise gründlich genug gewesen; was mir fehlte, waren Übung und die nötigen Instrumente für die Untersuchung und Behandlung; ich war, wie ich gestehen muß, sehr fern von einer wissenschaftlich kühlen und Abstand haltenden Einstellung. Ich lebte sozusagen in dauernder Angst. Um so willkommener und wertvoller war für mich ein kurzer Besuch meiner Schwester, einer sehr gescheiten Frau von tätiger Güte, die außerdem eine tüchtige Ärztin ist. Sie brachte mir Bücher, Abhandlungen über Malaria, Zeitschriften, Instrumente und Medikamente mit, ermutigte mich und gab mir in meiner Unsicherheit Ratschläge. Ich erfuhr von ihrer unerwarteten Ankunft durch ein Telegramm, das eben noch rechtzeitig eintraf, um ihr das Auto zur Haltestelle des Autobusses an der Saurokreuzung zu schicken. Es war das einzige Auto in Gagliano, ein alter, klappriger Fiat 509. Er gehörte einem Mechaniker, einem »Amerikaner«, einem dicken, großen und blonden Mann mit einer Radfahrermütze, der im Ort berühmt war wegen einer riesigen anatomischen Eigenheit, die derjenigen entsprach, welche das Gerücht in Frankreich dem Premierminister Herriot zuschrieb; das machte ihn für die Frauen, die zu ihm in Beziehung standen, vielleicht begehrenswert, sicherlich aber gefährlich. Trotzdem oder vielleicht gerade deshalb schrieb man ihm viele Erfolge auf seiner Liste als Dorf-

Don-Juan zu, und es fiel seinen unglücklichen Geliebten schwer, ihre unerlaubten Liebesverhältnisse auf längere Zeit vor der Eifersucht der Gattin und der amüsierten Neugier des Ortes geheim zu halten. Das Auto hatte er mit seinen letzten New Yorker Ersparnissen gekauft und sich davon große Einnahmen versprochen, da es eigentlich im öffentlichen Verkehr gebraucht wurde. Aber er machte höchstens ein, zwei Fahrten in der Woche, und zwar fast ausschließlich, um den Bürgermeister auf seinen Abstechern zur Präfektur nach Matera zu begleiten, und im Dienst der Carabinieri oder des Steueramtes. In seltenen Fällen fuhr er nach Stigliano, um einen Kranken dorthin zu bringen oder um Waren abzuholen. Ein schweres Problem, daß in dieser Zeit die Obrigkeit des Landes beschäftigte, war die Frage, ob man das Auto an Stelle des Maultieres zum Abholen der täglichen Post benutzen sollte; auf diese Weise hätte sich dann eine Art von regelmäßigem Dienst auch für die Reisenden, die mit dem Autobus ankamen oder abfahren mußten, ergeben. Aber da Zeit und Arbeit in dieser Gegend nicht zählen und nichts kosten, so ergab sich zwischen dem Maulesel und dem Auto ein kleiner Kostenunterschied, und außerdem tauchten wohl Schwierigkeiten wegen verwandtschaftlicher und freundschaftlicher Beziehungen auf. Das Problem wurde immer auf morgen vertagt, und bei meiner Abreise war es noch nicht gelöst. Nur manchmal, wenn der Mechaniker auf jemanden, der ankommen sollte, zu warten hatte, holte er die Post an der Kreuzung, und dann spielte sich die Verteilungszeremonie ein paar Stunden früher ab. Das wußte man am Ort, und eine kleine Menge erwartete stets die Rückkehr des Autos vor der Kirche. Wenn es mit seinem Geräusch von altem, klapprigem Eisen an der Biegung hörbar wurde, rannten ihm alle entgegen, um das Schaupiel zu genießen und sofort alle Neuigkeiten zu hören. Daher befand ich mich inmitten eines erwartungsvollen Publikums, als die vertraute Gestalt meiner Schwester, die ich lange nicht mehr gesehen hatte und die aus unendlich weiter Ferne zu kommen schien, aus dem Auto stieg. Ihr ruhiges Benehmen, ihre einfache Kleidung, der klare Ton ihrer Stimme und ihr freimütiges Lächeln waren genauso wie früher und wie ich sie immer gekannt hatte; aber nach den langen Monaten der Einsamkeit und der in Grassano und Gagliano verbrachten Zeit erschien sie mir wie die plötzliche und greifbare Vergegenwärtigung einer Welt der Erinnerung. Ihr sachliches Verhalten, die Leichtigkeit ihrer Bewegungen entstammten einer Welt, die von der meinen, in der sie unmöglich erschienen, durch einen unendlichen Abstand geschieden war. Bisher hatte ich mir von diesem körperlichen und elementaren Unterschied noch keine Rechenschaft ablegen können; sie kam wie die Botschafterin eines anderen Staates in ein fremdes Land diesseits der Berge.

Nachdem wir uns umarmt hatten und sie die Grüße meiner Mutter, meines Vaters und meiner Geschwister bestellt hatte und wir den Blicken all der Leute entzogen, allein in der Küche der Witwe waren, begann ich, sie ungeduldig auszufragen. Luisa berichtete mir über die großen und kleinen Ereignisse, die in der Familie bei Bekannten und im öffentlichen Leben während meiner Abwesenheit sich zugetragen hatten, was die mir lieben Freunde und Menschen taten, was man in Italien sagte, und sie sprach mir von Bildern und Büchern und dem, was die Leute dachten.

Es waren die Dinge, die mir am meisten am Herzen lagen, denen sich mein Gefühl dauernd, täglich zuwandte und die mir ganz nah erschienen; aber jetzt, da sie mir gegenwärtig wurden, schienen sie plötzlich einer andern Zeit anzugehören, einem andern Rhythmus zu folgen, andern Gesetzen zu gehorchen, die hier unverständlich waren und ferner als Indien oder China. Ich begriff auf einmal, daß diese beiden Zeiten zueinander keinerlei Beziehungen hatten, daß diese beiden Kulturen nur durch ein Wunder miteinander in Verbindung treten konnten. Und es wurde mir klar, warum die Bauern den Fremden aus dem Norden wie einen fremden Gott so ansehen, als erschiene er aus dem Jenseits. Meine Schwester kam aus Turin und konnte nur vier oder fünf Tage bleiben. »Leider habe ich viel Zeit mit der Reise verloren«, sagte sie mir, »denn ich mußte über Matera fahren, um meine Besuchserlaubnis von der Quästur dort prüfen zu lassen. Deshalb brauchte ich, anstatt den kürzesten Weg über Neapel und Potenza zu wählen, der nur zwei Tage gedauert hätte, volle drei Tage, um über Bari und von da nach Matera zu fahren. In Matera habe ich einen ganzen Tag verloren, um auf den Autobus zu warten. Was ist das für ein Land! Das bißchen, was ich bei der Ankunft in Gagliano gesehen habe, erscheint mir nicht so übel; jedenfalls kann es nicht schlimmer als Matera sein«. Sie war sehr beeindruckt und ganz entsetzt von dem, was sie gesehen hatte. Ich dachte und sagte es ihr, daß sie alles nur deshalb so lebhaft empfinde, weil sie niemals in dieser Gegend gewesen und Matera eben ihre erste Begegnung mit dieser gottverlassenen Natur und Menschenwelt gewesen sei. »Ich kannte diese Gegend nicht, aber irgendwie habe ich sie mir vorgestellt«, antwortete sie. »Aber was ich in Matera gesehen habe, ist einfach unvorstellbar«.

»Ich kam in Matera«, erzählte sie, »gegen elf Uhr vormittags an. Ich hatte in dem Führer gelesen, daß es eine malerische Stadt ist, die einen Besuch verdient, daß es dort ein Museum antiker Kunst und merkwürdige Höhlenwohnungen gibt. Aber als ich aus dem modernen und recht luxuriösen Bahnhof kam und mich umblickte, suchte ich mit den Augen vergebens die Stadt. Die Stadt war nicht da. Ich stand auf einer Art öder Hochebene, ringsum kahle Hügelchen aus grauer, mit Geröll besäter Erde. In dieser Wüste erhoben sich hier und dort verstreut acht bis zehn große Marmorpaläste, wie man sie jetzt in Rom baut, im Piacentinistil mit großen Toren, üppigen Architraven, feierlichen lateinischen Inschriften und in der Sonne leuchtenden Säulen. Einige waren noch nicht fertig und wirkten verlassen, monströs und paradox inmitten dieser verzweifelten Natur. Ein elendes Viertel von Häuschen für Angestellte, in aller Eile hergestellt und schon halb verfallen und schmutzig, lag zwischen den Palästen und schloß nach einer Seite den Horizont ab. Es erschien mir wie die ehrgeizige Anlage einer Kolonialstadt, die von ungefähr in Angriff genommen und gleich zu Beginn wegen irgendeiner Seuche unterbrochen worden ist, oder eher noch wie der geschmacklose Schauplatz eines Freilichttheaters für eine Tragödie im Stile d'Annunzios. Diese riesigen, imperialen, modernen Paläste waren die Quästur, die Präfektur, die Post, das Gemeindehaus, die Carabinierikaserne, das Haus des Fascio, der Sitz der Korporationen, die Opera Balilla und so weiter. Aber wo war die Stadt? Matera war nicht zu sehen. Ich wollte sofort meine Angelegenheiten erledigen. Ich ging zur Quästur, die außen in Marmor erglänzte und innen schmutzig und unhygienisch war mit kleinen, schlecht gefegten Zimmerchen voller Staub und Kehricht. Ich wurde vom Vizequästor empfangen, der zugleich Chef der politischen Polizei ist und meine Besuchserlaubnis zu genehmigen hatte. Ich erhob dagegen Einspruch, daß man dich in eine Malariagegend geschickt hat, und fragte aus Sorge um dein Wohlbefinden, ob man dich nicht an einen gesunden Ort bringen könnte. Ein Kommissar, der mit im Zimmer war, unterbrach mich brüsk: »Malaria? Die gibt es nicht. Das ist alles Gerede. Es mag einen Fall im Jahr geben. Ihrem Bruder geht es ausgezeichnet, wo er ist.« Aber als er erfuhr, daß ich Ärztin bin, wurde er still; und der Vizequästor antwortete mir in einem anderen Ton. »Malaria«, sagte er »gibt es überall. Wenn Sie es wünschen, können wir Ihren Bruder auch anderswohin versetzen; aber er würde überall die gleichen Bedingungen finden wie in Gagliano. Ein einziger Ort in der Provinz kann als malariafrei angesehen werden, und das ist Stigliano, weil es tausend Meter hoch liegt. Vielleicht können wir ihn später dorthin schicken, aber jetzt ist es aus vielen Gründen unmöglich.« (Ich begriff, daß nach Stigliano die abtrünnigen Faschisten geschickt werden.) »Ihr Bruder soll sich ruhig verhalten. Wir leben auch hier in Matera und sind nicht konfiniert. Und glauben Sie nicht, daß es hier mit der Malaria besser steht. Wenn wir hier bleiben müssen, kann er auch bleiben, Fräulein.« Gegen dieses Argument konnte ich natürlich nichts einwenden. Ich drängte also nicht weiter und ging weg. Ich wollte dir ein Stethoskop kaufen, das ich vergessen habe, dir aus Turin mitzubringen und das dir sicher in deiner Praxis nützlich sein würde. Da es keine Spezialgeschäfte gab, dachte ich, es in einer Apotheke zu finden. Zwischen den Palästen und den billigen Häuschen waren Läden, und ich fand denn auch zwei Apotheken, angeblich die einzigen in der Stadt. Sie hatten beide nicht nur keines, sondern die beiden Apotheker hatten auch nicht die leiseste Ahnung, was das für ein Ding sei. »Stethoskop? Was ist denn das?« Als ich ihnen erklärt hatte, daß es ein einfaches Instrument sei, zum Abhören des Herzens, das wie ein akustisches Horn, meist aus Holz konstruiert sei usw., sagten sie, so etwas könnte ich vielleicht in Bari finden, aber hier in Matera hätten sie nie davon reden hören. Es war Mittag, ich ließ mir ein Restaurant zeigen, das beste von allen, wurde mir gesagt. Und da saß denn auch schon melancholisch, mit sehr gelangweilter Miene, vor einem schmutzigen Tischtuch mit den Serviettenringen für die Stammgäste der Vizequästor mit andern Polizeibeamten. Du weißt, ich bin nicht anspruchsvoll, aber als ich wieder aufstand, war ich noch hungrig. Und dann ging ich endlich die Stadt suchen. In einiger Entfernung vom Bahnhof kam ich auf eine Straße, die nur auf einer Seite von alten Häusern gesäumt war und auf der andern an einem Abgrund entlangführte. In diesem Abgrund lag Matera. Aber von dort oben sah man fast nichts, weil der außerordentlich steile Hang beinah senkrecht abfällt. Als ich mich hinabbeugte, sah ich nur Terrassen und Pfade, die den Ausblick auf die darunterliegenden Häuser verdeckten. Gegenüber erhob sich ein kahler Berg von häßlicher, grauer Farbe ohne die Spur einer

Anpflanzung und ohne einen einzigen Baum: nichts als Erde und Steine in der prallen Sonne. Ganz unten floß ein Gießbach, die Gravina, mit nur spärlichem, verschlammtem Wasser auf dem Kiesgrund. Fluß und Berg wirkten düster und böse, so daß es einem das Herz zusammenzog. Die Schlucht hatte eine merkwürdige Form: wie zwei halbe Trichter nebeneinander, die durch einen kleinen Vorsprung getrennt sind und sich unten in einer gemeinsamen Spitze vereinigen, dort, wo man von oben eine weiße Kirche, Santa Maria de Idris, sieht, die im Boden zu stecken scheint. Diese umgekehrten Kegel, die Trichter, heißen Sassi: Sasso Caveoso und Sasso Barisano. Sie sind so geformt, wie wir uns in der Schule die Hölle Dantes vorgestellt haben. Und auch ich begann, auf einer Art von Saumpfad von einem Kreis zum andern in den Grund hinunterzusteigen. Dieses ganz schmale Sträßchen, das sich in Kehren hinunterwindet, führt über die Hausdächer, wenn man sie so nennen kann. Es sind Höhlen, die man in die verhärtete Lehmwand der Schlucht gegraben hat: jede hat vorn eine Fassade; einige sind ganz hübsch, mit ein paar bescheidenen Ornamenten, im Stil des achtzehnten Jahrhunderts. Wegen der Neigung des Hanges beginnen diese fingierten Fassaden unten hart am Berg. Oben springen sie etwas vor. In dem engen Raum zwischen den Fassaden und dem Abhang liegen die Straßen; sie bilden zugleich den Boden für den, der aus den oberen Behausungen heraustritt, und die Dächer für die darunterliegenden. Die Türen standen wegen der Hitze offen, und ich sah in das Innere der Höhlen, die Licht und Luft nur durch die Türe empfangen. Einige besitzen nicht einmal eine solche; man steigt von oben durch Falltüren und über Treppchen hinein. In diesen schwarzen Löchern mit Wänden aus Erde sah ich Betten, elenden Hausrat und hingeworfene Lumpen. Auf dem Boden lagen Hunde, Schafe, Ziegen und Schweine. Im allgemeinen verfügt jede Familie nur über eine solche Höhle, und darin schlafen alle zusammen, Männer, Frauen, Kinder und Tiere. So leben zwanzigtausend Menschen. Kinder gab es unzählige. In der Hitze, im Staub, fliegenumschwärmt tauchten sie von allen Seiten auf, entweder ganz nackt oder mit ein paar Lumpen bekleidet. Ich habe noch nie ein solches Bild des Elends erblickt, und dabei bin ich doch in meinem Beruf gewöhnt, täglich sehr viele arme, kranke und schlecht gepflegte Kinder zu sehen. Aber ein Schauspiel wie das gestrige hätte ich mir auch nicht einmal vorstellen können. Ich sah Kinder auf der Türschwelle im Schmutz unter der glühen-

den Sonne sitzen mit halbgeschlossenen Augen unter roten geschwollenen Lidern; die Fliegen setzten sich auf die Augen,
aber sie rührten sich gar nicht, sie verjagten sie nicht einmal mit
den Händen. Ja, die Fliegen krochen ihnen über die Augen, und
sie schienen es nicht zu spüren. Es war Trachom. Ich wußte,
daß es das hier unten gibt, aber sie so im Schmutz und Elend zu
sehen, war doch etwas ganz anderes. Andern Kindern begegnete ich, deren Gesichtchen voller Runzeln waren wie bei alten
Leuten; vor Hunger waren sie zu Skeletten abgemagert mit
völlig verlausten grindigen Haaren. Aber der größte Teil hatte
dicke, riesige, aufgetriebene Bäuche und von Malaria bleiche,
leidende Gesichter. Die Frauen, welche merkten, wie ich hin-
einblickte, forderten mich zum Eintreten auf, und ich sah in
diesen dunklen, stinkenden Höhlen Kinder, deren Zähne im
Fieber zusammenschlugen, auf der Erde unter Decken und
Lumpen liegen. Andere konnten sich kaum auf den Beinen halten und waren infolge von Ruhr nur noch Haut und Knochen.
Ich habe auch welche mit wachsbleichen Gesichtchen gesehen,
die an einer noch schlimmeren Krankheit als Malaria, irgendeiner Tropenkrankheit, vielleicht an Kala Azar, dem schwarzen
Fieber, zu leiden schienen. Die mageren Weiber, mit unterernährten, schmutzigen Säuglingen an den welken Brüsten, grüßten mich freundlich und trostlos; es wirkte auf mich, als wäre
ich in der blendenden Sonne in eine von der Pest heimgesuchte
Stadt geraten. Ich stieg immer weiter bis zum Grund der
Schlucht hinab, auf die Kirche zu, und eine große Menge von
Kindern lief in einer Entfernung von ein paar Schritten hinter
mir her und wuchs immer mehr an. Sie riefen etwas, aber ich
konnte nicht erfassen, was sie in ihrem unverständlichen Dialekt forderten. Ich stieg weiter hinunter, und sie kamen mir
immer nach und hörten nicht auf zu rufen. Ich dachte, sie wollten ein Almosen, und blieb stehen, und erst da unterschied ich
ihre Worte, die sie im Chor schrien: »Fräulein, gib mir Chinin!« Ich verteilte das bißchen Kleingeld, das ich bei mir hatte,
damit sie sich Bonbons kauften, aber das wollten sie gar nicht,
sie baten weiter inständig um Chinin. Inzwischen waren wir auf
den Grund der Schlucht bei Santa Maria de Idris, einer schönen
Barockkirche, angelangt, und als ich aufblickte, sah ich endlich
ganz Matera wie eine schräge Mauer. Von hier wirkt es fast wie
eine richtige Stadt. Die Fassaden der Höhlen, die wie weiße,
nebeneinander stehende Häuser aussahen, schienen mich mit
den Türlöchern wie schwarze Augen anzusehen. So ist es wirk-

lich eine sehr schöne, malerische und eindrucksvolle Stadt. Es gibt auch ein hübsches Museum mit bemalten griechischen Vasen, antiken Statuetten und Münzen, die in der Umgebung gefunden worden sind. Während ich es besuchte, standen die Kinder immer noch draußen in der Sonne und warteten, daß ich ihnen Chinin brächte.«

Wo sollte meine Schwester wohnen? Der lahme Ziegentöter hatte aus Neapel Antwort wegen des Palastes bekommen. Sie sagten, es liege ihnen nichts am Vermieten, und wenn schon, würden sie höchstens ein oder zwei Zimmer hergeben zu einem Preis, der ihnen außerordentlich hoch erschien und dessentwegen sie sich entschuldigten, nämlich für fünfzig Lire im Monat; denn Wohnungen im Inneren seien im Augenblick sehr gesucht, da man den Krieg erwarte und Bombardements der englischen Flotte fürchte; in Neapel dächten alle ans Flüchten, und auch sie selbst, die Besitzer und ihre Freunde, würden wahrscheinlich dort Zuflucht suchen. Aber inzwischen hatte ich auch meine ganze Begeisterung für diese romantische und zerfallene Behausung verloren. Der Student aus Pisa hatte mir durch einen Bauern sagen lassen, daß in ein paar Tagen eine Wohnung frei werde, die er für seine Mutter und seine Schwester, die beiden Lehrerinnen, gemietet hatte, als sie zu Besuch zu ihm kamen; sie lebten völlig zurückgezogen und gingen niemals aus. Die Miete war für ihn sehr teuer, und nach der Abreise der beiden Frauen konnte ich einziehen. Der Lahme und Donna Caterina redeten mir zu. So mußte meine Schwester in Erwartung des neuen Hauses sich darein fügen, mit mir das einzige Schlafzimmer der Witwe zu teilen und hier ihre Bekanntschaft mit den Wanzen, Fliegen und Schnaken Lukaniens zu machen; aber sie meinte, nach den Höhlen von Matera erscheine ihr dieser melancholische Raum fast wie ein Königspalast. Glücklicherweise erschien während der paar Nächte weder der »U. E.« noch ein anderer Gast. Die Ankunft meiner Schwester war ein Ereignis, die Honoratioren des Ortes empfingen sie aufs beste, Donna Caterina erzählte von ihrem Leberleiden, vertraute ihr Küchenrezepte an und benahm sich in jeder Weise sehr liebenswürdig. Eine Dame aus dem Norden, noch dazu eine Ärztin, so aus nächster Nähe, das hatten sie noch nie erlebt. Man durfte sich vor ihr keine Blöße geben. Für die Bauern war es etwas ganz anderes. Da sie an das amerikanische Leben gewöhnt waren, fanden sie es ganz natürlich, daß eine Frau

Arzt war, und selbstverständlich benutzten sie die günstige Gelegenheit. Aber was ihnen an ihrem Hiersein Eindruck machte, war etwas ganz anderes. Bis dahin war ich für sie irgendwie vom Himmel gefallen, aber mir fehlte etwas, ich war allein. Die Entdeckung, daß auch ich Blutsverwandte auf dieser Erde hatte, schien für sie in erfreulicher Weise eine Lücke auszufüllen. Mich mit meiner Schwester zusammen zu sehen, rührte an eines ihrer tiefsten Gefühle, das der Blutsgemeinschaft, das hier, wo es weder Staatsgefühl noch religiöses Empfinden gibt, um so stärker an deren Stelle tritt. Es handelt sich dabei nicht um die Einrichtung der Familie, dieses soziale, juristische und gefühlsmäßige Band, sondern um die geheiligte, geheime und magische Bedeutung der Gemeinschaft. Das ganze Land ist durch komplizierte Bande verknüpft, die nicht allein solche einer tatsächlichen Verwandtschaft (der »Bruder-Vetter« ist wirklich wie ein Bruder), sondern die symbolischen und erworbenen der Gevatterschaft sind. Der Sankt-Johanns-Bruder ist fast mehr als ein leiblicher Bruder; er gehört wirklich durch Wahl und rituelle Weihe zu der gleichen Blutsverwandtschaft: und innerhalb dieser ist einer dem andern heilig; Heiraten sind unter den Mitgliedern unstatthaft. Dieses brüderliche Band ist das stärkste unter den Menschen.

Wenn meine Schwester und ich abends Arm in Arm durch die einzige Ortsstraße wanderten, blickten uns die Bauern beseligt von ihren Schwellen aus nach. Die Frauen grüßten uns und riefen uns Segenswünsche zu: »Gesegnet sei der Leib, der euch getragen hat«, ertönte es von den Türen, an denen wir vorbeigingen. »Gesegnet die Brüste, die euch gesäugt haben!« Die alten, zahnlosen Weibchen unter den Türen hörten einen Augenblick auf, Wolle zu spinnen, um uns ihre Sprüche zuzumurmeln: »Eine Frau ist etwas Schönes, aber eine Schwester ist viel mehr!« »Bruder und Schwester, Herz und Herz.« Luisa, die ihre natürliche, städtische und rationelle Atmosphäre mit sich gebracht hatte, konnte sich nicht genug wundern über diese merkwürdige Begeisterung ob der einfachen Tatsache, daß ich eine Schwester hatte.

Was sie aber vor allem in Erstaunen setzte und entrüstete, war, daß niemand etwas für dieses Land tat. Denn da sie eine konstruktive Natur hat (das, was die Astrologen sonnenhaft nennen) und ihre tatkräftige Güte kein Zaudern liebt, verbrachte sie mit mir die Zeit im Gespräch darüber, was man tun könne, und unterbreitete mir praktische Pläne, um den Bauern in

Gagliano und den Kindern in Matera zu helfen. Krankenhäuser, Kindergärten, Kampf gegen die Malaria, Schulen, öffentliche Arbeiten, staatlich angestellte und unter Umständen auch freiwillige Ärzte, nationaler Einsatz für die Umgestaltung dieser Gebiete und so fort. Sie selber wollte ihre Zeit gern einer Sache widmen, die ihr so gerecht erschien. Man mußte etwas tun, nicht schlafen und alles immer auf morgen verschieben. Sicher hatte sie recht; und was sie vorschlug, war richtig und gut und realisierbar; aber die Dinge hierzulande sind sehr viel verwikkelter, als sie dem klaren Geist guter und rechtlich denkender Menschen erscheinen.

Die vier Tage ihres Besuches verflogen rasch. Als die 509 des Mechanikers, der sie wegbrachte, an der Biegung hinter dem Friedhof in einer Staubwolke verschwand, schien auch jene Welt der schöpferischen Leistung, der Werte und der Kultur, der ich verbunden und die mir durch sie wieder gegenwärtig geworden war, in der unendlich fernen Wolke der Erinnerung zu verschwinden, wie wenn die Zeit sie wieder aufgesogen hätte.

Mir blieben die Bücher, die Medikamente und die Ratschläge, und sie waren mir sofort von Nutzen. Abgesehen von Anstekkungen erscheinen auch die verschiedensten Krankheiten gruppenweise. In manchen Wochen gibt es keine Kranken oder doch nur leichte Fälle; wenn sich aber ein schwerer Fall ereignet, kann man sicher sein, daß auch andere auftauchen. Eine dieser Perioden, die erste seit meiner Ankunft, setzte sofort nach der Abreise meiner Schwester ein: eine Reihe von gefährlichen und schwierigen Fällen, vor denen ich Angst hatte. Übrigens haben alle Krankheiten hier unten einen verzweifelten und tödlichen Charakter, sehr verschieden von dem, was ich in den wohlgepflegten Betten der Turiner Universitätsklinik zu sehen gewöhnt war. Vielleicht hängt das mit der chronischen Blutarmut der alten Malariakranken oder mit der Unterernährung oder auch mit der geringen Widerstandskraft dieser passiven und resignierten Menschen gegen das Übel zusammen; jedenfalls erscheint vom Beginn der Krankheit an gleichzeitig ein Durcheinander der verschiedensten Symptome, und die Gesichter der Leidenden nehmen den gequälten Ausdruck der Agonie an. So fiel ich von einem Erstaunen ins andere, als ich diese Kranken, die jeder gute Arzt aufgegeben hätte, sich durch die einfachsten Kuren erholen und gesund werden sah. Es war, als sei ich von eigenartigem Glück begünstigt.

In diesen Tagen besuchte ich auch den Erzpriester. Er hatte innere Blutungen, aber menschenscheu, wie er war, sprach er nicht davon und wanderte, ohne sich zu kurieren, weiter im Ort herum. Don Cosimino, der Postengel, der einzige Vertraute des alten Mannes, in dessen Postbüro er ganze Stunden zubrachte und ihm seine Epigramme vorlas, bat mich, doch einmal wie zu einem Höflichkeitsbesuch hinzugehen und dabei zu sehen, ob ich etwas für ihn tun könnte. Don Trajella wohnte mit seiner Mutter in einem großen Raum, einer Art Höhle in einem dunklen Gäßchen, nicht weit von der Kirche. Als ich zu ihm kam, war er mit seiner Mutter gerade beim Essen: sie besaßen zu zweit nur einen einzigen Teller und ein einziges Glas. Der Teller war voll schlecht gekochter Bohnen, welche die ganze Mahlzeit ausmachten: an einem ungedeckten Tisch fischten sich

Mutter und Sohn mit alten Zinkgabeln abwechselnd einen Bissen heraus. Im Hintergrund der Höhle standen, getrennt durch einen grünen, zerrissenen Vorhang, zwei noch nicht in Ordnung gebrachte Betten, das von Don Giuseppe und das der Alten. Auf der Erde an der Wand lag ein großer, unordentlicher Bücherhaufen, auf dem sich Hühner niedergelassen hatten. Andre Hühner rannten und flatterten durch das Zimmer, das seit undenklicher Zeit nicht mehr gefegt worden war; der Hühnerstallgestank verschlug einem den Atem. Der Erzpriester, der mich gern hatte und mich mit Don Cosimino unter die wenigen Leute rechnete, mit denen er reden konnte, da sie ihm nicht feindlich gesinnt waren, empfing mich mit sichtbarem Vergnügen, ein Lächeln auf seinem listigen und leidenden Gesicht. Er stellte mir seine Mutter vor; ich möge sie entschuldigen, wenn sie mir nicht antworte: sie wäre vetula et infirma. Und er bot mir sofort ein Glas Wein an, das ich annehmen mußte, um ihn nicht zu beleidigen, in seinem einzigen Glas, das offenbar ihm und der Alten Jahre hindurch gedient hatte, ohne je gewaschen zu werden, wie man aus der fettigen, schwarzen Kruste ersehen konnte, die ringsherumsaß. Don Trajella hatte keinen Dienstboten und hatte sich so an den Schmutz in seiner Einsamkeit gewöhnt, daß er ihm nicht mehr auffiel. Als wir von seinem Leiden gesprochen hatten, merkte er, daß ich neugierig seinen Bücherhaufen betrachtete. »Ich hatte schöne Bücher, sehen Sie? Es sind auch seltene Ausgaben darunter. Aber was wollen Sie? In diesem Land ist es zwecklos, zu lesen. Als ich hierher kam, haben die Schweinehunde, die die Bücher brachten, sie mir zum Schabernack mit Pech beschmiert. Da hatte ich keine Lust mehr, sie zu öffnen, und ich habe sie seit vielen Jahren auf der Erde liegen lassen.« Ich näherte mich dem Haufen. Die Bücher waren mit einer Staubschicht und mit Hühnermist bedeckt, hie und da bemerkte man auf dem Ledereinband ein paar Pechflekken, als Erinnerung an das lang zurückliegende Attentat. Ich zog auf gut Glück ein paar heraus: Es waren alte Bände des achtzehnten Jahrhunderts über Theologie, Kasuistik, Heiligengeschichten, Kirchenväter und lateinische Dichter. Es mußte einmal, bevor sie zur Schlafstätte der Hühner geworden war, die gute Bibliothek eines gebildeten, wißbegierigen Priesters gewesen sein. Unter den Büchern rutschten vergilbte, fleckige Heftchen heraus: Werke von Don Trajella, geschichtliche und apologetische Studien über den heiligen Calogero von Avila. »Das ist ein spanischer, ziemlich unbekannter Heiliger«, erklärte mir der Erzpriester. »Ich habe temporibus illis auch Bilder gemalt, die verschiedene Episoden aus seinem Leben darstellen, eine Art von Polyptychon.« Ich bestand darauf, daß er sie mir zeige, und er entschloß sich, sie unter dem Bett hervorzuziehen, von wo er sie, wie er sagte, seit dem Tag seiner Ankunft nicht mehr hervorgeholt hatte. Es waren Temperabilder im volkstümlichen Geschmack, aber recht wirkungsvoll, mit einer großen Anzahl von winzigen, fein ausgeführten Figürchen, buntgemischte Bilder, auf denen Geburt, Leben, Wunder, Tod und Verklärung des Heiligen zu sehen waren. Unter dem Bett kamen auch kleine Statuen hervor, ebenfalls Werke des Priesters, kleine Engelchen und barocke Heilige aus Holz und bemaltem Ton, mit leichter Hand in dem anmutigen Geschmack der Neapolitaner Krippen des siebzehnten Jahrhunderts modelliert. Ich beglückwünschte den auf so unerwartete Weise entdeckten Kollegen. »Ich habe nichts mehr gemacht, seit ich hier in partibus infidelium bin, um, wie man zu sagen pflegt, die Sakramente der Heiligen Kirche diesen Heiden auszuteilen, die nichts davon wissen wollen. Früher hatte ich Spaß daran, diese Sächelchen zu machen. Aber hier in diesem Land geht es nicht. Es hat hier gar keinen Zweck, etwas zu tun. Nehmen Sie noch ein Glas Wein, Don Carlo?« Während ich nach einem Vorwand suchte, um das schreckliche Glas zu vermeiden, das viel bitterer war als alle nur denkbaren Zaubertränke, erhob sich plötzlich die alte Mutter, die bis dahin still und abwesend auf ihrem Stuhl gesessen hatte, schreiend und mit den Armen um sich schlagend. Die erschreckten Hühner fingen an, durchs Zimmer auf die Betten, die Bücher und den Tisch zu flattern. Don Trajella rannte hierhin und dorthin, um sie von den Laken wegzujagen, wobei er schrie: »Verfluchtes Land!« Und jene gackerten in törichtem Schrecken immer lauter und wirbelten Wolken von Staub auf, der aufglänzte in einem durch die Spalte des halbgeschlossenen Fensterchens eindringenden Sonnenstrahl. Ich benutzte die Gelegenheit, um mich unter großem Federflattern und dem Wehen schwarzer Soutanen davonzumachen.

Sehr verschieden von dem armen Don Trajella mußte zu meinem Glück sein Vorgänger gewesen sein, ein dicker, reicher, vergnügter und genießerischer Priester, der im Ort berühmt war wegen seines ausgezeichneten Essens und seiner vielen Kinder, der, wie man behauptete, an einer gigantischen Verdauungsstörung gestorben war. Das Haus, in das ich endlich ein paar Tage darauf, nach der Abreise der Verwandten des konfinierten Pisaners einzog, war von ihm erbaut worden, und es war eigentlich das einzige zivilisierte Haus des Ortes. Er hatte es sich neben der alten Kirche, der Madonna degli Angeli, errichten lassen, und nun, da die Kirche in den Abgrund gestürzt war, stand es als letztes Haus am Rand des Abgrundes. Es bestand aus drei hintereinanderliegenden Räumen. Von der Straße, einem Seitengäßchen rechts vom Hauptweg, kam man in die Küche, von der Küche in das zweite Zimmer, wo ich mein Bett aufstellte; von hier ging es in ein großes Zimmer mit fünf Fensterchen, das mein Wohnzimmer und Atelier wurde. Aus der Ateliertür stieg man auf vier Steinstufen in ein kleines Gärtchen mit einem Feigenbaum, das durch ein Eisengitter abgeschlossen war. Das Schlafzimmer hatte einen kleinen Balkon, von dem ein Treppchen an der Seitenwand des Hauses auf die Terrasse führte, die das ganze Hausdach einnahm; von hier wanderte der Blick zu den fernsten Horizonten. Das Haus war bescheiden, billig gebaut und nicht schön, weil es keinen Charakter hatte und weder ein Herren- noch ein bäuerliches Haus war; es besaß weder den verfallenen Adel des Palastes noch das Elend der kleinen Hütten, sondern es zeigte nur die abgestandene Mittelmäßigkeit eines pfäffischen Geschmacks. Atelier und Terrasse hatten einen Fußboden aus farbigem Schachbrettmuster wie manche Landsakristeien. Ich konnte diese Geometrie nie leiden, von der das Auge fortwährend angezogen wird, und beim Malen stört sie mich. Die billigen Steinchen färbten ab, wenn sie naß wurden; und dann verwandelte sich Baron, der gern wild auf dem Boden herumrollte, jeweils aus einem weißen in einen rosa Hund. Aber die weiß getünchten Wände waren sauber, die Türen waren blau und die Fensterläden grün gestrichen. Und vor alllem, und das machte jeden Fehler wieder gut, hatte der epikureische Geschmack des Priesters meine Wohnung mit einem unschätzbaren Gut versehen. Es gab dort ein Klosett, ohne Wasser natürlich, aber ein richtiges Klosett mit Porzellansitz. Es war das einzige seiner Art in Gagliano, und vermutlich hätte ich auf hundert Kilometer Entfernung kein andres gefunden. In den Häusern der besseren Leute gab es antike, monumentale Nachtstühle aus eingelegtem Holz, kleine, majestätische Thronsitze; man hat mir erzählt, aber ich habe sie nicht gesehen, daß es auch zweisitzige gibt für jene zärtlichen Eheleute, die auch nicht die kleinste Trennung ertragen. In den Häusern der Armen ist selbstverständlich nichts dergleichen zu finden. Diese Tatsache führt zu sonderbaren Sitten. In

Grassano öffneten sich zu bestimmter Stunde, frühmorgens und gegen Abend, die Fensterchen der Häuser, und durch den Spalt erschienen die verrunzelten Hände der alten Weiber, die den Inhalt der Nachttöpfe mitten auf die Straße gossen. Das waren die Stunden der »jettatura«, des bösen Blicks. In Gagliano trug sich diese Zeremonie nicht so allgemein und regelmäßig zu: man ging nicht so verschwenderisch mit dem Dünger für die Gemüsegärten um.

Der völlige Mangel dieses einfachen Apparates in der ganzen Gegend führt natürlich zu Gewohnheiten, die nicht leicht auszurotten, die mit tausend andern Dingen des Lebens verknüpft sind und zusammengehen mit höchst edlen und poetischen Gefühlen. Der Tischler Lasala, ein intelligenter »Amerikaner«, der vor vielen Jahren Bürgermeister von Grassano gewesen war und in seinem monumentalen Rundfunkapparat, den er mit heimgebracht hatte, zusammen mit Platten von Caruso und der Ankunft des Fliegers De Pinedo auch solche mit Gedächtnisreden auf Matteotti eifersüchtig aufbewahrte, erzählte mir, daß er sich in New York am Ende der Arbeitswoche jeden Sonntag mit einer Gruppe von Landsleuten zu treffen pflegte, um einen Ausflug zu unternehmen. »Wir waren immer acht bis zehn, ein Arzt, ein Apotheker, Kaufleute, ein Kellner und ein paar Handwerker. Alle aus dem selben Ort, und wir kannten uns von Kinderzeit an. Das Leben zwischen den Wolkenkratzern ist traurig mit all den außerordentlichen Bequemlichkeiten, den Lifts und Drehtüren, der Untergrundbahn und immer wieder Häusern und Palästen und Straßen, und nie ein bißchen Land. Man wird melancholisch dabei. Am Sonntagmorgen bestiegen wir den Zug, aber wir mußten viele Kilometer fahren, um aufs Land zu kommen. Wenn wir eine einsame Stelle erreicht hatten, wurden wir alle fröhlich, als wäre eine Last von uns genommen. Und dann ließen wir alle zusammen unter einem Baum die Hosen herunter. Was für ein Spaß! Man spürte die frische Luft, die Natur. Nicht wie in den amerikanischen, blanken und völlig einheitlichen Klosetts. Es schien uns, als wären wir Knaben, daheim in Grassano; wir waren glücklich, es wurde gelacht, man atmete die Luft des Vaterlandes. Und wenn wir fertig waren, schrien wir alle zusammen: ›Es lebe Italien!‹ Und das kam uns wirklich vom Herzen.«

Das neue Haus hatte den Vorteil, am Ende des Ortes, abseits von den Blicken des Bürgermeisters und seiner Späher, zu liegen: Endlich konnte ich, ohne bei jedem Schritt auf die üblichen

Leute zu stoßen, ein bißchen spazierengehen. Es ist hier unter den Herren Sitte, wenn sie jemandem auf der Straße begegnen, ihn nicht zu fragen, wie es ihm geht, sondern ihm als Gruß die Frage vorzulegen: »Was haben Sie heute gegessen?« Ist der Angeredete ein Bauer, dann antwortet er wortlos mit einer Gebärde seiner Hand, die er bis zur Höhe des Gesichtes hebt und langsam hin- und herdreht, wobei Daumen und kleiner Finger ausgestreckt und die andern Finger gekrümmt sind. Das soll heißen »wenig oder gar nichts«. Wenn es ein Herr ist, zählt er ausführlich die kümmerlichen Gerichte seines Mittagessens auf und erkundigt sich nach denen seines Freundes; wenn in diesem Augenblick nicht gerade die Leidenschaft des Hasses und der lokalen Intrige ihren Geist in Wallung bringt, wird die Unterhaltung lange fortgesetzt, ohne je von diesem Austausch vertraulicher gastronomischer Mitteilungen abzuweichen.

Ich konnte den Kopf aus der Haustür strecken, ohne sofort mit der Nase auf den allgegenwärtigen Bauch von Don Gennaro zu stoßen, der mit seiner Fülle die Straße sperrte. Dieser Wächter, Gemeindebote, Hundefänger und Spion des Bürgermeisters paßte dauernd auf jeden Schritt der Konfinierten und jedes Wort der Bauern auf; im Grunde war er übrigens ein guter Kerl, aber autoritätsgläubig und Don Luigino ergeben und sehr hartnäckig auf die Beobachtungen seiner lächerlichen Verordnungen über herumlaufende Schweine und Hunde bedacht; ewig bedrohte er die Frauen und brummte ihnen, die doch nicht zahlen konnten, für die unwahrscheinlichsten Vergehen Geldstrafen auf.

Vor allem aber war es eine Wohnung, ein Ort, wo ich allein sein und arbeiten konnte. Ich beeilte mich also, mich von der Witwe zu verabschieden und mein neues Leben in meinem endgültigen Heim zu beginnen. Das Haus gehörte dem Erben des Priesters, Don Rocco Macioppi, einem kleinen, freundlichen, überhöflichen, bigotten und bebrillten Grundbesitzer mittleren Alters, und seiner Nichte, Donna Maria Maddalena, einem blutarmen, weinerlichen, schwächlichen Jüngferchen von etwa fünfundzwanzig Jahren, die bei den Nonnen in Potenza erzogen worden war. Wir hatten abgemacht, daß sie den Garten, mit dem Eingang durch die Gittertür, benutzen konnten, um ihren Salat zu ziehen, daß ich aber nach Belieben darin spazierengehen durfte. Die Wohnung war fast leer. Der Hausherr und sein Freund, der Lahme, besorgten mir den nötigen Hausrat. Ich brachte die Sachen hin, die ich mir in diesen Tagen hatte kommen lassen: meine große Staffelei und den Sessel, der als notwendige Ergänzung dazu gehörte, die eine zum Malen und der andre, um die Bilder im allmählichen Entstehen zu betrachten; beide sind mir unentbehrlich, und ich liebe sie; sie sind mir auf all meinen Reisen durch die Welt gefolgt. Und eine Bücherkiste, die mir in diesen Tagen geschickt worden war und derentwegen ich einen Besuch vom Bürgermeister und vom Feldwebel erhielt. Don Luigino ließ mir sagen, daß er beim Öffnen der Kiste dabei sein müsse, um zu prüfen, ob auch keine verbotenen Bücher darunter seien. Mit Hilfe seines Assistenten untersuchte er meine Bücher Band für Band. Das tat er natürlich als gebildeter Mann, den nichts in Erstaunen setzt, mit viel verständnisvollem Lächeln, glücklich über seine Gelehrsamkeit und Autorität. Verbotene Bücher waren nicht dabei. Aber da war zum Beispiel eine gewöhnliche Ausgabe der Essays von Montaigne. »Das ist französisch, nicht wahr?« rief der Bürgermeister, wobei er ein Auge zukniff, als wollte er sagen, ich solle nicht versuchen, ihn zu hintergehen. »Aber altes Französisch, Don Luigi!« – »Ja, Montaigne, einer aus der Französischen Revolution.« Nur mit Mühe überzeugte ich ihn davon, daß man ihn nicht als gefährlichen Schriftsteller ansehen könne: der Schulmeister wußte Bescheid und lächelte wohlgefällig, damit ich verstehe, daß er mir das Buch, das er hätte sequestrieren können, nur aus besonderem Wohlwollen und wegen der Solidarität unter gebildeten Männern lasse.

Das Haus war in Ordnung, die Sachen standen an ihrem Platz, und nun mußte ich das Problem lösen, wie ich eine Frau zum Reinemachen finden könnte, die mir auch am Brunnen Wasser holte und das Essen bereitete. Der Hausherr, der Ziegentöter, Donna Caterina und ihre Nichten waren darin einig: »Es gibt nur eine, die für Sie paßt. Nur die können Sie nehmen!« Und Donna Caterina sagte zu mir: »Ich werde mit ihr reden und sie kommen lassen. Auf mich hört sie, mir wird sie es nicht abschlagen.« Das Problem war schwieriger, als ich geglaubt hatte: nicht etwa, weil Frauen in Gagliano fehlten, im Gegenteil, eine Menge würde sich um die Arbeit und den Verdienst gerissen haben. Aber ich lebte allein, ich hatte weder Frau noch Mutter noch Schwester bei mir: und deshalb durfte keine Frau allein mein Haus betreten. Eine uralte und unerbittlich strenge Sitte, welche die Grundlage der Beziehungen der Geschlechter untereinander ist, verhinderte das. Die Liebe oder die sexuelle Anziehung wird von den Bauern als eine so starke

Naturkraft angesehen, daß kein Wille sich ihr widersetzen kann. Wenn ein Mann und eine Frau in einem Raum allein zusammen sind, so kann nichts sie daran hindern, sich zu umarmen; weder gegenteilige Vorsätze noch Keuschheit noch irgendeine andere Schwierigkeit können dagegen aufkommen; und wenn die beiden es zufällig nicht tun, dann ist es doch so gut, als hätten sie es getan. Allein zusammen sein, bedeutet, sich der Liebe hingeben. Die Allmacht dieser Gottheit ist so groß und der natürliche Drang ist so einfach, daß eine eigentliche sexuelle Moral nicht bestehen kann und ebensowenig eine wirkliche soziale Mißbilligung unerlaubter Liebschaften. Es gibt außerordentlich viele außereheliche Mütter, und sie werden keineswegs gemieden und fallen auch nicht der öffentlichen Verachtung anheim: sie haben es höchstens schwerer, sich in ihrem Heimatort zu verheiraten, und müssen entweder in einem Nachbarort eine Familie gründen oder sich mit einem lahmen oder sonstwie körperlich benachteiligten Mann begnügen. Wenn nun aber keine moralische Hemmung gegen die ungezügelte Heftigkeit der Begierde bestehen kann, so springt hier die Sitte ein und erschwert die Gelegenheiten. Keine Frau darf mit einem Mann zusammenkommen, außer in Gegenwart von andern Leuten, vor allem, wenn der Mann keine Frau hat; und dies Verbot ist sehr streng; ihm auch auf die unschuldigste Art zuwiderhandeln, bedeutet so viel als sündigen. Die Regel bezieht sich auf alle Frauen, denn die Liebe ist an kein Alter gebunden.

Ich hatte eine Großmutter behandelt, eine alte Bäuerin von siebzig Jahren, Maria Rosano, mit hellen blauen Augen in einem gütigen Gesicht. Sie war herzkrank, mit schweren und besorgniserregenden Symptomen, und fühlte sich sehr elend. »Ich werde von diesem Bett nicht wieder aufstehen, Herr Doktor. Meine Stunde ist gekommen«, sagte sie mir. Aber, auf mein Glück bauend, hatte ich ihr das Gegenteil versichert. Eines Tages sagte ich zu ihr, um ihr Mut zu machen: »Du wirst ganz sicher gesund werden. Du wirst ohne Hilfe von diesem Bett aufstehen. In einem Monat wird es dir gutgehen, und du wirst ganz allein zu meinem Haus am Ende des Ortes kommen, um mich zu begrüßen.« Die Alte genas wirklich, und nach einem Monat hörte ich es an meine Türe klopfen. Es war Maria, die sich meiner Worte erinnert hatte und gekommen war, um mir zu danken und mich zu segnen, die Arme voller Geschenke, getrockneter Feigen, Würste und selbstgebackener Brezeln. Sie war eine sehr nette Frau, vernünftig und mütterlich zärtlich, weise im Gespräch und mit einem gewissen geduldigen und verständnisvollen Optimismus in ihrem alten, faltigen Gesicht. Ich dankte ihr für ihre Gaben und unterhielt mich mit ihr; aber ich merkte, daß die Bäuerin sich immer unbehaglicher fühlte, von einem Fuß auf den andern trat und immer wieder zur Tür blickte, als wollte sie weglaufen, wagte es aber nicht. Zuerst verstand ich den Grund nicht: dann merkte ich, daß die Alte allein bei mir eingetreten war, zum Unterschied von allen andern Frauen, die entweder zur Behandlung kamen oder um mich zu holen und die immer zu zweien oder wenigstens in Begleitung eines kleinen Mädchens waren, was eine Art ist, die Sitte zu respektieren und sie doch auf wenig mehr als ein Symbol zu beschränken, und ich vermutete, daß dies der Grund ihrer Unruhe sei. Sie selbst bestätigte es mir. Sie sah mich als ihren Wohltäter, als ihren wunderbaren Retter an; sie wäre für mich durchs Feuer gegangen; ich hatte nicht allein sie, die bereits am Rande des Grabes stand, sondern auch ihre liebste Enkelin geheilt, die an einer schlimmen Lungenentzündung gelitten hatte. Ich hatte ihr gesagt, sie sollte mich allein besuchen, wenn sie geheilt sei. Ich meinte damit, daß sie niemanden brauchen würde, um sie zu stützen; aber die gute Alte hatte es wörtlich genommen und hatte nicht gewagt, meinem Befehl zuwider zu handeln. Deshalb hatte sie sich nicht begleiten lassen; sie hatte damit ein großes Opfer gebracht, jetzt aber war sie unruhig, denn das Alleinsein mit mir war trotz der augenscheinlichen Unschuld an sich eine grobe Verletzung der Sitte. Ich fing an zu lachen, und auch sie lachte, aber sie sagte mir, der Brauch wäre älter als sie und ich, und ging zufrieden fort.

Es gibt keine Gewohnheit oder Regel und kein Gesetz, die sich gegen eine ihnen widersprechende Notwendigkeit oder einen mächtigen Drang behaupten könnten: und auch dieser Brauch beschränkt sich praktisch auf eine Formalität, aber die Formalität wird beachtet. Trotzdem ist das bäuerliche Land weiträumig, die Zufälle im Leben sind vielfältig, und es fehlt weder an alten Kupplerinnen noch an jungen Willfährigen. Die hinter ihren Schleiern verborgenen Frauen sind wie ungezähmte Tiere. Sie denken mit äußerster Natürlichkeit an nichts anderes als an physische Liebe und sprechen mit einer Freiheit und Ungeschminktheit davon, daß es einen in Erstaunen setzt. Wenn du über die Straße gehst, gucken sie dich mit schwarzen forschenden Augen von der Seite an, um deine Männlichkeit abzuschätzen, und du hörst sie dann hinter deinem Rücken ihre Urteile und das Lob deiner verborgenen Schönheit flüstern. Wenn du dich umdrehst, verstecken sie das Gesicht in den Händen und betrachten dich durch die Finger. Gefühl ist mit dieser Atmosphäre von Begierde, die aus den Augen springt und die Luft des Landes zu erfüllen scheint, nicht verbunden, wenn nicht vielleicht das der Ergebung in ein Schicksal, unter eine höhere Macht, der man nicht entrinnen kann. Auch die Liebe ist mehr als von Begeisterung oder Hoffnung von einer Art Resignation begleitet. Ist die Gelegenheit flüchtig, so muß man sie beim Schopf ergreifen: man verständigt sich rasch und wortlos. Was man sich erzählt und was ich selbst für wahr gehalten hatte, von der grausamen Strenge der Sitten, der tückischen Eifersucht, dem wilden Sinn für Familienehre, der zu Verbrechen und Rachetaten führt, ist hier unten Legende. Vielleicht war es in nicht allzufern zurückliegender Zeit Wirklichkeit, und in der Starrheit des Formalismus ist etwas davon übrig geblieben. Aber durch die Auswanderung hat sich das alles geändert. Es gibt wenig Männer, und der Ort gehört den Weibern. Viele Frauen haben ihre Männer in Amerika. Er schreibt im ersten Jahr, vielleicht auch noch im zweiten, dann erfährt man nichts mehr; mag sein, daß er sich dort draußen eine neue Familie gründet, jedenfalls verschwindet er für immer und kehrt nicht mehr zurück. Die Frau wartet ein Jahr, ein zweites Jahr auf ihn, dann bietet sich ihr eine Gelegenheit, und ein Kind wird geboren. Ein großer Teil der Kinder ist illegitim: die Autorität der Mutter herrscht. Gagliano hat zwölfhundert Einwohner, in Amerika sind zweitausend Gaglianer, Grassano hat fünftausend Einwohner, und fast die gleiche Anzahl von Grassanern lebt in den Vereinigten Staaten. In der Heimat bleiben viel mehr Frauen als Männer. Wer die Väter sind, kann nicht mehr eine so eifersüchtig gewahrte Bedeutung haben, das Gefühl der Ehre löst sich von dem der Vaterschaft: das Matriarchat tritt die Herrschaft an. Während der Tagesstunden sind die Bauern fern, der Ort ist den Weibern überlassen, diesen Vogelköniginnen, die über das Gewimmel ihrer Kinder herrschen. Die Kinder werden geliebt, verwöhnt, angebetet von den Müttern, die bei ihren Krankheiten zittern, sie Jahre hindurch nähren und keine Minute allein lassen, sie immer mit sich auf dem Rücken oder auf den Armen, eingehüllt in schwarze Schals, herumschleppen, während sie gerade aufgerichtet mit Henkelkrügen auf dem Kopf vom Brunnen kommen. Viele sterben, andere schießen in die Höhe, dann kriegen sie die Malaria, die sie gelb und melancholisch macht, werden zu Männern und gehen in den Krieg oder nach Amerika oder bleiben im Lande, um wie Tiere ihre Rücken einen Tag um den andern unter der Sonne zu krümmen.

Wenn die illegitimen Kinder schon für die Mütter keine Schande sind, so gilt das natürlich um so mehr für die Männer. Die Priester haben fast alle Kinder, und keiner findet, daß dies ihrem Priestertum abträglich ist. Wenn Gott sie nicht schon jung wieder zu sich nimmt, lassen sie sie in den Kollegien in Potenza oder Melfi erziehen. Der Briefträger in Grassano, ein munterer, ein wenig hinkender Alter mit einem schönen, hochgezwirbelten Schnurrbart, war im Ort berühmt und geehrt, weil man behauptete, er hätte wie Priamus fünfzig Kinder. Davon gehörten zweiundzwanzig oder dreiundzwanzig seinen zwei oder drei Frauen; die andern waren über den Ort und die umliegenden Dörfer verstreut und wurden ihm teilweise, vielleicht nur von der Legende, zugeschrieben; er kümmerte sich jedoch gar nicht um sie und wußte von vielen nicht einmal, daß sie existierten. Sie nannten ihn »u Re« (den König), ich weiß nicht, ob wegen der königlichen Würde seiner männlichen Kraft oder wegen seines monarchischen Schnurrbarts, und seine Kinder hießen im Volksmund die Prinzchen. Das Überwiegen der matriarchalischen Bindung, die natürliche, tierhafte Art der Liebe und die durch die Auswanderung verursachte Gleichgewichtsverschiebung erfahren jedoch eine starke Beeinflussung durch den bleibenden Rest von Familiensinn, das sehr starke Gefühl der Blutsgemeinschaft und die alten Sitten, die darauf abzielen, den Kontakt zwischen Männern und Frauen zu verhindern. So konnten in mein Haus zu Dienstleistungen nur diejenigen Frauen kommen, die irgendwie außerhalb der allgemeinen Regel standen, diejenigen, die viele Kinder von unbekannten Vätern hatten und, ohne richtige Prostituierte zu sein (dieser Beruf existiert hierzulande nicht), doch einen ziemlich freien Lebenswandel führten und nicht nur der Liebe, sondern auch Zauberpraktiken huldigten, um Liebe hervorzurufen, das heißt also, die Hexen.

Von solchen Frauen gab es in Gagliano wenigstens zwanzig, aber, so sagte mir Donna Caterina, einige waren zu schmutzig und unordentlich, andere konnten eine Wohnung nicht anständig halten, einige mußten für ein Stück Land sorgen, andere dienten schon in Herrenhäusern des Ortes. »Eine einzige kommt wirklich für Sie in Betracht: sie ist sauber, ehrlich, kann kochen, und außerdem ist das Haus, wo Sie wohnen, ein bißchen wie ihr eigenes. Sie hat dort viele Jahre mit dem seligen Priester bis zu dessen Ende gelebt.« Ich entschloß mich also, sie aufzusuchen; sie nahm mein Angebot an und trat in mein neues Haus ein. Julia Venere, genannt Julia die Santarcangelese, weil sie in dem weißen Santarcangelo auf der andern Seite des Agri geboren war, war einundvierzig Jahre alt und hatte, normale Geburten und Fehlgeburten zusammengerechnet, siebzehn Schwangerschaften von fünfzehn verschiedenen Vätern hinter sich. Der erste Sohn war von ihrem Mann gewesen, zur Zeit des großen Krieges; dann war der Mann nach Amerika ausgewandert und hatte das Kind mitgenommen; er war auf dem großen Kontinent verschwunden, ohne jemals eine Nachricht zu geben. Die andern Kinder waren später gekommen, ein vorzeitig geborenes Zwillingspaar war vom Priester gewesen. Fast alle diese Kinder waren jung gestorben: ich habe niemals andere gesehen als ein Mädchen von zwölf Jahren, das in einem nahen Dorf bei einer Hirtenfamilie arbeitete und die Mutter manchmal besuchte: eine Art von kleiner wilder Ziege, mit schwarzen Augen und dunkler Haut, der die wirren, schwarzen Haare ins Gesicht fielen; sie war immer finster und mißtrauisch und antwortete auf keine Frage, immer bereit, davonzulaufen, wenn man sie ansah. Dann war da der zweijährige letztgeborene Nino, ein dickes, kräftiges Kind, das Julia immer in einem Schal mit sich trug und über dessen Vater ich nie etwas erfahren habe.

Julia war eine große, wohlgestaltete Frau mit schlanker Taille, wie eine Amphora zwischen dem üppigen Busen und den kräftigen Hüften. Sie mußte in ihrer Jugend auf eine barbarische und feierliche Art schön gewesen sein. Ihr Gesicht war jetzt von den Jahren gefurcht und malariagelb, aber Zeichen der einstigen Wohlbeschaffenheit waren noch sichtbar in ihrem strengen Wuchs, wie bei den Mauern eines antiken Tempels, der seinen Marmorschmuck verloren hat, aber noch Form und Proportionen bewahrt. Auf dem großen, mächtigen, hochaufgerichteten Körper, von dem eine tierhafte Kraft ausströmte, saß unter dem deckenden Schleier ein kleiner, länglich ovaler Kopf. Die Stirn war hoch und gerade, halb verdeckt von einem Schopf rabenschwarzer, glatter und geölter Haare. Das Weiß der mandelförmigen, schwarzen, verschleierten Augen war von blauen und braunen Äderchen, wie man es bei Hunden findet, durchzogen. Die Nase war lang und schmal und leicht geschwungen; der breite, dünnlippige und bleiche Mund mit bitteren Falten öffnete sich zu einem bösen Lachen, wobei zwei Reihen schneeweißer, kräftiger Wolfszähne zum Vorschein kamen. Dies Gesicht hatte einen ausgesprochen archaischen Charakter, nicht im Sinn griechischer oder römischer Klassik, sondern einer geheimnisvolleren und grausameren Antike, die stets dem gleichen Boden entsprossen war, ohne Verbindung und Mischung mit den Menschen, aber an der Scholle und den ewigen Tiergottheiten haftend. Man empfand eine kalte Sinnlichkeit, eine dunkle Ironie, eine natürliche Grausamkeit und undurchdringliche Frechheit und eine kraftvolle Passivität, die zusammen einen strengen, intelligenten und tückischen Ausdruck ergaben. Unter dem Wogen der Schleier und des weiten, kurzen Rockes, aus dem die langen, kräftigen Beine wie Baumstämme herausragten, bewegte sich dieser große Körper mit langsamen, abgemessenen Bewegungen voll harmonischer Kraft und trug den kleinen, schwarzen Schlangenkopf aufrecht und stolz auf diesem monumentalen, mütterlichen Sockel.

Julia kam gern in mein Haus, wie eine Königin, die nach einer Abwesenheit zurückkehrt, um eine ihrer geliebtesten Provinzen zu besuchen. Sie war viele Jahre hier gewesen, hatte Kinder gehabt und über Küche und Bett des Priesters geherrscht, der ihr die goldenen Ringe geschenkt hatte, die in ihren Ohren hingen. Sie kannte alle Geheimnisse des Hauses, den schlecht ziehenden Kamin, das nichtschließende Fenster und die in die Wand eingeschlagenen Nägel. Damals war die Wohnung voller Möbel, Vorräte, Flaschen, Konserven und aller möglichen guten Dinge gewesen. Jetzt war sie leer, es standen nur ein Bett, ein paar Stühle und ein Küchentisch darin. Einen Herd gab es nicht, das Essen mußte auf dem Kaminfeuer bereitet werden. Aber Julia wußte sich das Nötige zu verschaffen, wußte, wo Holz und Kohle zu finden waren und wo man sich ein Faß für das Wasser ausleihen konnte, bis zur Ankunft des fliegenden Händlers, der welche verkaufte. Julia kannte alle und wußte alles: die Häuser von Gagliano hatten keine Geheimnisse für sie, sie kannte alle Ereignisse und die intimsten Einzelheiten im Leben eines jeden Mannes und einer jeden Frau sowie ihre verborgensten Gefühle und Motive. Sie schien eine uralte Frau, als hätte sie Hunderte von Jahren gelebt und es könnte deshalb vor ihr nichts geheim bleiben; ihre Weisheit war nicht die gutmütige und sprichwörtliche der alten Weiber, die mit einer unpersönlichen Tradition verknüpft ist, und ebensowenig die geschwätzige einer Betriebsamen, sondern eine Art von kaltem, passivem Wissen, in dem sich das Leben mitleidslos und ohne moralisches Urteil spiegelte: in ihrem zweideutigen Lächeln lag niemals Mitgefühl oder Tadel. Sie war wie die Tiere ein Erdgeist; sie hatte keine Furcht, weder vor der Zeit noch vor schwerer Arbeit noch vor Männern. Wie alle Frauen hier, die an Stelle der Männer die schwersten Arbeiten verrichten, konnte sie die wuchtigsten Lasten tragen. Sie ging zum Brunnen mit dem Dreißigliterfaß und brachte es voll auf dem Kopf zurück, ohne es mit den Händen, die das Kind hielten, zu stützen, und sie kletterte über die Steine der steilen Gassen mit dem diabolischen Gleichgewicht einer Ziege. Das Feuer entzündete sie auf die bäuerliche Art, bei der man wenig Holz verbraucht, indem man die Reiser an einem Ende anbrennt und sie, wenn sie verzehrt sind, aneinanderlegt. Auf diesem Feuer kochte sie mit den geringen Hilfsmitteln, die der Ort bot, wohlschmeckende Gerichte. Sie richtete die Ziegenköpfe »a reganate« in einer Tonschüssel her, die in Asche gestellt und mit Asche bedeckt wurde, nachdem sie das Hirn mit duftenden Kräutern und einem Ei vermischt hatte. Aus den Eingeweiden machte sie die »gnemurielli«, indem sie sie wie einen Wollknäuel um ein Stück Leber oder Speck mit einem Lorbeerblatt wickelte und sie am Spieß über dem Feuer briet: der Geruch des röstenden Fleisches und der graue Rauch zogen durch das Haus und auf die Straße als Verkünder einer barbarischen Leckerei. In der geheimnisvollen Zubereitung der Tränke war Julia Meisterin. Die Mädchen wendeten sich an sie um Ratschläge zum Brauen von Liebesträuken. Sie kannte die Kräuter und die Macht der magischen Dinge. Sie konnte Krankheiten durch Zauber heilen und, wenn sie wollte, durch die Kraft furchtbarer Formeln sogar den Tod herbeirufen.

Julia hatte ihr eigenes Haus, nicht weit von meinem, weiter unten gegen den Timbone der Madonna degli Angeli zu. Dort schlief sie nachts mit ihrem Liebsten, dem Barbier, einem jungen Albino mit roten Kaninchenaugen. Frühmorgens klopfte sie mit ihrem Kind an meine Haustür, holte Wasser, machte Feuer an und richtete das Essen; am Nachmittag ging sie wieder weg; mein Abendessen mußte ich mir selbst kochen. Julia kam, ging und erschien wieder, wie es ihr paßte; aber sie spielte sich nicht als Hausherrin auf. Sie hatte gleich erfaßt, daß sich jetzt die Zeiten geändert hatten und daß ich ein anderer Mensch war als ihr alter Priester: vielleicht wirkte ich auf sie geheimnisvoller als sie auf mich. Sie schrieb mir große Macht zu und war in ihrer Passivität damit zufrieden. Kalt, ungerührt und tierhaft, war die bäuerliche Hexe doch ein treuer Dienstbote.

So endete der erste Zeitabschnitt meines Aufenthaltes in Gagliano, den ich in Ober-Gagliano im Haus der Witwe zugebracht hatte. Ich lag, froh über meine neue Einsamkeit, auf meiner Terrasse und sah zu, wie die Wolkenschatten über die fernen Grate strichen wie Schiffe auf dem Meer. Vom Zimmer unter mir hörte ich Julias Schritte und das Bellen des Hundes. Diese beiden sonderbaren Wesen, die Hexe und Baron, waren von nun an die gewöhnlichen Gefährten meines Lebens.

Die große Hitze ließ nach, als der September vorrückte, und wich der ersten Kühle als Vorläuferin des Herbstes. Die Winde wechselten die Richtung und brachten nicht mehr die brennende Wüstenglut, sondern einen unbestimmten Meeresgeruch; und die Sonnenuntergänge warfen durch Stunden hindurch ihre roten Feuerstreifen auf die kalabrischen Berge in einer Luft voller Krähen und flatternder Fledermäuse. Auf meiner Terrasse war der Himmel unendlich weit, voller wechselnder Wolken. Mir schien es, ich sei auf dem Dach der Welt oder auf dem Oberdeck eines Schiffes, das in einem versteinerten Meer verankert war. Nach oben gegen Osten verwehrten die Kuppeln von Unter-Gagliano den Blick auf den übrigen Ort, den man, da er auf dem Rücken einer Erdwelle erbaut ist und abfällt, von keinem Punkt aus vollkommen übersehen kann. Hinter den gelblichen Dächern tauchte eine Bergkante jenseits des Friedhofs auf, und dahinter vor dem Ansatz des Himmels fühlte man die Leere des Tales. Zu meiner Linken gegen Süden hatte ich dieselbe Aussicht wie vom Palast: die unendliche Lehmebene mit den hellen Flecken der Dörfer bis an die Grenzen des unsichtbaren Meeres. Rechts von mir gegen Norden glitt der Erdrutsch in die Schlucht, die von völlig abgeholzten, kahlen Bergen eingeschlossen war; auf dem Grund der Schlucht lief der Pfad, auf dem ich ameisengroß die Bauern sich bewegen sah, die auf ihre Felder gingen oder von dort zurückkehrten. Julia wunderte sich, daß ich in solcher Entfernung die Leute aus Gagliano von den Fremden, die Bauern von den fahrenden Händlern unterscheiden konnte, und, obwohl ich sehr gute Augen habe, hätte ich das an sich auch wirklich nur durch Erraten oder Magie herausfinden können. Aber ich hatte ihre verschiedene Gangart bemerkt; die Bauern schritten steif, ohne die Arme zu bewegen, dahin. Jedesmal, wenn ich eins der schwarzen Pünktchen wiegend und fast wie im Tanz schwanken sah, konnte ich sicher sein, daß es sich um einen Städter handelte; bald würde die Trompete des Ausrufers und Totengräbers seine Ankunft verkündigen und die Frauen zum Einkauf seiner Waren zusammenrufen.

Vor mir gegen Westen, hinter den breiten, grüngrauen Blättern des Feigenbaumes im Garten und den Dächern der letzten, am Abhang hängenden Häuschen erhob sich der Timbone della Madonna degli Angeli, ein ganz zackiger Erdhügel mit spärlichem, kümmerlichem Gras auf dem weniger zerklüfteten Teil, wie ein Totengebein, der Kopf eines riesigen Schenkelknochens, an dem noch trockene Fleisch- und Hautfetzen hingen. Links vom Timbone über eine sehr lange Strecke bis unten im Grund gegen den Agri zu, wo der Boden sich bei dem sogenannten Pantano ebnete, folgten absteigend Hügelchen, Erdlöcher, Erosionskegel, die vom Wasser durchfurcht waren, natürliche Höhlen, ebene Flächen, Gräben und kleine Kuppen aus gleichmäßig weißem Lehm, so als sei die ganze Erde gestorben und ihr gebleichtes und von den Wassern gewaschenes Skelett sei unter der Sonne liegengeblieben. Hinter diesem öden Knochenwerk verborgen lag auf einer kleinen Hochebene an dem Malariafluß Gaglianello, und weiter hinten sah man das Kiesbett des Agri. Jenseits des Agri erhob sich auf einer grauen Hügelgruppe Sant'Arcangelo, Julias Heimat, und dahinter lagen blauere Hügel und weiter wieder neue mit undeutlich verschwimmenden Orten in der Ferne, und jenseits dieser die Dörfer der Albaner auf den ersten Abhängen des Pollino, und endlich die Bergketten Kalabriens, die den Horizont abschlossen. Ein bißchen nach links, oberhalb von Sant'Arcangelo, erschien auf halber Höhe eines Hügels eine weiße Kirche. Hierhin pflegten die Leute aus dem Tal zu pilgern: es war ein sehr verehrtes Heiligtum, der Sitz einer wundertätigen Madonna. In dieser Kirche wurden die Hörner eines Drachens aufbewahrt, der in alten Zeiten die Gegend verheert hatte. Alle Leute in Gagliano hatten sie gesehen, ich aber konnte leider nie, wie ich es mir wünschte, hingehen. Der Drache wohnte, so erzählte man mir, in einer Höhle am Fluß und verschlang die Bauern, verpestete die Luft mit seinem Atem, raubte die Mädchen und zerstörte die Ernten. Das Leben in jener Zeit war in Sant'Arcangelo unerträglich geworden. Die Bauern hatten versucht, sich zu verteidigen, aber sie konnten nichts ausrichten gegen diese bestialische, ungeheuerliche Macht. Als sie in ihrer Verzweiflung gezwungen waren, wie Tiere sich über die Berge zu zerstreuen, fiel ihnen endlich ein, sich um Hilfe an den mächtigsten Herrn der Gegend, den Fürsten Colonna di Stigliano, zu wenden.

Der Fürst kam schwerbewaffnet zu Pferd, ritt zur Höhle des Drachens und forderte ihn zum Kampf heraus. Aber die Kraft des Ungeheuers, aus dessen Maul Flammen schlugen und das riesige Fledermausflügel hatte, war gewaltig, und fast schien es, als sei das Schwert des Fürsten machtlos. In einem bestimmten Augenblick fühlte der Recke sein Herz erzittern; er war daran, zu fliehen oder in die Klauen des Drachens zu fallen, als ihm die Madonna im blauen Gewand erschien und lächelnd zu ihm sagte: »Mut, Fürst Colonna!« – und sie blieb seitwärts, an die Erdwand der Höhle gelehnt, stehen und sah dem Kampf zu. Angesichts dieser Erscheinung und dieser Worte verhundertfachte sich der Mut des Fürsten, und er schlug sich so tapfer, daß der Drache tot zu seinen Füßen niederstürzte. Der Fürst hieb ihm den Kopf ab, löste die Hörner heraus und ließ die Kirche errichten, damit diese für immer dort aufbewahrt blieben.

Als der Schrecken vorüber und das Land befreit war, kehrten die Bewohner von Sant'Arcangelo wieder in ihre Häuser zurück, und das gleiche taten die von Noepoli, Senise und aus den andern umliegenden Orten, die ebenfalls in die Berge geflüchtet waren. Man mußte nun den Fürsten für den geleisteten Dienst belohnen; in jenen alten Zeiten nämlich pflegten die großen Herren, wenn sie auch noch so ritterlich, ruhmliebend und von der Madonna beschützt waren, sich nicht umsonst anzustrengen. Daher versammelten sich die Einwohner all der durch den Tod des Drachens wieder sicheren Ortschaften, um zu beraten. Noepoli und Senise schlugen vor, dem Fürsten Ländereien zu Lehen zu geben; aber die Leute aus Sant'Arcangelo, die heute noch im Ruf stehen, geizig und schlau zu sein und ihren Grund und Boden retten wollten, machten einen andern Vorschlag. »Der Drache«, sagten sie, »wohnte im Fluß, er war ein Wassertier. Also soll sich der Fürst den Fluß nehmen und Herr des Stromes werden.« Ihr Rat wurde angenommen: dem Colonna wurde der Agri angeboten, und er nahm ihn an. Die Bauern von Sant'Arcangelo glaubten, ein gutes Geschäft gemacht und ihren Retter betrogen zu haben; aber sie hatten die Rechnung ohne den Wirt gemacht. Die Wasser des Agri dienten dazu, ihre Felder zu berieseln, und seit jener Zeit mußten sie dem Fürsten und all seinen Nachkommen bis in die fernsten Jahrhunderte das Wasser bezahlen. Das war der Ursprung einer Servitut, die bis in die Mitte des vorigen Jahrhunderts dauerte. Ich weiß nicht, ob es heute noch Nachkommen des alten Paladins gibt und ob sie noch Anspruch auf die Wasserrechte erheben. Der Kapellmeister Colonna, einer meiner Freunde, der aus einem Seitenzweig der Fürsten von Stigliano stammt und den Titel tragen könnte, wußte nicht einmal, wo sein Lehen Stigliano eigentlich lag, als ich ihm viele Jahre später davon sprach, und noch weniger hatte er je von dem Drachen, dem Ruhm seiner Familie reden hören. Aber die Bauern, die für ihr Wasser viele Jahrhunderte hindurch zahlen mußten und die heute noch auf die Pilgerfahrt gehen, um die Hörner des Ungeheuers zu betrachten, erinnern sich wohl an den Drachen, die Madonna und den Fürsten.

Daß es im Mittelalter in dieser Gegend Drachen gegeben hat (die Bauern und Julia, die mir davon erzählten, sagten: »In fernen Zeiten, vor mehr als hundert Jahren, lange vor der Zeit der Briganten«), ist nicht verwunderlich, und es wäre auch nicht erstaunlich, wenn sie heute wieder vor den entsetzten Augen der Bauern erschienen. Alles ist hier tatsächlich möglich, wo die antiken Heidengötter, der Bock und das rituelle Lamm täglich über die bekannten Straßen laufen und es keine sichere Grenze zwischen dem Bereich des Menschlichen und der Welt der Tiere und Ungeheuer gibt. In Gagliano leben viele merkwürdige Wesen, die eine Doppelnatur besitzen. Eine Frau, eine Bäuerin mittleren Alters, mit Mann und Kindern, die, wenn man sie so sah, gar nichts Besonderes an sich hatte, war die Tochter einer Kuh. So behauptete der ganze Ort, und sie selbst bestätigte es. Alle alten Leute erinnern sich an die Kuh, ihre Mutter, die ihr, als sie ein Kind war, überall hin folgte, sie brüllend rief und sie mit ihrer rauhen Zunge beleckte. Das schloß die Tatsache nicht aus, daß es auch eine menschliche Mutter gegeben hatte, die jetzt, ebenso wie die Kuhmutter, lange tot war. Keiner sah in dieser Doppelnatur und Doppelgeburt einen Widerspruch; und die Bäuerin, die auch ich kannte, lebte ruhig und friedlich mit ihrer tierischen Erbschaft, wie ihre Mütter gelebt hatten.

Einige vollziehen diese Vermischung von Menschlichem und Tierischem nur bei besonderen Gelegenheiten. Schlafwandler werden zu Wölfen, zu Wolfsmenschen, bei denen man den Menschen nicht mehr von der Bestie unterscheiden kann. Es gab auch in Gagliano einige, die in Winternächten sich wegschlichen, um mit ihren Brüdern, den wahren Wölfen, zusammenzutreffen. »Sie gehen nachts aus«, erzählte mir Julia, »und sind noch Menschen, aber dann werden sie zu Wölfen und versammeln sich alle zusammen mit den richtigen Wölfen am Brunnen. Man muß aber aufpassen, wenn sie nach Hause kommen. Wenn sie das erste Mal an die Haustüre klopfen, darf die Frau nicht aufmachen. Wenn sie öffnete, würde sie den Mann noch ganz als Wolf erblicken, er würde sie verschlingen und für immer in den Wald flüchten. Wenn sie zum zweiten Male klopfen, darf die Frau noch immer nicht aufmachen: sie würde ihren Mann bereits mit seinem menschlichen Körper, aber noch mit einem Wolfskopf sehen. Erst beim dritten Klopfen kann man öffnen: dann sind sie schon ganz verwandelt, der Wolf ist verschwunden, und der Mensch ist wieder zum Vorschein gekommen. Niemals darf man aufmachen vor dem dritten Klopfen. Man muß warten, bis die Verwandlung stattgefunden hat und sie auch den wilden Wolfsblick und die Erinnerung daran, daß sie Tiere waren, verloren haben. Nachher wissen sie nichts mehr davon.«

Die Doppelnatur ist manchmal, wie bei den Wolfsmenschen, fürchterlich und grauenhaft, sie besitzt aber stets eine dunkle Anziehungskraft und ruft Respekt hervor, wie etwas, das an der Gottheit teilhat. Irgend etwas der Art haftete für alle Leute im Ort meinem Hund an, der nicht als einfacher Hund angesehen wurde, sondern als ein außergewöhnliches Wesen, das sich von allen andern Hunden unterschied und besonderer Ehren würdig war. Auch ich habe übrigens immer gedacht, daß in ihm ein kindlich engelhaftes oder dämonisches Element stecke und daß die Bauern nicht unrecht hätten, wenn sie in ihm etwas von der Zweideutigkeit fanden, die zur Anbetung zwingt. Schon sein Ursprung war geheimnisvoll. Diesen Hund hatte man im Zug, der von Neapel nach Tarent fährt, gefunden mit einem am Halsband befestigten Zettel, der besagte: »Mein Name ist Baron. Wer mich findet, möge für mich sorgen.« Man wußte also nicht, woher er kam: vielleicht aus der großen Stadt, er konnte auch ein Königssohn sein. Die Eisenbahner nahmen ihn und behielten ihn eine Zeitlang auf dem Bahnhof von Tricarico; die Leute in Tricarico schenkten ihn dann den Eisenbahnern in Grassano. Der Bürgermeister von Grassano sah ihn, ließ ihn sich von den Eisenbahnern geben und hielt ihn in seinem Haus bei seinen Kindern, aber da er zu viel Lärm machte, schenkte er ihn seinem Bruder, dem Sekretär des Bauernsyndikats in Grassano, der ihn auf seinen Gängen über Land bei sich hatte. Alle in Grassano kannten Baron und hielten ihn für ein außergewöhnliches Wesen.

Eines Tages, zur Zeit, als ich allein dort unten lebte, sagte ich zufällig zu einem meiner Freunde unter den Bauern und Handwerkern, daß ich gern einen Hund zur Gesellschaft haben würde. Am nächsten Morgen brachten sie mir gleich einen jungen

Hund, einen der üblichen gelben Jagdhunde. Ich behielt ihn eine Zeitlang, aber er gefiel mir nicht: es gelang mir nicht, ihn zu erziehen, er machte alles schmutzig, und ich fand ihn dumm; deshalb gab ich ihn wieder denen zurück, die ihn mir geschenkt hatten und dachte nicht mehr an Hunde. Aber als ich den plötzlichen Befehl bekam, nach Gagliano abzureisen, und das den guten Leuten, die mich sehr gern hatten, außerordentlich leid tat wie ein Unglück, das sie ungerechterweise betroffen hatte, da wollten mir die Bauern ein Geschenk machen, das mir folgen und mich daran erinnern sollte, daß es in Grassano anständige Leute gab, die mich lieb hatten. Sie erinnerten sich an meinen alten Wunsch, den ich selbst vergessen hatte, und beschlossen, mir einen Hund zu schenken. Aber kein anderer Hund war meiner würdig außer dem berühmten Baron; und Baron sollte mir gehören. So redeten sie und drängten, bis sie den Hund von seinem Herrn bekamen; sie reinigten und wuschen ihn und suchten ihm ein schönes Halsband, einen Maulkorb und eine Leine aus. Antonio Roselli, der junge Barbier und Flötist, der davon träumte, mir als Sekretär ans Ende der Welt zu folgen, schor ihn wie einen kleinen Löwen, indem er ihm vorn das lange Fell und einen dicken Buschen am Schwanzende stehen ließ und ihm den Rücken glatt rasierte; und Baron, der wilde Baron, wurde mir einen Tag vor meiner Abreise weiß, duftend und verkleidet zum Geschenk gemacht als ewige, fein hergerichtete Erinnerung an die gute Stadt Grassano. Als er so maskiert und verschönt war, verstand ich selbst nicht, was das eigentlich für ein Hund war: er kam mir wie eine sonderbare Mischung von Pudel und Schäferhund vor. In Wirklichkeit war er wohl ein Schäferhund, aber von einer nicht gewöhnlichen Rasse oder Kreuzung: ich bin niemals mehr auf ganz gleiche Hunde gestoßen. Er war mittelgroß, ganz weiß, mit einem schwarzen Fleck auf den Ohren, die sehr lang neben seinem Gesicht herabhingen. Dieses Gesicht war sehr schön, wie das eines chinesischen Drachen, furchterregend in Augenblicken der Wut oder wenn er die Zähne bleckte, aber mit zwei runden, menschlichen, nußbraunen Augen, mit denen er mir, ohne den Kopf zu drehen, folgte und die je nachdem einen Ausdruck von Sanftmut, Freiheit und von einer gewissen kindlichen, geheimnisvollen Schlauheit hatten. Das lockige, weiche und seidenglänzende Fell reichte fast bis auf den Boden: der Schwanz, den er aufwärts gebogen wehen ließ, gleich dem Federbusch eines orientalischen Kriegers, war buschig wie bei einem Fuchs. Er war ein vergnügter, freiheitsliebender und wilder Kerl; anhänglich, aber nicht servil, er gehorchte, bewahrte dabei aber seine Unabhängigkeit; eine Art von Familienkobold oder Hausgeistchen, gutmütig, doch eigentlich unnahbar. Sein Laufen war meist ein Springen in großen Sätzen, mit wehenden Ohren und Haaren; er verfolgte die Schmetterlinge und Vögel, erschreckte die Ziegen, balgte sich mit Hunden und Katzen, rannte allein über die Felder hinter den Wolken her, immer auf dem Sprung, bereit zu dauerndem, luftigem Spiel, so als folgte er dem schwankenden Faden eines unschuldigen, nicht menschlichen Gedankens als beweglicheVerkörperung eines wunderlichen Waldgeistes.

Seit unserer Ankunft in Gagliano richtete sich die allgemeine Aufmerksamkeit auf meinen merkwürdigen Gefährten: die Bauern, die versunken in tierhaftem Zauber leben, spürten sofort seine geheimnisvolle Natur. Sie hatten noch nie ein solches Tier gesehen; im Ort gibt es nur Bastarde, Spürhunde, die oft gute Jäger sind, aber dürftig, verängstigt, plebejisch; nur selten folgt den Herden und Hirten ein wilder Maremmenhund mit einem Stachelhalsband und gegen den Biß der Wölfe. Und außerdem hieß mein Hund Baron. In dieser Gegend haben die Namen etwas zu bedeuten: in ihnen steckt eine magische Kraft: ein Wort ist niemals eine Übereinkunft oder ein Windhauch, sondern eine Realität, ein wirkendes Ding. Er war also wirklich ein Baron, ein Herr, ein mächtiges Wesen, vor dem man Respekt haben mußte. Wenn ich von den Bauern vom ersten Tage an mit Sympathie und fast mit Bewunderung betrachtet wurde, so verdankte ich das gewiß auch ein bißchen meinem Hund. Wenn er in tollen Sprüngen vorbeistürmte, in ungebundener, natürlicher Freiheit bellend, zeigten die Bauern auf ihn, und die Kinder schrien: »Sieh, sieh, halb Baron, halb Löwe!« Baron war für sie ein heraldisches Tier, der aufgerichtete Löwe auf dem Wappen eines Herrn. Und trotzdem war er nur ein Hund, ein Tier wie alle andern: aber eben diese Doppelnatur war wunderbar. Auch ich liebte ihn wegen seiner einfachen Vielfältigkeit. Jetzt ist er tot wie mein Vater, dem ich ihn geschenkt hatte, und liegt begraben unter einem Mandelbaum vor dem Spiegel des ligurischen Meeres in meiner Heimat, in die ich meinen Fuß nicht setzen darf, da offenbar die Mächtigen in ihrem Schrecken vor dem Geheiligten entdeckt haben, daß auch in mir eine Doppelnatur steckt und daß auch ich halb Baron, halb Löwe bin.

Für die Bauern hat alles einen doppelten Sinn. Die Kuh-Frau, der Wolfs-Mensch, der Löwe-Baron, die Teufels-Ziege sind nur besonders festgelegte und bezeichnende Bilder: aber jede Person, jeder Baum, jedes Tier, jeder Gegenstand, jedes Wort haben an dieser Zweideutigkeit teil. Nur die Vernunft ist eindeutig, ebenso wie die Religion und die Geschichte. Aber der Sinn für das Dasein, für Kunst, Sprache und Liebe ist vielfältig, unendlich. In der Welt der Bauern ist kein Platz für Vernunft, eben weil alles an der Gottheit teilhat, weil alles wirklich und nicht nur im symbolischen Sinn göttlich ist, der Himmel ebenso wie die Tiere, Christus ebenso wie die Ziege. Alles ist natürliche Magie. Auch die katholischen Zeremonien werden zu heidnischen Riten, zu Feiern der unterschiedslosen Existenz der Dinge, der unendlichen, irdischen Götter des Dorfes.

Es war Mitte September geworden, und der Sonntag der Madonna war herangekommen. Seit dem Morgen waren die Straßen voll von schwarzgekleideten Bauern; auch Fremde tauchten auf, Musiker aus Stigliano und Feuerwerker aus Sant'Arcangelo, welche die Zünder und Feuerfrösche abbrennen sollten. Der Himmel war hell und leicht, und manchmal tönte durch die Luft der düstere Klang der Glocken oder der Knall einiger Schüsse. Die Bauern leiteten mit ihrem Geknatter das Fest ein. Als sich die Hitze am Nachmittag gelegt hatte, begann die Prozession. Sie ging von der Kirche aus und durchzog den ganzen Ort. Zunächst kletterte sie bis hinauf zum Friedhof, dann stieg sie wieder hinunter auf den Platz, darauf zum Plätzchen bis nach Unter-Gagliano und zur zusammengestürzten Madonna degli Angeli, um darauf auf dem gleichen Weg wieder zum Ausgangspunkt zurückzukehren und in die Kirche einzuziehen. Voran schritten junge Leute mit Stangen, an denen als Standarten weiße Tücher, Laken, angeheftet waren, die sie hin und her bewegten und schwenkten, dann kamen die Bläser der Stiglianokapelle mit glänzenden, lauten Trompeten. Hinter diesen wurde die Madonna abwechselnd von zwölf Männern unter einem von zwei langen Stangen gehaltenen Baldachin getragen. Es war eine armselige Madonna aus bemalter Pappe, eine bescheidene Kopie der berühmten, sehr mächtigen Madonna von Viggiano und hatte wie diese ein schwarzes Gesicht; sie war in Festkleider gehüllt und mit Ketten und Armbändern bedeckt. Der Madonna folgte Don Trajella mit einer weißen Stola über seiner fleckigen Soutane, wie gewöhnlich müde, abgezehrt und gelangweilt aussehend; dahinter der Bürgermeister mit dem

Carabinierifeldwebel, dann die Honoratioren und danach die Frauen, alle zusammen in einem großen Gewoge von weißen Schleiern, und schließlich die Jungen und die Bauern. Ein starker frischer Wind wehte, der Wolken von Staub aufwirbelte und Röcke, Schleier und Fahnen aufblähte. Vielleicht wird ein Regen fallen, den man in den vielen glühend heißen Monaten vergebens herbeigefleht und ersehnt hatte. Beim Vorbeiziehen der Prozession explodierten mit großem Lärm die Raketen, die man in einer doppelten Reihe längs der Straße aufgepflanzt hatte. Die Zündschnüre wurden angesteckt, die Pulverstreifen fingen Feuer und die Feuerwerkskörper gingen los, während die Bauern mit Gewehren unter ihre Haustüren traten und in die Luft schossen. Das Knattern und Prasseln wollte nicht enden und wurde nur vom plötzlichen Getöse einer stärkeren Ladung unterbrochen, die nachhallte und das Echo in den Schluchten weckte. In diesem Schlachtenlärm sprach aus den Augen der Anwesenden nicht etwa Freude oder religiöse Begeisterung, sondern eine Art von Irrsinn, ein heidnisches Losgelassensein, wie eine Betäubung, der man sich hingibt. Alle waren erregt. Die Tiere rannten erschreckt hin und her, die Ziegen hüpften, die Esel schrien, die Hunde bellten, die Kinder heulten und die Frauen sangen. Unter den Türen ihrer Häuser erwarteten die Bauern die Prozession mit Körben voller Getreide, das sie mit vollen Händen der Madonna streuten, damit diese der Ernten gedenke und Glück spende. Die Körner flogen durch die Luft und fielen auf die Pflastersteine, wo sie mit leichtem Geräusch wie Hagel aufprallten. Die Madonna mit dem schwarzen Gesicht mitten unter dem Korn, den Tieren, den Schüssen und Trompeten war nicht die barmherzige Mutter Gottes, sondern eine unterirdische schwarze Gottheit im Schoß der Erde, eine bäuerliche Proserpina, eine höllische Erntegöttin. Vor den Türen einiger Häuser, an Stellen, wo die Straße sich verbreiterte, waren weißgedeckte Tische aufgestellt wie kleine ländliche Altäre. Vor ihnen machte die Prozession halt, Don Trajella murmelte einen Segensspruch, und Bauern und Frauen eilten mit Gaben herbei. Sie hefteten Münzen an die Gewänder der Madonna, Fünf- und Zehnlirescheine und sogar Dollars aus dem eifersüchtig gehüteten Rest ihrer amerikanischen Ersparnisse.

Aber die meisten hingen ihr dicke Feigenkränze um den Hals oder legten ihr Früchte und Eier vor die Füße, liefen mit andern Gaben hinterdrein, wenn die Prozession sich schon wieder in

Bewegung gesetzt hatte, und vereinigten sich mit der Menge unter dem Dröhnen der Trompeten, der Schüsse und Schreie. Je weiter die Prozession vorankam, um so dichter wurde das Gewühl, bis sie endlich nach Abschreiten des ganzen Ortes wieder in die Kirche zurückkehrte. Ein paar dicke Regentropfen fielen, aber der Wind jagte die Wolken bald wieder auseinander, das Gewitter verzog sich, und als die ersten abendlichen Sterne aufglänzten, war der Himmel wieder heiter. So wurde auch das Feuerwerk nicht verdorben. Alle aßen eilig ein paar Bissen. Gleich nach Einbruch der Dunkelheit ergoß sich die ganze Menge an den Rand der Schlucht, von wo die Leuchtkugeln, ein paar Meter weiter unten, aufsteigen sollten. Damals war es, daß ich eine Gruppe von jungen Leuten auf das Dach des Monuments auf dem Plätzchen klettern sah, um von dort das Schauspiel besser zu genießen. Zu Ehren der Madonna durften auch wir Konfinierte eine Stunde länger außer Haus bleiben. Es war der große Tag, das Erntefest, der Abend des Feuerwerkes. Man hatte dreitausend Lire für das Feuerwerk ausgegeben, und dabei war es ein schlechtes Jahr; in besseren Zeiten war man auch schon bis auf fünf- und sechstausend Lire gegangen: die größeren Orte geben an den Tagen ihrer Heiligen viel höhere Beträge aus. Für Gagliano sind dreitausend Lire eine riesige Summe, die gesamten Ersparnisse eines halben Jahres, aber für das Feuerwerk wirft man das gern hinaus, und keiner bedauert es. Es war ein Wettbewerb zwischen den bekanntesten Feuerwerkern der Provinz ausgeschrieben worden: hätte man mehr Geld gehabt, würde man die von Montemurro oder Ferrandina genommen haben; so mußte man sich mit denen von Sant'Arcangelo begnügen, die übrigens ausgezeichnet waren. Und da steigt auch schon unter Beifall, Schreckens- und Bewunderungsrufen von Kindern und Frauen die erste römische Kerze steil zum Sternenhimmel auf und dann eine zweite und noch eine und darauf die Feuergarben, die bengalischen Lichter, die Raketen und der Goldregen: ein wundervolles Schauspiel.

Es war zehn Uhr, und ich mußte nach Hause gehen. Von meiner Terrasse aus betrachtete ich zusammen mit Baron, der aufgeregt in die Luft guckte und bei allen Schüssen bellte, noch lange die prasselnd aufsteigenden und auf den lehmigen Timbone wieder niederfallenden Lichter und lauschte auf das Dröhnen der platzenden Feuerkörper. Dann kam das beschleunigte Abbrennen von zwanzig Feuergarben und der große Knall am Schluß. Ich hörte, wie sich die Leute allmählich zerstreuten, die

Schritte auf den Steinen und das Zuschlagen der Haustüren. Der Tag des Bauernfestes mit einer rasenden, hitzigen Aufregung war zu Ende; die Tiere schliefen, und über dem dunklen Ort lagerten das Schweigen und die leere Finsternis des Himmels.

Der Regen blieb auch in den folgenden Tagen aus, trotz der Prozession, der Anrufungen von Don Trajella und der Hoffnungen der Bauern. Der Boden war zum Bearbeiten zu hart, die Oliven fingen an, auf den verdursteten Bäumen einzutrocknen, aber die Madonna mit dem schwarzen Gesicht blieb ungerührt, mitleidslos, taub gegenüber allem Bitten, gleichgültige Natur. Dabei fehlte es ihr nicht an Huldigungen; aber sie glichen eher dem Tribut, den man der Macht, als dem, den man der Barmherzigkeit zollt. Diese schwarze Madonna ist wie die Erde: sie kann alles vollbringen, zerstören und Blüten hervortreiben, aber sie kümmert sich um niemanden und läßt die Jahreszeiten nach ihrem unerforschlichen Willen abrollen. Die schwarze Madonna ist für die Bauern weder gut noch böse: sie ist viel mehr. Sie läßt die Ernten verdorren und tötet, aber sie nährt und beschützt auch, und man muß sie anbeten. In allen Häusern ist die Madonna von Viggiano zu Häupten des Bettes mit vier Nägeln an der Wand angeheftet und wohnt mit ihren großen, blicklosen Augen im schwarzen Antlitz allen Lebensereignissen bei.

Die Häuser der Bauern sind alle gleich; sie bestehen aus einem einzigen Raum, der als Küche, Schlafzimmer und fast immer auch als Stall für die kleinen Haustiere dient, wenn es dafür nicht neben dem Haus eine Hütte gibt, die im Dialekt mit einem griechischen Wort als »Catoico« bezeichnet wird. Auf der einen Seite ist der Kamin, auf dem mit ein bißchen Reisig, das man jeden Tag von den Feldern mit heimbringt, gekocht wird: Wände und Decke sind rauchgeschwärzt. Das Licht kommt durch die Tür herein. Das Zimmer ist fast ganz ausgefüllt von einem riesigen Bett, das viel größer ist als ein gewöhnliches Ehebett: in ihm muß die ganze Familie, Vater, Mutter und alle Kinder, schlafen. Die Kleinsten haben, solange sie gestillt werden, das heißt, bis sie drei oder vier Jahre alt sind, kleine Wiegen oder Weidenkörbchen, die an Stricken von der Decke hängen und so etwas oberhalb des Bettes schweben. Die Mutter braucht nicht aus dem Bett zu steigen, um sie zu säugen, sondern streckt nur den Arm aus und nimmt sie an die Brust; dann legt sie sie wieder in die Wiege, die sie mit einem Schlag ihrer Hand zum Schaukeln bringt wie einen Pendel, so lange, bis die Kinder zu weinen aufhören.

Unter dem Bett liegen die Tiere: der Raum ist so in drei Schichten aufgeteilt: auf dem Fußboden die Tiere, auf dem Bett die Menschen und in der Luft die Säuglinge. Ich beugte mich über das Bett, wenn ich einen Kranken abhören oder einer Frau, deren Zähne im hitzigen Malariafieber zusammenschlugen, eine Einspritzung machen mußte; mit dem Kopf stieß ich an die aufgehängten Wiegen und zwischen den Beinen schlüpften die Schweine oder die aufgeschreckten Hühner durch. Was mir jedoch jedesmal wieder Eindruck machte (und ich war jetzt im größten Teil der Häuser gewesen), waren die von der Wand hinter dem Bett starr auf mich gerichteten Augen der beiden unzertrennlichen Schutzgötter. Auf der einen Seite hing das schwarze, mürrische Gesicht der Madonna von Viggiano mit den großen, unmenschlichen Augen, auf der andern Seite gegenüber, hinter glänzenden Brillengläsern, die schlauen Äuglein und das große Gehege der zu herzlichem Lachen geöffneten Zähne des Präsidenten Roosevelt in einem Buntdruck. Ich habe niemals, in keinem Haus, andere Bilder gesehen: weder den König noch den Duce und noch weniger Garibaldi und auch sonst keinen unserer großen Männer, auch keine Heiligen, die doch guten Grund gehabt hätten, hier zu sein: aber Roosevelt und die Madonna von Viggiano fehlten nie. Wenn man sie so nebeneinander in den volkstümlichen Drucken sah, erschienen sie wie die beiden Gesichter der über die Welt verteilten Macht; doch waren gerechtfertigterweise die Rollen vertauscht: Die Madonna war hier die wilde, grausame, dunkel archaische Erdgöttin, die launische Herrin dieser Welt; der Präsident, eine Art von Zeus, von wohlwollendem, lächelndem Gott, war der Herr der andern Welt. Manchmal bildete ein drittes Bild zusammen mit den beiden eine Art von Trinität: ein Papierdollar, der letzte der von dort mitgebrachten oder einer aus einem Brief des Mannes oder eines Verwandten, war mit einem Reißnagel unter der Madonna oder dem Präsidenten oder zwischen ihnen wie ein Heiliger Geist oder ein Botschafter des Himmels im Reich der Toten angeheftet.

Für die Menschen Lukaniens bedeutet Rom nichts: es ist die Hauptstadt der Signori, der Mittelpunkt eines fremden und verhängnisvollen Staates. Neapel könnte ihre Hauptstadt sein und ist es auch wirklich, die Hauptstadt des Elends, mit den bleichen Gesichtern, den fieberglänzenden Augen seiner Bewohner, mit den Kellergeschossen und ihren wegen der Hitze im Sommer offenen Türen, und den halbnackten Frauen, die im Toledo an Tischen schlafen; aber in Neapel gibt es schon seit langer Zeit keinen König mehr, und man geht dorthin nur, um sich einzuschiffen. Das Königreich ist zu Ende, das Reich dieser Menschen ohne Hoffnung ist nicht von dieser Welt. Die andre Welt ist Amerika. Auch Amerika hat für die Bauern eine Doppelnatur. Es ist ein Land, wo man hingeht, um zu arbeiten, wo man schwitzt und sich anstrengt, wo das bißchen Geld unter tausend Mühen und Entbehrungen gespart wird, wo man manchmal stirbt und keiner sich mehr unser erinnert; aber gleichzeitig und nicht im Widerspruch dazu ist es das gelobte Land des Königreiches.

Weder Rom noch Neapel, sondern New York würde die wahre Hauptstadt der lukanischen Bauern sein, wenn diese Menschen ohne Staat jemals eine solche haben könnten. Und New York ist es auch in dem für sie einzig möglichen, nämlich im mythologischen Sinn. Durch seine zwiefache Natur ist es als Ort der Arbeit gleichgültig: Man lebt dort wie anderswo auch, wie Tiere, die an einen Karren geschirrt sind, wobei es gleich ist, durch welche Straße man diesen ziehen muß; als Paradies dagegen, als himmlisches Jerusalem, jenseits des Meeres, ja, da kann man es nicht berühren, sondern nur anschauen, ohne sich damit zu vermischen. Die Bauern gehen nach Amerika und bleiben dort, was sie sind. Viele gehen nicht wieder weg und ihre Kinder werden Amerikaner. Die andern jedoch, die, welche nach zwanzig Jahren zurückkehren, sind genau die gleichen wie bei ihrer Abreise. In drei Monaten vergessen sie die wenigen englischen Worte; die wenigen überflüssigen Gewohnheiten werden abgelegt, und der Bauer ist der gleiche wie vorher, so wie ein Stein, über den lange Zeit das Wasser eines vollen Stromes dahingeflossen ist, unter den ersten Sonnenstrahlen in wenigen Minuten trocknet. In Amerika leben sie abseits, unter sich, sie nehmen nicht am amerikanischen Leben teil, essen weiter durch Jahre hindurch wie in Gagliano nur Brot und sparen die paar Dollars. Sie sind in der Nähe des Paradieses; aber sie denken nicht einmal daran, hineinzugehen. Dann kommen sie eines Tages nach Italien zurück in der Absicht, nur kurz zu bleiben, sich auszuruhen und Verwandte und Gevattern zu begrüßen; aber da bietet ihnen jemand ein Stückchen Land zum Kauf an, und sie finden ein Mädchen, das sie als Kind kannten, heiraten es, und so vergehen die sechs Monate, nach deren Ablauf die

Erlaubnis, nach drüben zurückzugehen, erloschen ist, und sie bleiben im Vaterland. Das gekaufte Land ist sehr teuer, sie haben es mit den gesamten Ersparnissen, die sie in langjähriger Arbeit in Amerika zusammengescharrt hatten, bezahlen müssen, und es besteht doch nur aus Lehm und Steinen; man muß die Steuern zahlen, und die Ernte ist nicht die Ausgaben wert; es kommen Kinder, die Frau ist krank, und in ganz kurzer Zeit ist das Elend wieder da, das gleiche ewige Elend wie damals, als sie vor vielen Jahren abgereist waren; und mit dem Elend kehren auch die Resignation, die Geduld und all die alten bäuerlichen Gebräuche wieder. In kurzer Zeit unterscheiden sich diese Amerikaner in nichts mehr von den andern Bauern als durch eine größere Bitterkeit und den zuweilen aufsteigenden Schmerz um ein verlorenes Gut. Gagliano ist voll von diesen heimgekehrten Auswanderern. Der Tag ihrer Rückkehr wird von ihnen allen als Unglückstag betrachtet. 1929 war das Unglücksjahr, und alle sprechen davon wie von einer Sintflut. Es war das Krisenjahr in Amerika, als der Dollar fiel und die Banken Konkurs ansagten; aber das betraf im allgemeinen unsre Auswanderer nicht, da sie die Gewohnheit hatten, ihre Ersparnisse in italienischen Banken anzulegen und sofort in Lire umzuwechseln. In New York jedoch war Panik, und es befanden sich dort Propagandaleute unserer Regierung, die aus irgendeinem unerfindlichen Grund erzählten, es gäbe in Italien für alle Arbeit, Reichtum und Sicherheit, und sie sollten zurückkehren. So ließen sich viele in diesem Trauerjahre überzeugen, gaben ihre Arbeit auf, nahmen den Dampfer und kamen in den Heimatort zurück, wo sie hängen blieben wie Fliegen in einem Spinnennetz. So waren sie wieder Bauern mit Esel und Ziege, so trotteten sie jeden Morgen nach ihren fernen Malariafeldern. Andere behielten wohl das Handwerk bei, das sie in Amerika betrieben hatten; aber hier im Ort gibt es keine Arbeit, und man hungert. »Verflucht sei das Jahr 1929 und wer mich heimkehren hieß!« sagte mir Giovanni Pizzilli, der Schneider, während er mit einem komplizierten, modernen, originellen amerikanischen System, die Schultern abzustecken, und mit einer Menge anderer Feinheiten in Zoll das Maß für einen Jägeranzug nahm. Er war ein gescheiter Handwerker, außerordentlich geschickt in seinem Beruf, wie man nur wenige in den berühmtesten städtischen Schneiderwerkstätten findet; er fertigte mir für fünfzig Lire Macherlohn den schönsten Cordsamtanzug an, den ich je getragen habe. In Amerika hatte er gut verdient, jetzt war er im

Elend, hatte schon vier oder fünf Kinder, ohne Hoffnung, je wieder emporzukommen, und auf seinem noch jungen Gesicht war jede Spur von Energie und Selbstvertrauen verschwunden und ein dauernder, verzweifelter Ausdruck des Kummers zurückgeblieben.

»Drüben hatte ich eine Werkstatt und vier Gehilfen. 1929 kam ich auf sechs Monate her, aber ich habe geheiratet und bin nicht wieder abgereist; und jetzt habe ich nichts als diese kleine Bude und den Kampf mit dem Elend«, sagte mir der Barbier, ein Mann, dessen Schläfen schon grau waren, mit trauriger, ernster Miene. Es gab in Gagliano drei Barbiere, und der Amerikaner im oberen Teil, nahe bei der Kirche, unterhalb des Hauses der Witwe, war der einzige, der immer offen hielt und bei dem die Herren sich rasieren ließen. Der Laden in Unter-Gagliano, der dem Albino, Julias Geliebten, gehörte, diente für die armen Bauern und war fast immer geschlossen. Der Albino mußte auch sein Feld bestellen und schwang sein Rasiermesser am Morgen von Festtagen und nur hie und da während der Woche. Mitten im Ort, gegen den Platz zu, lag der dritte Laden, der auch fast immer geschlossen war; denn sein Besitzer war ständig in Geschäften unterwegs. In diesen Laden kamen die Leute mit geheimnisvoller Miene und fragten halblaut nach dem Besitzer. Es war ein blonder Mensch mit einem schlauen Fuchsgesicht, sehr behend, mit kleinen, blitzenden Äuglein, intelligent, aktiv und immer in Bewegung. Beim Militär war er während des großen Krieges Sanitätsunteroffizier gewesen und hatte so den ärztlichen Beruf erlernt. Offiziell übte er das Handwerk des Barbiers aus, aber Bärte und Haare der Christenmenschen waren das letzte, mit dem er sich befaßte. Abgesehen davon, daß er Ziegen schor, Tiere heilte, Eseln Abführmittel gab und Schweine untersuchte, war seine Spezialität das Zahnziehen. Für zwei Lire zog er einen Backenzahn, ohne allzuviel Schmerzen und Unannehmlichkeiten. Es war ein wahres Glück, daß er sich im Ort befand; denn ich hatte nicht die leiseste Ahnung von der zahnärztlichen Kunst, und die beiden Ärzte wußten noch weniger als ich. Der Barbier machte Einspritzungen, auch intravenöse, wovon die beiden Ärzte noch nicht einmal etwas gehört hatten; er konnte auch verstauchte Glieder wieder einrenken, einen Knochenbruch einrichten, Blut abzapfen und Abszesse aufschneiden, außerdem aber wußte er mit Kräutern, Umschlägen und Salben Bescheid: kurz, dieser Figaro konnte alles und war sehr wertvoll. Die beiden Doktoren haßten ihn, auch weil er gelegentlich mit seinem Urteil über ihre Unwissenheit nicht zurückhielt und von den Bauern geliebt wurde; jedesmal, wenn sie an seinem Laden vorbeigingen, drohten sie, ihn wegen unerlaubter Ausübung des ärztlichen Berufes anzuzeigen. Da sie sich nicht auf Drohungen beschränkten und von Zeit zu Zeit wirklich anonyme Briefe absandten und ihm vom Feldwebel Vermahnungen zustellen ließen, mußte der Barbier tausend Listen anwenden, um seine Arbeit hinter Vorwänden zu verstecken und sich nicht erwischen zu lassen. Anfangs mißtraute er auch mir, aber dann merkte er, daß ich ihn nicht verraten würde, und wir freundeten uns an. Er besaß wirklich eine gewisse Geschicklichkeit, und ich zog ihn bei kleinen chirurgischen Eingriffen zur Mithilfe heran und beauftragte ihn, Einspritzungen zu machen. Was lag daran, daß er keine Lizenz hatte? Er machte seine Arbeit ausgezeichnet; aber er mußte sie im geheimen tun; denn Italien ist das Land der Diplome, der Dissertationen, der Bildung, die sich nur auf den Erwerb und die krampfhafte Verteidigung von Ämtchen beschränkt. Viele Bauern in Gagliano, die durch die offizielle Wissenschaft für ihr Leben zu Krüppeln geworden wären, wandern noch mit heilen Gliedern umher dank diesem pfiffig aussehenden, behenden, schlauen und schleichhändlerischen Figaro, der, halb Hexenmeister und halb Heilkünstler, ständig im Krieg mit den Behörden und den Carabinieri lag.

Der Laden des Amerikaners, des Herrenfriseurs, war von den dreien der einzige, der wie der Laden eines richtigen Barbiers aussah. Es gab dort einen von Fliegenschmutz ganz blinden Spiegel und ein paar Strohstühle; an der Wand hingen Ausschnitte aus amerikanischen Zeitungen mit Photographien von Roosevelt, von Politikern, Schauspielerinnen und Reklamen von Schönheitsmitteln. Es war der letzte Rest des einstigen glänzenden Salons in irgendeiner New Yorker Straße. Wenn der Barbier daran dachte, wurde er trübselig und finster. Was war übriggeblieben von dem schönen Leben drüben, wo er ein Herr gewesen war? Ein Häuschen oben im Ort mit einer anspruchsvoll gemeißelten Haustür, ein paar Geranientöpfe auf dem Balkon, eine kränkliche Frau und Elend. »Wäre ich doch nie zurückgekehrt!« Diese Amerikaner von 1929 erkennt man alle an ihrem enttäuschten Ausdruck von geprügelten Hunden und an ihren Goldzähnen.

Die Goldzähne blitzten anachronistisch und luxuriös in dem großen Bauernmund von Faccialorda, einem dicken, kräftigen

Mann von eigensinnigem und schlauem Aussehen. Faccialorda (Schmutzgesicht), der von allen, vielleicht wegen seiner Hautfarbe, mit diesem Spitznamen gerufen wurde, war dagegen ein Sieger in der Schlacht der Auswanderer und lebte herrlich und in Freuden. Er war aus Amerika mit einer wohlgefüllten Tasche zurückgekommen, und wenn er auch einen großen Teil schon durch den Kauf eines Stückes unfruchtbaren Bodens verloren hatte, so konnte er doch immer noch bescheiden auskommen. Der wahre Wert dieses Geldes aber bestand darin, daß er es nicht durch Arbeit, sondern durch Geschicklichkeit verdient hatte. Wenn Faccialorda abends nach der Rückkehr vom Feld unter seiner Haustür stand oder auf der Piazza spazierenging, liebte er es, mir sein großes amerikanisches Abenteuer zu erzählen, selig über seinen Sieg. Er war ein Bauer, aber in Amerika arbeitete er als Maurer. »Eines Tages bekam ich eine Eisenröhre zum Putzen, eine von denen, die für Minen dienen; sie war voller Erde. Ich klopfte mit einem Spitzeisen darauf: statt Erde war Pulver drin, und die Röhre platzte mir in der Hand. Ich hatte nur ein paar Hautschürfungen am Arm, war aber taub. Das Trommelfell war geplatzt. Drüben in Amerika gibt es Versicherungen, die bezahlen müssen. Sie untersuchten mich und sagten, ich sollte in drei Monaten wieder kommen. Nach drei Monaten hörte ich wieder gut, aber ich hatte den Unfall gehabt, sie mußten mich bezahlen, wenn es eine Gerechtigkeit gab. Dreitausend Dollar mußten sie mir geben. Ich tat so, als wäre ich taub. Sie sprachen, sie schossen, ich hörte nichts. Sie ließen mich die Augen schließen; ich schwankte hin und her und ließ mich auf den Boden fallen. Die Professoren sagten, mir fehle nichts und wollten mir das Schmerzensgeld nicht geben. Sie untersuchten mich wieder und wieder, ich hörte nie etwas und fiel immer hin: sie mußten mir das Geld doch geben. Zwei Jahre hat es sich hingezogen, daß ich nicht arbeitete, die Professoren nein sagten und ich behauptete, ich könnte nichts tun und wäre ruiniert. Dann haben mir die Professoren, die ersten Professoren Amerikas, geglaubt, und nach zwei Jahren haben sie mir meine dreitausend Dollar gegeben. Die habe ich gerechterweise verdient. Ich bin gleich nach Gagliano zurückgekehrt, und es geht mir ausgezeichnet.« Faccialorda war stolz darauf, allein gegen die Wissenschaft, gegen ganz Amerika, gekämpft zu haben; er, der kleine Cafone aus Gagliano, hatte den Sieg über die amerikanischen Professoren davongetragen, und zwar nur dank seiner Hartnäckigkeit und Geduld. Er war übrigens überzeugt davon, daß das Recht auf seiner Seite und sein Simulieren eine rechtmäßige Handlung gewesen sei. Wenn ihm jemand gesagt hätte, er habe die dreitausend Dollar erschwindelt, wäre er aufrichtig erstaunt gewesen. Ich hütete mich wohl, es ihm zu sagen, denn im Grunde gab ich ihm nicht unrecht; und er wiederholte mir voller Stolz sein Abenteuer und fühlte sich in seinem Herzen ein wenig als Held der Armen, den Gott bei seiner Verteidigung gegen die feindlichen Kräfte des Staates belohnt hatte. Als mir Faccialorda seine Geschichte erzählte, fielen mir andere Italiener ein, die ich auf der Fahrt durch die Welt kennengelernt hatte, die stolz waren, gegen die organisierten Kräfte des zivilisierten Lebens gestritten und die eigene Persönlichkeit gegenüber dem widersinnigen Willen des Staates gerettet zu haben. Ich erinnerte mich unter anderm an einen Alten, dem ich in England begegnet war, in Stratford-on-Avon, dem Heimatort Shakespeares. Er besaß ein Eiswägelchen, das von einem Pony mit Schleifen und Glöckchen gezogen wurde. Sein Name war Saracino (auf dem Karren stand in englischer Schreibweise (Saracine), er stammte aus Frosinone, trug noch immer Ohrringe und sprach schlechtes Italienisch in römischem Dialekt. Als er merkte, daß ich auch Italiener war, erzählte er mir sofort, daß er vor fünfzig Jahren aus Italien geflohen sei, um nicht eingezogen zu werden, nicht dem König von Italien dienen zu müssen und daß er nie mehr zurückgekehrt sei. Mit dem Eisverkauf hatte er sein Glück gemacht. Sämtliche Eiswagen in der Provinz gehörten ihm. Seine Söhne hatten studiert, der eine war Rechtsanwalt, der andere Arzt; aber als der Krieg 1914 ausbrach, schickte er sie nach Italien, damit sie nicht dem König von England zu dienen brauchten, und als dann im Jahre darauf auch der König von Italien sie hätte erwischen können: »Keine Sorge, wir haben es uns gerichtet, dem König haben sie nicht gedient.« Für den alten Saracino war das so wenig wie für Faccialorda eine unehrenhafte Handlung; es war vielmehr der Stolz seines Lebens. Er erzählte es mir höchst zufrieden, trieb sein Pferdchen mit der Peitsche an und fuhr weiter.

Faccialorda hatte gesiegt, aber auch er war zurückgekommen, und sehr bald wird er sich trotz seiner Goldzähne nicht mehr von den andern Bauern unterscheiden. Durch das häufige Erzählen seines Abenteuers hatte er noch eine genaue, wenn auch beschränkte und eigentümliche Erinnerung an Amerika, aber die andern vergaßen es binnen kurzem: es wurde für sie, was es vor ihrer Fahrt dorthin gewesen war und was es ihnen vielleicht sogar drüben selbst bedeutete: das amerikanische Paradies. Einige, die erfahrener und vielleicht amerikanisierter waren als viele von denen, die drüben blieben, habe ich in Grassano getroffen: aber das waren keine Bauern, und sie paßten sehr gut auf, nicht wieder in den heimatlichen Trott hineinzugleiten. Einer saß in Grassano jeden Tag auf einem Stuhl unter seiner Haustür an der Piazza, um die Leute vorübergehen zu sehen. Es war ein Mann mittleren Alters, groß, mager, kräftig, mit einer Adlernase im Falkengesicht und dunkler Haut. Er war immer schwarz gekleidet und trug auf dem Kopf einen breitrandigen Panamahut. Nicht nur seine Zähne waren aus Gold, sondern auch seine Manschettenknöpfe, seine Krawattennadel, die Uhrkette mit den Gehängen, die Glückshörnchen, die Ringe und das Zigarettenetui. Er hatte in Amerika sein Glück gemacht; er arbeitete dort als Kaufmann und als Vermittler; ich hatte ihn im Verdacht, daß er vielleicht auch ein bißchen den Sklavenhalter der armen Bauern spielte; er war ans Befehlen gewöhnt und sah auf seine Landsleute, von denen er sich fern hielt, mit Verachtung herab. Trotzdem kehrte er von Zeit zu Zeit in die Heimat zurück, wo er ein Haus besaß; so alle drei, vier Jahre machte es ihm Spaß, einmal mit seinen Dollars, seinem barbarischen Englisch und seinem nicht minder barbarischen Italienisch groß zu tun. Aber er gab gut acht, nicht hängen zu bleiben. »Ich könnte hier bleiben«, sagte er mir, »Geld genug habe ich. Sie könnten mich zum Bürgermeister machen, Arbeit gäbe es genug im Ort, um alles neu auf amerikanische Art einzurichten. Aber es wäre ein Bankrott, und ich würde alles verlieren. Drüben warten meine Geschäfte auf mich.« Er las jeden Tag aufmerksam die Zeitung und hörte Radio, und als er sich überzeugt hatte, daß der Krieg in Afrika unmittelbar bevorstand, packte er seine Koffer, schiffte sich auf dem nächsten Dampfer ein, um nicht in Italien blockiert zu werden, und machte sich davon.

Nach dem Unglücksjahr 1929 sind nur wenige aus New York heimgekehrt, und nur wenige sind dorthin gefahren. Die Orte Lukaniens, die zur Hälfte hier und zur Hälfte jenseits des Meeres liegen, sind entzweigeschnitten worden. Die Familien sind getrennt, die Frauen sind allein geblieben; für die Menschen hier ist Amerika und damit die Möglichkeit einer Rettung ferner geworden. Nur die Post bringt dauernd etwas von dort, was die erfolgreichen Landsleute ihren Verwandten zum Geschenk schicken. Don Cosimino hatte viel mit diesen Paketen zu tun; es kamen Scheren, Messer, Rasierklingen, landwirtschaftliche

Geräte, Sicheln, Hämmer, Zangen, all die kleinen Gerätschaften des Alltags. Hinsichtlich der Werkzeuge war das Leben in Gagliano ganz amerikanisch, und das gleiche gilt auch für die Maße; die Bauern sprechen viel eher von Zoll und Pfund als von Zentimeter und Kilogramm. Die Frauen, die Wolle auf alten Rocken spinnen, schneiden die Fäden mit prachtvollen großen Pittsburger Scheren ab. Die Rasierklingen der Barbiere sind die besten, die ich in Italien gesehen habe, und der blaue Stahl der Äxte, welche die Bauern immer bei sich tragen, ist amerikanischer Stahl. Sie haben keinerlei Vorurteil gegen diese modernen Instrumente und empfinden sie auch nicht als Widerspruch zu ihren uralten Sitten. Sie nehmen gern, was aus New York kommt, wie sie auch gern nehmen würden, was etwa aus Rom käme. Aber aus Rom kommt nie etwas. Von dort ist nie etwas gekommen, außer dem U. E. und den Ansprachen im Rundfunk.

In jenen Tagen hörte man sehr viele Ansprachen, und Don Luigino hatte alle Hände voll zu tun, um seine Versammlungen einzuberufen. Es war mittlerweile Oktober geworden, unsere Truppen überschritten den Mareb, der Krieg in Abessinien hatte begonnen. Erhebe dich, italienisches Volk! Und Amerika entfernte sich immer mehr im Nebel des Atlantischen Ozeans wie eine himmlische Insel, wer weiß für wie lange, vielleicht auf immer.

Dieser Krieg interessierte die Bauern nicht. Der Rundfunk donnerte. Wenn Don Luigino nicht gerade rauchend auf der Terrasse saß, verbrachte er sämtliche Schulstunden damit, den Schulkindern mit schriller Stimme Reden zu halten (man hörte ihn überall) und sie ›Schwarzes Gesichtchen, schöne Abessinierin‹ singen zu lassen. Auf der Piazza erzählte er allen, Marconi hätte geheime Strahlen entdeckt, die ganze englische Flotte würde bald in die Luft fliegen. Er und der andere Schulmeister, sein Rundfunkkollege, behaupteten auch, daß der Krieg gerade für sie, für die Bauern von Gagliano geführt würde, damit sie endlich einmal ungeheuer viel Land zum Bebauen bekämen, und zwar guten Boden, in den man nur Samen zu stecken brauche, dann wachse alles von selbst. Aber ach, die beiden Schulmeister hätten nicht soviel von der Größe Roms sprechen müssen, wenn sie die Bauern von all dem andern hätten überzeugen wollen. Diese schüttelten mißtrauisch, schweigend und resigniert die Köpfe. Die in Rom wollten den Krieg, und sie hier würden ihn später auszubaden haben. Da kann man nichts machen. Auf den abessinischen Amben zu fallen ist schließlich auch nicht viel schlimmer, als auf dem eigenen Feld am Sauro an Malaria zu sterben. Anscheinend waren in diesen Tagen die Schüler, die GIL-Jugend, die Lehrer und Lehrerinnen, die Damen vom Roten Kreuz, die Mütter und Witwen der gefallenen Mailänder, die Florentiner Damen, die Gewürzhändler, die Kaufleute, die Pensionierten, die Journalisten, die Polizisten und die Angestellten der römischen Ministerien, kurz alle die, welche man das italienische Volk zu nennen pflegt, von einer seligen Welle der Begeisterung und Ruhmesfreude getragen. Ich hatte in Gagliano keine Gelegenheit, das festzustellen. Die Bauern waren stummer, trauriger und düsterer als gewöhnlich. Sie trauten dem gelobten Land nicht, das man erst denen, die es besaßen, wegnehmen mußte (und instinktiv erschien ihnen das als nicht richtig und nicht glückverheißend). Die in Rom hatten nicht die Gewohnheit, etwas für sie zu tun. Trotz allem Geschwätz mußte auch dieses Unternehmen einen andern Zweck haben, der sie nichts anging. »Wenn die in Rom Geld genug für einen Krieg haben, warum bringen sie nicht erst die Brücke über den Agri in Ordnung, die vor vier Jahren eingestürzt ist und bei der keiner auf den Gedanken kommt, sie wieder aufzubauen? Sie könnten auch das Flußbett eindämmen und ein paar neue Brunnen anlegen und Bäume in den Wäldern pflanzen, anstatt die paar noch vorhandenen zu fällen. Land haben wir hier auch genug: alles andere fehlt uns.« Deshalb dachten sie an den Krieg wie an eine der üblichen, unvermeidlichen Katastrophen, wie an die Steuern oder die Ziegenabgabe. Sie hatten keine Angst, als Soldaten verschickt zu werden. »Ob wir hier ein Hundeleben führen«, sagten sie, »oder da unten wie Hunde krepieren, das ist schon gleich.« Aber keiner außer dem Gatten Donna Caterinas stellte sich freiwillig. Man begriff übrigens sehr bald, daß nicht nur die Ziele, sondern auch die Kriegführung nur das andere Italien jenseits der Berge anging und wenig mit den Bauern zu tun hatte. Es wurden nur wenige einberufen, zwei oder drei im ganzen Ort, dazu ein paar dienstpflichtige Soldaten und ein junger Mensch, Don Nicola, der Sohn eines Priesters, der bei den Mönchen von Melfi erzogen worden war, ein Berufsunteroffizier, der als einer der ersten den Stellungsbefehl erhalten hatte. Einige der ärmsten, halbverhungerten Bauern ohne Land hatten sich, angelockt von den Reden Don Luiginos und dem Versprechen hoher Löhne, als Arbeiter gemeldet, aber ihre Anträge blieben unbeantwortet. »Sie wissen nicht, was sie mit uns machen sollen«, sagten mir diese armen Kerle. »Sie wollen uns nicht einmal zum Arbeiten haben. Der Krieg ist für die aus dem Norden da, wir müssen zu Hause vor Hunger verrecken. Und nach Amerika werden wir nicht mehr kommen.«

Der dritte Oktober war daher ein trüber Tag. Bei der Versammlung auf der Piazza hörten etwa zwanzig von den Carabinieri und den Avanguardisten des Bürgermeisters wie Marionetten mit Mühe zusammengetriebene Bauern die historische Rede im Radio. Don Luigino hatte auf dem Gemeindehaus, der Schule und den Honoratiorenhäusern die Fahnen aufziehen lassen: sie flatterten grün-weiß-rot, vom Winde bewegt, in der Sonne, wobei sich ihre merkwürdig grellen Fraben mit dem Schwarz der düsteren Fähnchen an den Bauernhäusern vermischten. Auch die Glocken ließ er läuten, und der Glöckner setzte wie gewöhnlich mit dem trüben Totengeläut ein. Der fröhliche Krieg begann in dieser gleichgültig dumpfen Stimmung. Don Luigino kam auf den Balkon des Gemeindehauses und redete. Er sprach von der unsterblichen Größe Roms, von den sieben Hügeln, der Wölfin, den römischen Legionen und dem römischen Kaiserreich, das erneuert werden sollte. Er sagte, alle haßten uns um unserer Größe willen, aber die Feinde Roms würden zu Boden geworfen werden, und wir würden im Triumph wieder über die Straßen der römischen Konsuln ziehen; denn Rom wäre ewig und unbesiegbar. Er sagte mit seinem hohen Stimmchen noch vieles andere über Rom, woran ich mich nicht mehr erinnere; dann riß er den Mund auf und sang ›Giovinezza‹, wobei er den Schulkindern gebieterisch winkte, ihn vom Platz aus im Chor zu begleiten. Neben ihm auf dem Balkon standen der Feldwebel und die Herren, und außer Doktor Milillo, der anderer Meinung war, sangen alle mit. Unten hörten die wenigen Bauern, an die Mauer gelehnt, düster und schwarz wie Nachtvögel schweigend zu und hielten die Hand vor die Augen, um sich vor der blendenden Sonne zu schützen. Hinter dem Bürgermeister neben dem Balkon hob sich auf der Mauer des Gemeindehauses weiß die Marmortafel ab, auf der die Namen der Gefallenen aus dem Weltkrieg verzeichnet waren: erstaunlich viele für einen so kleinen Ort, fast fünfzig: alle Namen der Gaglianer Familien standen darauf, die Rubilotto, die Carbone, die Guarini, die Bonelli, die Carnovale, die Racioppi und die Guerrini, keine fehlte. Kein Haus war ohne Tote geblieben, entweder unmittelbar oder durch Vettern oder Sankt Johanns Brüder; und noch viel größer war die Zahl der Verwundeten und Kranken und derer, die gekämpft hatten, aber glimpflich davongekommen waren. Warum sprach wohl keiner der Bauern, mit denen ich mich unterhielt, je davon und machte auch keine Andeutung über den Krieg und das damals Geleistete, warum erzählte niemand von den Ländern, die er gesehen, und der Mühsal, die er erlitten hatte? Der einzige, der davon geredet hatte, war der Barbier und Zahnkünstler: und er hatte nur deshalb darauf angespielt, um mir zu erklären, wo und wie er seine Kunst gelernt hatte, als er Krankenpfleger im Karst gewesen war. Der große, so blutige und noch so nahe Krieg interessierte die Bauern nicht: sie hatten ihn erlitten, und jetzt war es, als hätten sie ihn schon vergessen. Keiner hatte die Gewohnheit, mit seinen Heldentaten zu prahlen, seinen Kindern von den durchkämpften Schlachten zu erzählen, seine Wunden vorzuzeigen oder sich über die Leiden zu beklagen. Wenn ich sie befragte, antworteten sie kurz und gleichgültig. Es war ein großes Unglück gewesen, das man wie andere ertragen hatte. Auch das war ein Krieg Roms gewesen. Auch damals waren sie den drei Farben gefolgt, die hier so seltsam wirkten, den heraldischen Farben eines andern, unverständlichen, willensstarken und heftigen Italiens, dem lustigfrechen Rot und dem Grün, das hier, wo auch die Bäume grau sind und kein Gras auf dem Lehmboden wächst, absurd erscheint. Diese Farben und alle andern sind Adelszeichen und machen sich gut auf den Wappen der Herren oder den Standarten der Städte. Was haben sie mit diesen Bauern zu tun? Deren Farbe ist nur eine, die gleiche, die ihre traurigen Augen und ihre Kleidung zeigen, und das ist keine Farbe, sondern die Dunkelheit der Erde und des Todes. Ihre Fähnchen sind schwarz wie das Gesicht der Madonna. Die andern Fahnen tragen die bunten Farben einer andern Kultur, die auf geschichtliche Bewegung und Eroberung bedacht ist; und an dieser haben sie keinen Anteil. Aber da sie besser organisiert und mächtiger ist, so müssen sie sich ihr unterwerfen. Heute sterben die Menschen (und nicht für uns!) in Abessinien, wie gestern am Isonzo und am Piave, wie früher durch viele Jahrhunderte hindurch unter den verschiedensten Farben in allen Ländern der Welt. Ich las gerade in jenen Tagen eine alte Geschichte von Melfi von Del Zio, die ich beim Herumstöbern in den alten Büchern im Hause von Doktor Milillo gefunden hatte. Fast jeden Tag besuchte ich ihn, um Kaffee zu trinken und mit Margherita und Maria, den beiden Töchtern, die immer schnurrbärtiger, naiver und verdrehter wurden, zu schwatzen. Das Buch stammt aus der zweiten Hälfte des vorigen Jahrhunderts, und es wird darin unter andern lokalen Merkwürdigkeiten erzählt, daß in jener Zeit in Melfi noch ein alter Bauer mit einem Holzbein lebte, der im Heer von Napoleon gedient und sein Bein beim Übergang über die Beresina verloren hatte. Über ein halbes Jahrhundert hinkte der Bauer über die Pflastersteine von Melfi und schleppte für seine Landsleute das widersinnige Merkmal einer Zivilisation mit sich, die ihn für immer gezeichnet hatte und von der er doch nichts wußte. Was gingen einen Bauern aus Melfi Rußland und der französische Kaiser an? Die Geschichte hatte ihm, wie Victor Hugo sich in seiner barocken Art ausgedrückt haben würde, ein Bein genommen, und er wußte noch nicht einmal, worum es dabei ging. Übrigens hatte die Geschichte, diese Geschichte der andern, der sich diese Landstriche immer haben fügen müssen, den Landsleuten des Lahmen noch schlimmere Zeichen hinterlassen: denn die Zerstörung Melfis, das einst eine blühende und volkreiche Stadt war, geht auf die Tatsache zurück, daß ein französischer Hauptmann im Krieg gegen die Spanier Karls V. in diesen Bergen sich zufällig dafür entschied, sich dort mit seinen Soldaten zu verschanzen. Die Spanier Pedro Navarros unter dem Befehl von Lautrec belagerten Melfi, nahmen es ein, töteten sämtliche Bürger, die sich dort befanden und die nicht einmal eine Ahnung hatten, was Frankreich, Spanien, Franz I. und Karl V. eigentlich waren, rissen die Häuser nieder und schenkten das bißchen, was übrig blieb, erst Philipp von Oranien und kurz darauf dem Genuesen Andrea Doria, den sie noch weniger kannten, als Lohn für seine Seesiege. Der Genuese bequemte sich niemals dazu, seine Untertanen zu besuchen, und ebensowenig taten es seine Erben, die sich darauf beschränkten, ihre Steuereinnehmer zu schicken, um soviel Geld als möglich herauszupressen. So kamen die Einwohner von Melfi durch den unerforschlichen Willen einer Geschichte, die sie nichts anging, für alle folgenden Jahrhunderte in die schrecklichste Not. Wie viele Menschen mögen wie Franzosen und Spanier, getrieben von unbekannten Motiven, über diese Landstriche hingegangen sein? Es ist sehr verständlich, daß nach Tausenden von Jahren wiederholter, immer gleicher Erfahrungen die Bauern sich für Kriege nicht begeistern, allen Fahnen mißtrauen und schweigend zusehen, wenn Don Luigino von seinem Balkon aus den Ruhm Roms besingt.

Staaten, Theokratien, organisierte Heere sind natürlich stärker als das verstreute Volk der Bauern; dieses muß sich daher damit abfinden, beherrscht zu werden, aber es kann die Ruhmestaten und Unternehmungen einer ihm durchaus feindlichen Kultur nicht als zu ihm gehörig empfinden. Die einzigen Kriege, die sein Herz berühren, sind die, welche es gegen diese Kultur, gegen die Geschichte, die Staaten, die Theokratie und die Heere ausgefochten hat. Es sind die Kriege, die es unter seinen schwarzen Fähnchen, ohne militärische Organisation, ohne Kunst und ohne Hoffnung durchgefochten hat: unglückliche, den Historikern nicht verständliche Kriege, deren Schick-

sal es ist, in ihrer Wildheit und Verzweiflung stets verloren zu
werden.

Die Bauern von Gagliano begeisterten sich nicht für die Eroberung Abessiniens, erinnerten sich nicht an den Weltkrieg
und sprachen nicht von ihren Toten; ein Krieg jedoch lag allen
am Herzen und lebte, schon zur Legende, zur Fabel, zur epi-
schen Erzählung, zum Mythos abgewandelt, in aller Munde:
nämlich die Brigantenkämpfe. Der Krieg der Briganten war
praktisch 1865 zu Ende; es waren also siebzig Jahre vergangen,
und nur ganz wenige, uralte Leute konnten als Teilnehmer oder
Zeugen dabei gewesen und imstande sein, sich persönlich dieser
Kriegszüge zu entsinnen. Aber alle, Alte und Junge, Männer
und Frauen, sprachen davon mit einem unmittelbaren und lebendigen Gegenwartssinn wie von etwas, das gestern geschehen
war. Wenn ich mich mit den Bauern unterhielt, konnte ich
sicher sein, daß wir, was immer auch Gegenstand unseres Ge-
sprächs war, sehr bald irgendwie auf die Briganten zu sprechen
kommen würden. Alles erinnert an sie. Es gibt keine Berge,
Abgründe, Wälder, Steine, Quellen oder Höhlen, die nicht mit
irgendeiner ihrer denkwürdigen Unternehmungen verknüpft
sind oder ihnen nicht als Zuflucht oder Schlupfwinkel gedient
haben. Es gibt keine versteckte Stelle, die sie nicht als Unterkunft benutzt, kein Kapellchen im freien Feld, in dem sie nicht
ihre Drohbriefe niedergelegt und das Lösegeld erwartet haben;
die einzelnen Stellen heißen, wie der Bersaglierigraben, nach
ihnen und ihren Taten. Es gibt keine Familie, die nicht für oder
gegen die Briganten Partei genommen, nicht irgendein Mitglied
bei ihnen draußen in der Wildnis gehabt oder jemanden beher-
bergt oder verborgen hätte oder der nicht irgendein Verwandter
ermordet oder eine Ernte angezündet worden wäre. In jene
Zeiten geht der Haß zurück, der das Land teilt, von einer Gene-
ration zur andern weitergegeben wird und immer lebendig ist.
Aber mit wenigen Ausnahmen waren die Bauern alle auf seiten
der Briganten, und mit der Zeit sind deren Unternehmungen,
die ihre Einbildungskraft so lebhaft beschäftigten, unlöslich mit
den vertrauten Verhältnissen des Ortes verknüpft und mit der
gleichen Selbstverständlichkeit Gegenstand des täglichen Ge-
sprächs geworden wie Tiere und Geister; die Legende hat sie
vergrößert, und sie haben die unumstößliche Wahrheit des Mythos angenommen. Ich will hier kein Lob des Brigantenwesens
anstimmen, wie es seit einiger Zeit anscheinend bei ästhetisie-
renden Literaten oder gewissenlosen Kritikern Mode geworden

ist. Vom historischen Gesichtspunkt aus kann das Brigantenwesen innerhalb des italienischen Risorgimento nicht verteidigt werden. Vom liberalen und »fortschrittlichen« Standpunkt aus erscheint es wie das letzte Aufzucken einer Vergangenheit, die erbarmungslos ausgerottet werden mußte; eine finstere und wilde Bewegung, die der Einheit, Freiheit und dem bürgerlichen Leben feindlich gegenüberstand. Und das war sie auch tatsächlich ihrem Wesen nach, als ein von den Bourbonen, den Spaniern und dem Papst aus eigennützigen Gründen angestifteter Krieg. Aber für die Bauern ist das Brigantentum etwas ganz anderes. Betrachtet man es nur vom obigen Standpunkt aus, dann kann man es nicht nur nicht rechtfertigen, sondern überhaupt nicht verstehen. Übrigens fällen auch die Bauern kein Urteil darüber und verteidigen es nicht, und wenn sie mit solcher Leidenschaft davon sprechen, so rühmen sie sich doch seiner nicht. Seine geschichtlichen Hintergründe und die damit verquickten Interessen der Bourbonen, des Papstes oder der Feudalherren kennen sie nicht. Auch für sie ist es eine traurige, trostlose und entsetzenerregende Geschichte. Doch es liegt ihnen am Herzen; es gehört zu ihrem Leben, ist der poetische Hintergrund ihrer Phantasie, ihr düsteres, verzweifeltes, schwarzes Epos. Auch das Aussehen der Bauern erinnert noch heute an die alte Vorstellung vom Räuber: finster, verschlossen, einsam, mürrisch, mit schwarzem Hut und Gewand und im Winter mit einem schwarzen Mantel und immer mit Flinte und Axt bewaffnet, wenn sie aufs Feld gehen. Ihr Herz ist milde und ihr Gemüt geduldig. Das Gefühl für die Eitelkeit aller Dinge, für die Macht des Schicksals und Jahrhunderte voller Entsagung und voller Ergebung in ihr Los lasten auf ihnen. Aber wenn, nach ihrem unendlichen Erdulden, an den Grund ihres Wesens gerührt wird und ihr elementarer Sinn für Gerechtigkeit und Widerstand erwacht, dann kennt ihr Aufruhr keine Grenzen und kein Maß. Dann wird der Aufstand unmenschlich, er geht vom Tode aus und kennt nur den Tod, und aus der Verzweiflung entsteht wilde Grausamkeit. Die Briganten verteidigten Freiheit und Leben der Bauern grundlos und hoffnungslos gegen den Staat, gegen alle Staaten. Leider geschah es ihnen, daß sie unbewußt zum Werkzeug der Geschichte wurden, die sich außerhalb ihrer Umwelt und gegen sie abspielte; sie verteidigten die schlechte Sache und wurden vernichtet. Aber durch das Brigantentum verteidigte die bäuerliche Kultur ihre eigene Art gegen die andere, ihre entgegengesetzte Kultur, die sie, ohne sie zu begreifen, dauernd unterjocht. Deshalb sehen die Bauern instinktiv in den Briganten ihre Helden. Die bäuerliche Kultur ist eine Kultur ohne Staat und ohne Heer. Ihre Kriege können nichts anderes sein als gelegentlich aufflammende Aufstände, die naturgemäß stets zu furchtbaren Niederlagen werden; trotzdem geht ihr Leben immer weiter; sie gibt den Siegern die Früchte ihres Bodens und setzt ihre Maße, ihre Erdgötter und ihre Sprache durch.

Ich redete mit den Bauern und betrachtete ihre Gesichter und ihre Gestalten; klein, schwarz, mit Rundköpfen, großen Augen und dünnen Lippen, hatten sie mit ihrem archaischen Aussehen weder etwas Römisches noch Griechisches, noch Etruskisches oder Normannisches, noch sonst etwas von andern Völkern, die als Eroberer über ihr Land gezogen waren, sondern sie erinnerten an Gestalten von italienischen Ureinwohnern. Ich dachte daran, wie ihr Leben sich in den fernsten Zeiten in ganz gleichen Formen wie heute abgespielt hatte und wie die Geschichte über sie hingeglitten war, ohne sie je wirklich zu berühren. Von den beiden Italien, die nebeneinander in dem gleichen Land leben, ist das der Bauern sicherlich das ältere, von dem man nicht weiß, woher es stammt; vielleicht war es immer vorhanden. Humilemque vidimus Italiam: das war das demütige Italien, so wie es den asiatischen Eroberern erschien, als sie auf den Schiffen des Aenaeas das kalabrische Kap umschifften. Und ich dachte, man sollte eine Geschichte von diesem Italien schreiben, wenn es möglich ist, eine Geschichte von etwas zu schreiben, das sich nicht in der Zeit abspielt: die einzige Geschichte dessen, was ewig und unveränderlich ist; eine Mythologie. Dieses Italien hat sich in seinem schwarzen Schweigen entfaltet wie die Erde in einer Aufeinanderfolge von Jahreszeiten und gleichen Leiden, und was an Ewigem dahingerollt ist, hat keine Spur hinterlassen und zählt nicht. Nur einige Male hat es sich erhoben, um sich gegen tödliche Gefahren zu verteidigen, und das waren seine einzigen und selbstverständlich erfolglosen nationalen Kriege. Der erste ist der gegen Aenaeas. Eine mythologische Geschichte muß mythologische Quellen haben, und in diesem Sinn ist Vergil ein großer Historiker. Die phönizischen Eroberer, die aus Troja kamen, brachten lauter Werte mit sich, die denen der alten bäuerlichen Kultur entgegengesetzt waren. Sie brachten die Religion und den Staat und die Staatsreligion. Die Pietas des Aenaeas konnte von den antiken Italikern nicht verstanden werden, die auf den Feldern mit den Tieren lebten. Und sie brachten ferner das Heer, Waffen, Schilde, Wappenkunde und den Krieg mit. Ihre Religion war grausam und kannte Menschenopfer: der fromme Aenaeas schnitt den Gefangenen auf dem Scheiterhaufen des Pallas die Kehle durch als Opfer für seine Staatsgötter. Die uralten Italiker dagegen waren Hirten ohne Religion und ohne Opfer. Als die Trojaner nach Italien kamen, stießen sie also, infolge der völligen Verschiedenheit der Kultur, auf unüberwindliche Feindschaft bei den Landesbewohnern. Aenaeas fand denn auch Verbündete nur unter der nicht bäuerlichen Bevölkerung, bei den Etruskern, die wie er aus dem Orient gekommen, wie er vielleicht semitischen Ursprungs waren und ebenfalls einer militärischen Theokratie anhingen. Und mit Hilfe dieser Verbündeten begann er den Krieg. Auf der einen Seite stand ein Heer in glänzenden, von den Göttern geschmiedeten Waffen, auf der andern waren, wie Vergil es beschreibt, Scharen von Bauern, denen kein Gott Waffen verliehen hatte, die aber zu ihrer Verteidigung die Äxte, Sicheln und Messer verwendeten, die sie zu ihrer täglichen Arbeit brauchten. Auch sie waren tapfere Briganten und konnten leider nicht siegen. Italien wurde unterworfen, das demütige Italien,

> für das Camilla, die Jungfrau, starb,
> Euryalus und Turnus und Nisus ihren Wunden erlagen*.

Dann kam Rom und vervollkommnete die staatliche und militärische Theokratie seiner trojanischen Gründer, die als Sieger jedoch Sprache und Sitten der Besiegten hatten annehmen müssen. Und auch Rom prallte auf den bäuerlichen Widerstand, und die lange Reihe der italischen Kriege war das schwerste Hindernis auf seinem Wege. Auch diesmal mußten die Italiker militärisch niedergeworfen werden; trotzdem gelang es ihnen, ihre Eigenart zu retten und sich nicht mit den Siegern zu vermischen. Nach diesem zweiten Nationalkrieg verblieb die bäuerliche Kultur, wie im Schlaf in ihrer Geduld versunken, eingeschlossen in die römische Ordnung. Die feudale Kultur, die im Lauf der Jahrhunderte und der Ereignisse und unter verschiedenen Völkern darauf folgte, war zwar gewiß keine Bauernkultur: wohl aber war auch sie an die Erde, an die Grenzen des Lebens gebunden und stand deshalb weniger im Widerspruch zu dem bäuerlichen Nichtstaat. Man kann daher begreifen, weshalb die

* Dante, Inferno I; 107/8.

Hohenstaufen bei den Bauern, die von Konradin wie von einem ihrer Nationalhelden sprechen und seinen Tod beklagen, noch so beliebt sind. Sicher ist, daß das Land nach seinem Fall dem traurigsten Niedergang anheimfiel.

Der vierte nationale Krieg der Bauern ist das Brigantenwesen. Auch diesmal war das demütige Italien geschichtlich im Unrecht und mußte unterliegen. Es hatte weder von Vulkan geschmiedete Waffen noch Kanonen wie das andere Italien. Und es hatte auch keine Götter. Was konnte eine arme Madonna mit schwarzem Gesicht schon ausrichten gegen den ethischen Staat der Hegelianer in Neapel? Das Brigantentum ist nur ein Ausbruch heroischen Wahnsinns und verzweifelter Grausamkeit: ein Sehnen nach Tod und Zerstörung ohne Hoffnung auf Sieg. »Ich wollte, die Welt besäße nur ein einziges Herz: ich würde es ihr ausreißen«, hat eines Tages Caruso, einer der furchtbarsten Bandenführer, gesagt. Dieser wilde Wunsch nach Zerstörung, dieser blutige und selbstmörderische Vernichtungswille schwelt seit Jahrhunderten unter der sanften Geduld täglicher Mühsal. Jeder bäuerliche Aufstand nimmt diese Form an; er entsteht aus einem elementaren Gerechtigkeitswillen, der aus dem dunklen See des Herzens aufsteigt. Nach dem Ende des Brigantentums haben diese Länder einen düsteren Frieden gefunden; aber von Zeit zu Zeit erheben sich todessüchtig an einigen Orten die Bauern, die im Staat für ihre Bedürfnisse keinerlei Ausdruck und in den Gesetzen keinerlei Schutz finden, brennen das Gemeindehaus oder die Carabinierikaserne nieder, erschlagen die Herren und lassen sich dann resigniert ins Gefängnis abführen.

Richtige Briganten aus den sechziger Jahren gibt es fast keine mehr. Einer lebt, wie Julia mir erzählte, ganz in der Nähe in Misanello. Ein alter Mann von neunzig Jahren mit einem langen, weißen Bart, der als Heiliger gilt. Er war als Bandenführer sehr gefürchtet; jetzt lebt er, verehrt von den Bauern wie ein Patriarch, im Ort; man wendet sich an ihn um Rat in allen schwierigen Fällen des Lebens. Es tut mir leid, daß ich niemals hingehen und seine Bekanntschaft machen konnte. Einen andern traf ich eines Tages in Grassano. Er war im Laden von Antonio Roselli, meinem Sekretär, Barbier und Flötenspieler; ich ließ mich gerade rasieren, als ein kräftiger Alter hereinkam, mit gerötetem Gesicht, dichtem weißem Schnurrbart, in stolzer Haltung, mit kühnen blauen Augen, im samtenen Jägeranzug. Ich hatte ihn im Ort noch nie gesehen. Er stand und rauchte, während er wartete, bis er an die Reihe kam, und fragte mich, wer ich sei. »Ein Verbannter?« sagte auch er wie die andern, als ich ihm geantwortet hatte. »In Rom mögen sie dich nicht.« Ich fragte ihn, wie alt er sei: »Sehr alt«, sagte er. »Ich war jung zur Zeit der Briganten. Ich war fünfzehn Jahre alt, als ich mit meinem Bruder den Carabiniere erschlug. Hast du die alte Eiche an der Straße, zweihundert Meter vor dem Ort, gesehen? Dort begegneten wir ihm; er wollte uns festnehmen, und wir waren gezwungen, ihn zu töten. Die Leiche versteckten wir im Graben, aber sie fanden ihn bald. Meinen Bruder erwischten sie gleich, und er starb nach ein paar Jahren im Kerker in Neapel. Ich versteckte mich im Ort. Sieben Monate blieb ich als Frau verkleidet gerade hier in einem Zimmer über Antoninos Laden. Dann entdeckten sie mich: aber weil ich so jung war, kam ich mit vier Jahren davon.« Der alte Brigant war zufrieden und mit sich selbst im reinen: der lange zurückliegende Mord drückte sein Gewissen nicht, er erzählte davon wie von einer unvermeidlichen und natürlichen Tat. Es war eben Krieg.

»Sehen Sie den Herrn, der eben auf der Straße vorbeigeht?« fragte mich der Barbier, indem er durch die offene Tür auf ihn wies. »Das ist Don Pasquale, ein Gutsbesitzer. Sein Großvater hatte einen großen Bauernhof, und als die Briganten zu ihm kamen, wollte er nichts hergeben, weder Korn noch Vieh. Da brannten ihm die Briganten zuerst sein Landhaus nieder, er aber war eigensinnig und tat sich mit den Carabinieri zusammen, um sie in einen Hinterhalt zu locken. Da fingen ihn die Briganten und ließen seiner Frau sagen, sie müßte, wenn sie ihn wieder haben wolle, innerhalb von zwei Tagen fünftausend Lire Lösegeld zahlen. Die Familie wollte das Geld nicht hergeben, sie hofften, ihn von Soldaten befreien lassen zu können. Am dritten Tag erhielt die Frau einen Briefumschlag, darin lag ein Ohr ihres Mannes.«

Die Briganten schnitten den Signori Ohren, Nase und Zunge ab, um sich das Lösegeld zahlen zu lassen. Die Soldaten schnitten den Briganten die Köpfe ab, wenn es ihnen gelang, sie zu erwischen, und steckten diese dann auf Pfähle, damit sie als abschreckendes Beispiel dienten. So ging dieser Vernichtungskrieg weiter. Das Gelände auf den Lehmbergen ist voller Löcher und natürlicher Höhlen. Dort hatten die Briganten ihre Schlupfwinkel, und in hohlen Bäumen in den Wäldern versteckten sie das Geld, das sie erpreßt oder in den Häusern der Reichen geraubt hatten. Als die Banden zerstreut und die Briganten alle getötet oder gefangengesetzt waren, blieben diese verborgenen Schätze in der Erde und in den Wäldern. Das ist einer der Punkte, wo die Geschichte der Briganten zur Legende und mit uraltem Glauben verknüpft wird. Die Briganten häuften dort königliche Schätze auf, wo die bäuerliche Phantasie sich stets ihr Vorhandensein erträumt hatte. So wurden die Briganten eins mit den dunklen unterirdischen Kräften.

So viele Völker sind über dieses Land dahingezogen, daß man beim Pflügen wirklich überall etwas findet. Antike Vasen, Statuetten und Münzen aus alten Gräbern kommen unter dem Spaten ans Licht. Auch Don Luigino besaß einiges; man hatte es auf einem seiner Felder am Sauro gefunden: Münzen, die so zerfressen waren, daß man ihren griechischen oder römischen Ursprung nicht mehr feststellen konnte, sowie ein paar schwarze Väschen, die zwar ohne Figurenschmuck, aber sehr elegant in der Form waren. Von Brigantenschätzen habe ich selbst nur einen sehr bescheidenen gesehen. Der Tischler Lasala hatte ihn zufällig gefunden und zeigte ihn mir. Er hatte eines Abends einen dicken Klotz in seinen Herd gesteckt und beim Flammenschein im Holz etwas glänzen sehen. Es waren ein paar bourbonische Silberscudi, die in einem Astloch des alten Stammes verborgen waren. Aber für die Bauern sind das nur Brosamen von den ungeheuren im Bauch der Erde versteckten Schätzen. Für sie sind die Berghänge, die Höhlengründe, das Dickicht der Wälder voll von leuchtendem Gold, das auf den glücklichen Entdecker wartet. Nur ist die Schatzgräberei nicht ungefährlich; denn es ist Teufelswerk, und man rührt dabei an dunkle, furchtbare Mächte. Es hat keinen Zweck, auf gut Glück in der Erde zu suchen; die Schätze offenbaren sich nur dem, der sie finden soll. Und um zu wissen, wo sie sind, kann man sich nur auf die Eingebungen der Träume verlassen, wenn man nicht das Glück hat, von einem der sie betreuenden Erdgeister geführt zu werden, von einem »Monachicchio«.

Der Schatz erscheint dem schlafenden Bauern im Traum in seiner ganzen Herrlichkeit. Man sieht ihn, Haufen von Gold, und man sieht genau die Stelle im Wald bei dem Steineichenbaum mit einem Zeichen am Stamm, dort unter dem großen viereckigen Stein. Man muß nur hingehen und ihn holen. Aber man muß nachts gehen. Am Tag würde der Schatz verschwinden. Man muß allein gehen und keiner Seele etwas davon anvertrauen; wenn ein Wort durchsickert, ist der Schatz verloren. Die Gefahren sind furchtbar, im Wald gehen die Geister der Toten um, und nur sehr wenige sind kühn genug, um sich an das Werk zu wagen und es, ohne zu schwanken, richtig durchzuführen. Ein Bauer in Gagliano, der in meiner Nähe wohnte, hatte im Traum einen Schatz gesehen. Er lag im Wald von Accettura, etwas unterhalb von Stigliano. Er faßte sich ein Herz und machte sich in der Nacht auf, aber als er im schwarzen Schatten von Geistern umgeben war, bebte ihm das Herz in der Brust. Er sah zwischen den Bäumen ein fernes Licht. Dort war ein Köhler, wie alle Köhler und Kalabresen ein furchtloser Mann, der die Nacht im Wald bei seinem Meiler verbrachte. Die Versuchung war für den armen, verängstigten Bauern zu groß; er konnte nicht anders, als dem Köhler seinen Traum zu erzählen und ihn zu bitten, ihm beim Heben zu helfen. Sie machten sich also zusammen auf, um den im Traum gesehenen Stein zu suchen, der Bauer ein bißchen erleichtert durch die Gesellschaft und der Kalabrese voller Mut, bewaffnet mit seiner Hacke. Sie fanden den Stein. Alles war genau wie im Traum. Ein Glück, daß sie zu zweit waren. Der Block war sehr, schwer und nur mit Mühe konnten sie ihn beiseite wälzen. Als sie ihn aufgehoben hatten, erschien ein großes Loch in der Erde: Der Bauer beugte sich darüber und sah auf dem Grund Gold glänzen, eine erstaunliche Menge von Gold. Die aus der Erde abbröckelnden Steine fielen mit metallischem Klang, der das Herz mit Entzücken erfüllte, auf die Münzen. Jetzt handelte es sich darum, sich in den tiefen Schacht hinabzulassen und den Schatz zu heben; aber da fehlte dem Bauern wieder der Mut, und er sagte zu seinem Gefährten, er möge hinuntersteigen und ihm das Geld heraufreichen; er wolle es in einen Sack stecken; nachher würden sie es dann teilen. Der Köhler, der weder Teufel noch Geister fürchtete, stieg hinunter; aber siehe da, das ganze gelbe Leuchten war trüb und schwarz geworden, das ganze Gold hatte sich plötzlich in Kohle verwandelt.

Viel leichter und weniger trügerisch ist es, einen Schatz zu finden, wenn man nicht den Weisungen der Träume folgt, sondern wenn es einem gelingt, sich von einem der kleinen Wesen, welche die Geheimnisse der Erde kennen, begleiten und das Versteck zeigen zu lassen. Die »Monachicchi« sind die Geister von Kindern, die ungetauft gestorben sind. Es gibt hier sehr viele, da die Bauern oft viele Jahre warten, ehe sie ihre Kinder taufen lassen. Wenn ich zur Behandlung irgendeines etwa zehn- bis zwölfjährigen Kindes gerufen wurde, war die erste Frage der Mutter: »Ist Gefahr, daß es stirbt? Dann rufe ich sofort den Priester, um es taufen zu lassen. Wir haben es bis jetzt noch nicht getan. Aber wenn es, was Gott verhüte, sterben sollte ...«

Die Monachicchi sind winzig, heiter, luftig: sie laufen flink hin und her, und ihr größtes Vergnügen besteht darin, den Menschen allen möglichen Schabernack zu spielen. Sie kitzeln die Schlafenden unter den Fußsohlen, ziehen die Laken vom Bett, werfen Sand in die Augen, stürzen volle Weingläser um, verstecken sich im Luftzug, lassen Papiere fortflattern und Wäsche so hinfallen, daß sie schmutzig wird, ziehen sitzenden Frauen den Stuhl weg, verbergen Gegenstände an den unwahrscheinlichsten Stellen, lassen Milch gerinnen, zwicken, ziehen an den Haaren und stechen und summen wie Mücken. Aber sie sind harmlos. Ihre Streiche sind nie ernsthaft, wirken immer wie ein Spiel, und, so lästig sie auch sind, es geht nie schlimm aus. Sie sind springlebendig und spitzbübisch und kaum zu erhaschen. Auf dem Kopf tragen sie ein rotes Mützchen, dessen Zipfel länger ist als sie selbst; und wehe, wenn sie es verlieren! All ihre Lustigkeit verschwindet, sie weinen unaufhörlich und sind verzweifelt, bis sie es wiedergefunden haben. Nur so kann man sich gegen ihre Scherze verteidigen, indem man eben versucht, sie beim Mützchen zu packen. Gelingt es dir, es ihm wegzunehmen, dann wirft sich dir das arme, mützenlose Monachicchio weinend zu Füßen und fleht dich an, es ihm wiederzugeben. Nun verbergen die Monachicchi unter ihren Späßen und ihrer kindlichen Fröhlichkeit eine große Weisheit. Sie kennen alles Unterirdische und wissen um die Verstecke der Schätze. Um seine rote Mütze, ohne die es nicht leben kann, wiederzuerhalten, verspricht das Monachicchio, dir das Versteck eines Schatzes zu offenbaren. Aber du darfst ihm kein Gehör schenken, ehe es dich nicht hinbegleitet hat; solange du die Mütze in Händen hast, dient das Monachicchio dir, aber sobald es seine kostbare Kopfbedeckung wieder hat, macht es einen großen Satz, schießt Purzelbäume, macht Faxen vor Vergnügen und hält sein Versprechen nicht.

Diese Art von Gnomen oder Heinzelmännchen sieht man häufig, aber es ist sehr schwer, sie zu erwischen. Julia hatte welche gesehen und ihre Freundin, die Parroccola, ebenfalls sowie viele andere Bauern in Gagliano; aber keiner hatte ihre Mütze zu fassen bekommen und das Monachicchio zwingen können, ihn zu einem Schatz zu begleiten. In Grassano lebte ein junger Mensch von etwa zwanzig Jahren, ein kräftiger Arbeiter, Carmelo Coiro, mit einem viereckigen, sonnengebräunten Gesicht, der oft im Gasthaus von Prisco ein Glas Wein trank. Er verrichtete alle möglichen Arbeiten für Taglohn auf den Feldern oder beim Straßenbau: aber seine Leidenschaft, sein Ideal war es, ein Radrennfahrer zu werden. Er hatte von den Taten Bindas und Guerras* gelesen, seine Phantasie war angeregt worden, und er verbrachte seine sämtlichen freien Stunden und Sonntage auf einem alten klapprigen Rad, um sich auf den schrecklichen Steigungen und Windungen der zum Ort führenden Landstraße zu trainieren. Manchmal drang er in Staub und Sonne bis nach Matera oder Potenza vor, und es fehlte ihm wahrhaftig nicht an Kraft, Geduld und Atem. Er wollte auf dem Rad nach Norden fahren und Rennfahrer werden. Als ich ihm sagte, ich könnte ihm, wenn er sich entschieden hätte, eine Empfehlung an einen Bekannten geben, einen Sportjournalisten und persönlichen Freund des großen Binda, dessen Biographie er geschrieben hatte, glaubte Carmelo den Gipfel des Glücks erreicht zu haben, und ich sah ihn immer wieder mit hoffnungsvollem Gesicht in Priscos Küche erscheinen. Um die Zeit war Carmelo mit einer Schar von Arbeitern mit der Wiederherstellung der Straße nach Irsina beschäftigt, die am Bilioso entlangführt, einem malariaverseuchten Gießbach voller Geröll, der hinter Grottole in den Basento mündet. Die Spatenschwinger pflegten sich in den heißesten Stunden, wenn das Arbeiten unmöglich war, zum Schlafen in eine natürliche Höhle zurückzuziehen, eine der vielen, die in dem weiten Tal das ganze Gelände durchziehen und die einst die bevorzugten Schlupfwinkel der Briganten waren. In der Grotte hauste aber ein Monachicchio; das launische Geistchen fing an, den Carmelo und seine Gefährten zu necken. Kaum waren sie, halbtot vor Müdigkeit, Anstrengung und Hitze, eingeschlafen, da zog es sie an der Nase, kitzelte sie mit Strohhalmen, warf Steine, bespritzte sie mit kaltem Wasser, versteckte ihre Jacken oder ihre Schuhe und ließ sie nicht schlafen, indem es pfeifend überall herumhüpfte: es war eine Qual. Die Arbeiter sahen es in der Grotte blitzschnell bald hier, bald dort auftauchen mit seiner großen, roten Kapuze und versuchten, es auf alle Art zu haschen: aber es war flinker als eine Katze und schlauer als ein Fuchs: sie überzeugten sich bald von der Unmöglichkeit, ihm seine Kapuze zu rauben. Um sich irgendwie gegen sein listiges Spiel zu schützen und ein bißchen auszuruhen, beschlossen sie also, der Reihe nach zu wachen, um das Monachicchio wenigstens fernzuhalten, wenn man es schon nicht fangen konnte. Alles war umsonst: das Geistchen, das keiner erwischen konnte, setzte seine Streiche wie vorher fort und lachte vergnügt über die ohnmächtige Wut der Arbeiter. Verzweifelt wendeten sich diese an den leitenden Ingenieur; er war ein gebildeter Herr, dem es vielleicht eher gelingen würde, das losgelassene Monachicchio zu zähmen. Der Ingenieur erschien in Begleitung seines Assistenten, eines Oberaufsehers, beide waren mit doppelläufigen Jagdgewehren bewaffnet. Bei ihrer Ankunft fing das Monachicchio an, Grimassen zu schneiden; es brach in Gelächter aus und sprang im Hintergrund der Höhle, wo alle es deutlich sehen konnten, wie ein Ziegenböckchen herum. Der Ingenieur legte das mit Kugeln geladene Gewehr an und feuerte einen Schuß ab. Die Kugel traf das Monachicchio und prallte zurück auf den, der geschossen hatte; sie streifte mit greulichem Pfeifen seinen Kopf, während der kleine Geist in einem Ausbruch toller Lustigkeit immer höher hüpfte. Der Ingenieur schoß nicht zum zweitenmal, die Büchse fiel ihm aus der Hand, und er, der Oberaufseher, die Arbeiter und Carmelo flohen erschreckt, ohne die weitere Entwicklung abzuwarten. Von da an ruhten die Leute sich im Freien aus und schützten das Gesicht mit dem Hut gegen die Sonne. Auch alle andern Brigantenhöhlen in der Umgebung von Irsina waren voll von Monachicchi, und niemand wagte mehr, den Fuß hineinzusetzen.

Für Carmelo mit seinem athletischen und eigensinnigen Aussehen waren übrigens solche merkwürdigen Begegnungen nichts Neues. Ein paar Monate vorher kehrte er nachts, wie er mir erzählte, vom Bilioso nach Hause ins Dorf zurück. Mit ihm zusammen war sein Onkel, ein Sergeant der Zollwache; ich hatte diesen braven Unteroffizier auch kennengelernt, als er Urlaub hatte. Onkel und Neffe stiegen also auf dem steilen Pfad, auf dem ich damals oft malte und spazierenging, das Tal hinauf. Es war ein recht kalter Winterabend, der Himmel war mit Wolken bezogen, und es war vollkommen dunkel. Sie hatten weit entfernt unterhalb von Irsina im Bilioso gefischt, sich dabei verspätet, und die Nacht war hereingebrochen. Doch der Onkel hatte seine automatische Mauserpistole mit vierundzwanzig Schüssen bei sich, und deshalb wanderten sie ruhig und ohne Furcht vor unangenehmen Begegnungen. Als sie auf halbem Weg dort, wo die beiden Eichen beim Bauernhaus stehen, angelangt waren, sahen sie einen großen Hund auf sie zukommen. Sie erkannten ihn; er gehörte einem befreundeten Bauern, der dort in dem Gutshof wohnte. Der Hund bellte drohend und wollte sie nicht vorbeilassen. Sie riefen ihn beim Namen und versuchten, ihn zu besänftigen, dann drohten sie ihm: es nützte nichts; das Tier schien wütend zu sein und stürzte mit offenem Maul auf sie zu, um sie zu beißen. Die beiden erwarteten sich nichts Gutes, und da es kein andres Mittel zur Rettung gab, zog der Onkel seine Waffe hervor und schoß sämtliche vierundzwanzig Schüsse ab. Der Hund riß bei jedem Schuß sein großes, rotes Maul unendlich weit auf und verschluckte die Kugeln, eine nach der andern, als ob es Brötchen wären, und bei jedem Schuß wuchs er, blähte sich auf, wurde riesengroß und rückte ihnen voller Wut immer dichter auf den Leib. Die beiden hielten sich für verloren, erinnerten sich in dem Augenblick aber an den heiligen Rochus und die Madonna von Viggiano; sie riefen beide um Hilfe an und schlugen ein großes Kreuz. Der jetzt ganz riesenhafte Hund, der so groß wie ein Haus war, blieb mit einem Schlag stehen. Die vierundzwanzig Kugeln in seinem Magen explodierten hintereinander mit furchtbarem Knall, bis endlich das Tier wie eine Seifenblase platzte und in der Luft zerstob. Der Pfad war wieder frei, und Onkel und Neffe kamen bald im Haus der Mutter Carmelos an. Die Alte war eine Hexe, und es geschah ihr öfters, daß sie sich mit den Seelen der Toten unterhielt, Monachicchi begegnete und mit richtigen Teufeln auf dem Friedhof Umgang hatte. Sie war eine dürre, saubere und gut gelaunte Bäuerin.

Die Luft in diesem öden Land und um diese Hütten ist voller Geister. Aber nicht alle sind boshaft und launisch wie die Monachicchi oder böse wie die Dämonen. Es gibt auch gute und schützende Geister, die Engel.

An einem Oktoberabend bei Einbruch der Dunkelheit kam ein Bauer zu mir, um sich den Verband über seinem Geschwür erneuern zu lassen. Ich warf die Binden und die schmutzige Watte in meinem Studierzimmer auf den Boden und rief Julia, sie möchte sie hinausfegen. Julia hatte die gleiche Gewohnheit wie die andern Gaglianer. Sie warf den Kehricht durch die Tür auf die Straße. Alle machen das so, und die Schweine sorgen für Reinlichkeit. Aber an diesem Abend sah ich, wie die Frau ein Häufchen aus diesem Abfall machte und es neben der Haustür im Haus liegen ließ. Ich fragte sie, warum sie das tue, denn es geschah bestimmt nicht aus irgendeinem hygienischen Bedenken. »Es ist schon Abend«, antwortete Julia. »Ich kann es nicht wegwerfen. Der Engel könnte das vielleicht übelnehmen.« Und sie erklärte es mir, erstaunt, daß ich es nicht wußte: »In der

Dämmerung steigen vom Himmel in jedes Haus drei Engel herab. Einer setzt sich an die Türe, einer kommt an den Tisch und der dritte an das Kopfende des Bettes. Sie bewachen das Haus und beschützen es. Weder Wölfe noch böse Geister können in der Nacht herein. Wenn ich den Kehricht durch die Türe werfen würde, könnte ich ihn vielleicht dem unsichtbaren Engel ins Gesicht werfen, und der Engel würde dann beleidigt sein und nicht mehr wiederkommen. Ich werde es morgen früh bei Sonnenaufgang wegschaffen, wenn der Engel schon wieder fort ist.«

In dieser von Geistern erfüllten Atmosphäre, in der Nacht von Engeln und während des Tages von der Hexenweisheit Julias beschützt, verbrachte ich meine Stunden. Ich behandelte Kranke, malte, las und schrieb in dieser von Geistern und Tieren bewohnten Einsamkeit. Es gelang mir, mich von den Treibereien und Leidenschaften der Signori so fern wie möglich zu halten, da ich fast den ganzen Tag zu Hause blieb. Ich traf sie jedoch stets am Morgen, wenn ich aufs Gemeindehaus mußte, um mich einzutragen, und unter dem Balkon der Schule vorbeiging, auf dem Don Luigino mit dem Stöckchen in der Hand rauchte, sowie nach dem Mittagessen, wenn ich Doktor Milillo zum Kaffee besuchte, und vor allem abends bei der allgemeinen Versammlung in Erwartung der Post und der Zeitungen. Auch der Oktober war mit immer gleichen Tagen vorübergegangen: Regen und erste Kälte hatten eingesetzt; aber in der Landschaft war trotzdem kein Grün erschienen, sie war sich in ihrer weißlich-gelben Blässe ganz gleich geblieben. An schönen Tagen ging ich oft aus, um zu malen; vor allem aber arbeitete ich zu Hause im Studierzimmer und auf der Terrasse. Ich malte viele Stilleben und ließ oft die Kinder, die sich angewöhnt hatten, mich zu besuchen und den ganzen Tag durchs Haus liefen, Modell stehen. Ich hätte gerne auch Bildnisse von Bauern gemalt, aber die Männer hatten auf dem Feld zu tun, und die Frauen lehnten ab, so schmeichelhaft ihnen auch meine Anträge waren. Selbst Julia hatte nie Zeit, wenn ich sie bat, mir zu sitzen. Ich begriff, daß irgendein dunkler Grund vorhanden sein mußte, der es verhinderte. Julia sah mich als ihren Herrn an und schlug keine meiner Bitten ab; sie ergriff sogar oft mit äußerster Natürlichkeit die Initiative, um mir Dienste zu leisten, die zu verlangen es mir nie eingefallen wäre. Ich hatte mir aus Bari einen emaillierten Kübel kommen lassen, um darin zu baden; morgens trug ich ihn in mein Schlafzimmer, um mich darin zu waschen, wobei ich die Tür zur Küche, wo die Frau mit ihrem Kind ihren Obliegenheiten nachging, zumachte. Diese Angelegenheit erschien Julia sehr merkwürdig; eines Morgens öffnete sie die Tür, und ohne sich irgendwie an meiner Nacktheit zu stoßen, fragte sie, wie es möglich wäre, ein ordentliches Bad zu nehmen, wenn ich niemanden hätte, der mir den Rücken abseife und mir beim Abtrocknen helfe. Ich weiß nicht, ob sie vom Priester her an diesen Dienst gewöhnt oder ob es eine alte Tradition war, von homerischen Zeiten her, als die Frauen die Krieger wuschen und salbten; jedenfalls konnte ich es von da an nicht vermeiden, daß sie mir den Rücken abseifte und mich mit ihren rauhen und kräftigen Fingern massierte. Die Hexe wunderte sich auch, daß ich keine andern Liebesdienste von ihr verlangte. »Du bist gut gewachsen«, sagte sie mir, »dir fehlt nichts.« Aber sie bestand nicht weiter darauf und sagte auch nichts mehr, da sie in dieser Hinsicht an tierische Passivität gewöhnt war und meine Kälte, die ihre geheimnisvollen Gründe haben mußte, respektierte. Sie beschränkte sich höchstens darauf, meine Schönheit zu preisen: »Wie schön du bist«, sagte sie, »so schön dick.« Dick sein ist hier wie in den orientalischen Ländern das Hauptzeichen von Schönheit, vielleicht weil man, um dick zu werden, was den unterernährten Bauern unmöglich ist, ein mächtiger Herr sein muß. Julia war also bereit, mir jedweden Dienst zu erweisen, aber als ich sie bat, mir zu sitzen, weil ich ihr Porträt malen wollte, weigerte sie sich trotzdem, als verlange ich etwas Unmögliches. Da begriff ich, daß ihre Abneigung einen magischen Grund hatte, und sie selbst bestätigte es mir. Ein Porträt entzieht der dargestellten Person etwas, nämlich ihr Bild: und dadurch erlangt der Maler eine absolute Gewalt über den Menschen, der sein Modell war. Das ist der unbewußte Grund, der manche Menschen auch vor dem Photographiertwerden zurückscheuen läßt. Julia, die unmittelbar im Reich der Magie lebte, hatte vor meiner Malerei Angst, und zwar nicht so sehr, weil ich ihre gemalte Gestalt wie ein Wachsbild für irgendeine schlimme Zauberei zu ihrem Schaden hätte benützen können, sondern eben wegen des Einflusses und der Macht, die ich ausüben könnte, wenn ich von ihr ein Bild machen würde, in der selben Art, wie ich sie gewiß über Personen und Dinge und Bäume und Dörfer ausübte mit den Malereien, die ich täglich anfertigte. Ich begriff auch, daß ich, um diese magische Angst zu besiegen, eine stärkere Magie als die Furcht anwenden mußte, und das konnte nur eine unmittelbarere und höhere Macht, nämlich die Gewalt sein. Ich drohte also, sie zu schlagen und machte die entsprechende Geste und vielleicht auch etwas mehr als nur die Geste. Die Arme Julias waren übrigens gewiß nicht weniger kräftig als die meinen. Kaum sah und fühlte sie meine erhobenen Arme, da glitt über ihr Gesicht ein Schimmer von Glückseligkeit, und mit zufriedenem Lächeln zeigte sie ihr Wolfsgebiß. Wie ich vorausgesehen hatte, wünschte sie nichts Besseres, als durch überlegene Kraft beherrscht zu werden. Sie wurde auf einmal folgsam wie ein Lamm und stand mir geduldig Modell. Angesichts des undiskutierbaren Rechts des Stärkeren vergaß sie ihre begründete und natürliche Furchtsamkeit. So konnte ich sie malen mit ihrem schwarzen Schal, der ihr antikes, gelbes Schlangengesicht einrahmte. Ich malte auch ein großes Bild von ihr, liegend und mit dem Kind im Arm. Wenn es eine Mütterlichkeit ohne jede Sentimentalität gibt, so war das ihr Fall: eine körperliche und erdhafte Verbundenheit, ein bitteres und resigniertes Mitleid. Sie war wie ein windumwehter und vom Wasser zerfurchter Berg, aus dem sich ein kleiner grünerer und sanfterer Hügel erhebt. Julias Kind war rund, fett, sanft und freundlich. Es sprach noch wenig, und ich verstand kaum etwas von dem, was es stammelte, wenn es hinter Baron her durch mein Zimmer trottete. Mit Baron teilte es die trockenen Feigen, Brotschnitten und Süßigkeiten, die ich ihm schenkte: Nino stellte sich auf die Zehenspitzen und reckte das Händchen, so hoch er konnte, damit der Hund nicht heranreichen sollte; aber der war größer als er, und unter fröhlichem Hüpfen raubte er ihm spielend und vorsichtig, um ihm nicht weh zu tun, die Feigen aus der Hand. Wenn Baron sich auf dem Boden ausstreckte, legte sich Nino auf ihn, und sie spielten zusammen; dann schlief das Kind, müde vom Spiel, ein, und der Hund blieb unbeweglich unter ihm wie ein Kissen und wagte nicht einmal Atem zu holen, um es nicht zu wecken. So lagen sie stundenlang auf dem Fußboden der Küche. Trotz aller Beschäftigung und Arbeit vergingen die Tage in der elendesten Eintönigkeit in dieser Welt des Todes, ohne Zeit noch Liebe noch Freiheit. Eine einzige wirkliche Gegenwart wäre für mich tausendmal lebendiger gewesen als das unendliche Gewimmel unkörperlicher Geister, welche die Einsamkeit schwerer machen, dich anblicken und dir folgen. Die fortwährend wirkende Magie der Tiere und Dinge legte sich wie ein düsterer Zauber aufs Herz. Und um dich davon zu befreien, gibt es nur wieder andere Arten von Magie. Julia lehrte mich ihre Liebesformeln und -zauber. Aber besteht ein größerer Gegensatz zur freien Hingabe der Liebe als die Magie, die Ausdruck einer Macht ist? Es gab Formeln, um die Herzen anwesender Personen zu fesseln, und andre, um die Abwesenden zu binden. Eine, von der Julia versicherte, sie sei besonders wirksam, diente für Menschen jenseits der Gebirge und Meere in weiter Ferne und zog sie unwiderstehlich an, so daß sie alles andre verließen und, von Liebe getrieben, auf den Ruf hin zurückkehrten. Es war ein Gedicht, in dem den magischen Regeln gemäß schöne und ausdrucksvolle Verse mit unsinnig hexenhaften abwechselten. Es lautete:

> O Stern, von fern erblick ich dich,
> Und aus der Nähe grüß ich dich,
> Ich schlag dir ins Gesicht und spuck dir in den Mund.
> O Stern, laß ihn nicht sterben mir,
> Hilf, daß er wiederkehret
> Und immer bleibt bei mir.

Man muß es bei Nacht unter der Haustür sprechen und dabei den Stern ansehen, an den man sich wendet. Ich habe es manchmal versucht, aber es hat mir nichts genützt. Ich lehnte an der Tür, Baron lag zu meinen Füßen, und ich betrachtete die Sterne. Der Oktober war vergangen, und in der schwarzen Luft glänzten meine Geburtssterne, das kalte, leuchtende Gestirn des Schützen.

In dieser von Worten ohne Antwort gesättigten Stimmung eines Brachliegens aller Gefühle, in diese einsame, weltenweite Langeweile schneite plötzlich ein Brief der Polizei in Matera herein. Mir wurde erlaubt, auf ein paar Tage nach Grassano zu fahren, um dort einige Bilder fertig zu malen, unter der Bedingung, daß ich selbst Hin- und Rückreise für mich und die Carabinieri, die mich begleiten mußten, bezahlte. Es war die Antwort auf einen Antrag von mir, den ich mittlerweile vollständig vergessen hatte. Als man mich von einem Tag auf den andern nach Gagliano versetzt hatte, hatte ich telegraphisch in Matera gebeten, mir einen Aufschub von zehn Tagen zu bewilligen, um angefangene Bilder zu vollenden. Es war nur ein Vorwand; ich hatte gehofft, auf Grund dieser Verzögerung überhaupt endgültig in Grassano bleiben zu dürfen. Das Telegramm war unbeantwortet geblieben, und ich hatte abreisen müssen. Aber künstlerische Gründe hatten doch ein Gewicht in der Seele der Polizisten. Nach dreimonatigem Grübeln bekam ich nun ganz unerwartet und um so erfreulicher diese unverhofften Ferien.

Ich habe die Polizeibeamten in Matera, die sich mit uns beschäftigten, nie kennengelernt; aber es schienen keine bösen Menschen gewesen zu sein. In dieses gottverlassene Nest wurden gewiß nur alte, erfahrene, abgenutzte Polizeigäule geschickt, erfüllt von bourbonischem Skeptizismus, sicher keine jungen Enthusiasten. In diese alten Beamtengehirne war Gott sei dank noch nicht die Schulmeisterkultur gedrungen, die nach dem Idealismus der Volkshochschulen schmeckte und den hysterischen Eifer der jungen Leute beseelte, so daß sie sich einbildeten, der Staat mit seiner unbestrittenen eigenen Ethik sei eine Person, ungefähr so wie sie selber, mit einer der ihren gleichen persönlichen Moral, nach der sich alle zu richten hatten, mit ihrem kleinlichen Ehrgeiz, ihrem billigen Sadismus und Tugendstolz, dabei aber gleichzeitig für die Profanen unbegreiflich geheiligt und riesengroß. Wenn sie sich so mit ihrem Idol identifizierten, empfanden sie das gleiche körperliche Glücksgefühl wie beim Liebesakt. So etwa empfand Don Luigino; aber die guten Polizisten in Matera wußten vielleicht nur, daß es ein bewährter Brauch ist, alle Anträge drei Monate lang liegenzulassen. Don Luigino teilte mir die Nachricht mit dem wohlwollenden Lächeln eines Königs mit, der einem seiner Untertanen eine Gnade gewährt: Er war der Staat, und deshalb gehörte diese verspätete Großmut der Polizei auch ihm, und er war glücklich, daß er sich an diesem Tag als väterlicher Staat fühlen konnte. Aber in dieses Glück mischte sich auch ein klein wenig lokale Eifersucht und vielleicht auch noch ein anderes unbestimmtes, unbehagliches Gefühl, das die Genugtuung etwas beeinträchtigte. Warum schien ich so zufrieden zu sein, weggehen zu können, wenn auch nur für ein paar Tage? Zog ich etwa Grassano vor? Tatsache ist, daß Don Luigino zwar als Personifikation des Staates der Meinung war, die Konfinierten müßten möglichst schlecht behandelt werden und sollten sich ihres Aufenthaltes nicht freuen, aber als Einwohner und erster Bürger von Gagliano andererseits vorgab, es gehe ihnen hier besser, oder sie sollten doch so tun, als ginge es ihnen besser als an irgendeinem andern Ort der Provinz. Auf diese widerspruchsvolle und eifersüchtige Art fand in seiner Seele die erste und älteste Tugend dieses Landes, die Gastfreundschaft, ihren Platz; diese Gastlichkeit läßt die Bauern ihre Türen dem unbekannten Fremden öffnen und ihn einladen, ihr kärgliches Brot mit ihnen zu essen, ohne ihn auch nur nach seinem Namen zu fragen. Alle Orte hier streiten sich um die Palme, und alle sind stolz darauf, dem fremden Reisenden, der vielleicht ein unbekannter Gott ist, am freundlichsten und offensten zu begegnen. Wäre es nach Don Luigino gegangen, dann hätte ich mich über die Abreise nicht freuen dürfen. Und außerdem, war nicht vielleicht Gefahr vorhanden, daß ich von ihm schlecht spräche mit den dortigen Herren, die doch dem Herzen der allmächtigen Provinzhauptstadt so viel näher waren? Und wenn ich etwa nicht zurückkäme, wenn ich es durchsetzte, wiederum versetzt zu werden, wer würde ihn dann von seinen eingebildeten Leiden heilen? Und wer würde seinem Feind Gibilisco die Patienten entziehen, um ihn vor Wut ersticken zu lassen? Kurz, Don Luigino liebte mich auf seine Weise und so weit das überhaupt bei seinem trockenen und kindischen Gemüt möglich war, und meine Abreise tat ihm leid. Um ihn zu erheitern, mußte ich ihm sagen, daß ich mich nur auf die Fahrt freute, die für mich eine Abwechslung war, daß mich nur die Arbeit nach Grassano zog und ich außerordentlich gern wieder unter seine Obhut zurückkehren werde, sobald meine Bilder beendet seien. So fuhr ich denn am nächsten Morgen in der Frühe ab, mit einem großen

Packen Leinwandstücken, der tragbaren Staffelei, dem Farbkasten, Baron und den beiden mich begleitenden Carabinieri. Die Fahrt war mir bekannt; es war fast wie eine Reise um mein Zimmer, und im allgemeinen liebe ich es nicht, mich rückwärts zu wenden und an Orte zurückzukehren, wo ich früher gelebt habe. Aber meine Eindrücke in Grassano waren angenehm gewesen. Ich war nach Monaten vollkommener Einsamkeit dorthin gekommen; ich hatte dort zum erstenmal wieder die Sterne und den Mond, Pflanzen und Tiere und menschliche Gesichter gesehen; es hatte sich meinem Gedächtnis als ein Land der Freiheit eingeprägt. Lange Abgeschlossenheit bringt eine Loslösung der Sinne mit sich, die bei einigen zu einer Art von Heiligkeit werden kann; die Rückkehr in das gewöhnliche Leben hat immer etwas zu Schrilles und Schmerzliches, wie eine Genesung. Grassano in seinem Elend und seiner trostlosen Dürre, mit seiner Landschaft ohne Süße und Sinnlichkeit, seiner eintönigen Traurigkeit, war für eine solche Rückkehr der beste und am wenigsten verletzende Ort. Es war mir dort gut gegangen, und ich liebte es.

Mit welcher Freude sah ich an jenem Morgen vom Auto des Amerikaners aus, wie sich jenseits der Biegung hinter dem Friedhof das verbotene Land, der Abstieg zum Sauro und der Berg von Stigliano entfalteten. Und wie fröhlich hüpfte Baron umher, während wir an der Kreuzung am Flußufer auf das Postauto mit den vielen unbekannten Gesichtern warteten. Wie in einem rückwärts gedrehten Film erschienen nacheinander die Orte, die ich bei meiner ersten Fahrt gesehen hatte, wieder: Stigliano, Accettura, San Mauro Forte, die Autobushaltestellen, das Ein- und Aussteigen der Bauern und Frauen, der Wald und die von meiner Phantasie bevölkerten Häuser. Im Hintergrund tauchten endlich das breite, weiße Flußbett des Basento und das Stationshäuschen von Grassano auf. Hier fährt der Autobus weiter nach Grottole und Matera, und wir machten halt, um auf irgendein Transportmittel zu warten, das uns die achtzehn Kilometer über viele staubige Kehren hinauf nach dem Ort bringen sollte. Wir mußten lange warten; denn das Auto aus Grassano kommt erst später zur Ankunft des Zuges aus Tarent herunter, um etwaige Passagiere abzuholen. Ich betrachtete lange den Kiesgrund des Flusses, wo der Brückenbogen, den das Hochwasser vor vielen Jahren zerstört hatte, vergebens auf Wiederherstellung wartete. Vor mir erhob sich wie eine große, ungegliederte, kahle Erdwoge der Berg von Grassano, und auf seinem Gipfel erschien der Ort fast unwirklich wie eine Fata Morgana gegen den Himmel. Er wirkte noch irrealer und luftiger als an dem Tag, da ich ihn zum letztenmal gesehen hatte, weil die Häuser während meiner Abwesenheit alle frisch geweißt worden waren und jetzt, wie zusammengedrängte Schafe einer erschreckten Herde, die graugelbe Kuppe des Berges kaum zu berühren schienen.

Endlich hörten wir von fern die Hupe des Autos, sahen eine Staubwolke am Hang herabrollen, und bald darauf schwankte der Wagen über den Brettersteg, der über den Fluß geschlagen worden war, zum Bahnhof. Der Fahrer war der gleiche, der mich vor drei Monaten nach Gagliano begleitet hatte; er erkannte mich und Baron wieder und bewillkommnete uns als erster. Der Zug fuhr pfeifend ein und dampfte wieder ab, ohne daß ein einziger Reisender ein- oder ausgestiegen wäre. Wir mußten jetzt auf den nächsten Zug aus Neapel und Potenza warten, der bald eintreffen sollte, aber starke Verspätung hatte. Ich hatte keine Eile, und es machte mir nichts aus, noch im Tal unten zu bleiben, wo ich vielleicht nie mehr hinkommen würde, in der mittäglichen Stille auf und ab zu wandeln und mich auf die weißen Steine im breiten, ausgetrockneten Flußbett zu setzen, das sich oben und unten zwischen den Bergen verliert. Ich aß das Mittagsbrot, das ich mir mitgebracht hatte, und wartete. Nach einer Stunde erschien auch der ebenfalls leere Zug aus Neapel; wir bestiegen das Auto und machten uns an die Steigung. Auf der achtzehn Kilometer langen Strecke gibt es ein paar hundert Kehren, die sich ununterbrochen zwischen Erdwällen, Höhlenöffnungen und dürren Stoppelfeldern, auf denen der Wind große Staubwolken aufwirbelt, hindurchwinden. Auf der ganzen Fahrt trifft man auf keinen Baum, man schraubt sich ganz allmählich von allen Seiten zu dem fünfhundert Meter hoch liegenden Ort hinauf, wobei die Aussicht fast immer durch die Hügel der verbrannten Felder verstellt ist. Nun sind wir an einem klaffenden Spalt angelangt, der wie eine Wunde der Erde wirkt; um ihn zu überwinden, läuft die Straße in einer weiten Kurve. Das ist das Ludertal, das so heißt, weil man hier die Kadaver der an einer Krankheit verendeten, nicht eßbaren Tiere hinunterzuwerfen pflegt; ihre Knochen bleichen in der Tiefe. Wir sind jetzt in der Nähe des Ortes: Da liegt auf steilem Hang der Friedhof, ganz ohne Deckung, wie ein weißgetüpfeltes Taschentuch, das auf die Flanke des Berges zum Trocknen hingebreitet ist; da ist die Mündung des Pfades mit den hohen

Rosmarinhecken, wo ich in der ersten Zeit oft stundenlang allein saß, um zu lesen, bis plötzlich eine Ziege auftauchte und mich geheimnisvoll anblickte; dort steht der Baum, wo der alte Brigant vor siebzig Jahren den Carabiniere getötet hatte. Eine letzte Biegung, und da steht auf einem Erdhügelchen das große Holzkreuz mit dem Christus; noch eine letzte kurze Steigung, und die Straße drängt sich durch die Häuser. Mit lautem Hupen kommen wir endlich zwischen ausweichenden, sich an die Häuser drückenden Leuten vor der Tür des Gasthauses von Prisco an. Mich empfängt die dröhnende Stimme des Besitzers, der Frau und Kinder ruft: »Capità! Guagliò! Don Carlo ist wieder da!« Und da sind sie alle, aufgeregt, lebhaft, laut um mich herum. Eine höchst angenehme Familie. Er war ein Mann um die Fünfzig, kräftig, gewandt, immer beweglich, geschäftig und laut, mit kurz geschnittenen Haaren auf dem Rundschädel, flinken und schlauen Augen und schwarzen, vier Tage nicht rasierten Bartstoppeln, emsig in Geschäften mit fliegenden Händlern, in Geschäftsverbindung mit den Nachbarorten, voller Unternehmungsgeist und heiterer Tatkraft. Frau Prisco war ebenso ruhig und sanft, wie ihr Mann lärmend und barsch. Hochgewachsen, schön, schwarz gekleidet, mütterlich und gelassen in dem ununterbrochenen Getöse bereitete sie mir geröstetes Brot mit Öl, und ihre Stimme hörte man nicht. Der älteste Sohn, der »Capitano« (Hauptmann), der so genannt wurde, weil er alle Jungen des Ortes durch seine Schlauheit und Frühreife beherrschte und als Anführer anerkannt wurde, hinkte, war klein von Gestalt, etwa dreizehn oder vierzehn Jahre alt. Er hatte funkelnde, gleichzeitig sinnliche und sehr listige Augen in einem mageren und bleichen Gesicht, in dem der erste Flaum zu sprießen begann. Er begriff im Fluge alles, sprach sehr rasch und abgerissen oder durch Zeichen. Alle seine Altersgenossen beugten sich unter seinen Willen. Ich habe niemals einen Buben seines Alters so rasch etwas erfassen sehen, besonders wenn es sich um geschäftliche Dinge handelte, oder so behend im Addieren oder Dividieren. Keiner spielte »Scopa«* so blitzschnell wie er, so daß die Karten nicht einmal Zeit hatten, auf dem Tisch liegenzubleiben. Überall im Ort wurde er Capitano gerufen, überall tauchte sein schmales, behendes Körperchen mit dem hinkenden Schritt auf. Der jüngere Sohn war das gerade Gegenteil vom »Hauptmann«; er war aufgeschossen, schlank, schmachtend, mit großen Augen im sanften Gesicht und sprach

* Ein Kartenspiel.

nie; er schlug der Mutter nach, wie auch die kleinen Mädchen, die nach ihm kamen.

Ich war mit meiner Begrüßung der Familie Prisco noch nicht zu Ende, als Antonino Roselli, der Barbier, mit seinem Schwager Riccardo angelaufen kamen; sie hatten schon den Freunden meine Ankunft mitteilen lassen, und alle erschienen gleich darauf. Der junge brünette Antonino mit schwarzem Schnurrbart, seines Zeichens Barbier und Flötenspieler, träumte wie alle Grassaner davon, weit fort zu reisen. Er hoffte, als mein Sekretär mit mir ganz Europa zu durchstreifen. Er wollte mich rasieren, Leinwand, Farben und Pinsel zum Malen herrichten, Modelle aufstöbern, meine Bilder verkaufen, mir Flöte vorspielen, um mich in trüben Stunden zu erheitern, und mir beistehen, wenn ich erkrankte; kurz, er wollte noch den treuen Elias übertreffen, der Vittorio Alfieri auf seiner Fahrt über die Hochebenen Kastiliens begleitet hat. Vielleicht hätte ich gut daran getan, seinen Wunsch zu erfüllen; aber leider gehört auch das zu den tausend Möglichkeiten des Lebens, die ich aus Faulheit, Dummheit oder Unaufmerksamkeit nicht beim Schopf gepackt und ins Nichts habe versinken lassen. Er war wirklich ein sehr guter Kerl, vielleicht für meinen Geschmack ein bißchen zu sehr Barbier und zu sehr Flötenspieler, aber wahrhaft anhänglich und liebenswürdig. Als ich in den ersten Tagen nach meiner Ankunft aus Rom nach einem flüchtigen Besuch allein blieb, dachte sich Antonino, ich würde wohl traurig sein, und kam mit seinen Freunden, um mir zum Trost unter meinen Fenstern ein Ständchen zu bringen. Außer seiner Flöte gab es noch eine Geige und eine Gitarre, die melancholisch in der nächtlichen Stille erklangen. Riccardo war ein Matrose aus Venedig, den man zusammen mit allen andern Mitgliedern der Besatzung seines Schiffes, das auf der Linie nach Odessa fuhr, konfiniert hatte, weil bei der Ankunft in Triest an Bord russisches Propagandamaterial gefunden worden war. Er war groß, blond, von athletischem Aussehen und ein Meister im 400-Meter-Schwimmen, mit hellen, abwesenden Augen, die wie bei Vögeln fast an den Schläfen saßen. Bei der ersten Begegnung hatte ich sein Gesicht, das ich auf einem Bild von De Pisis gesehen hatte, sofort wieder erkannt. Riccardo fühlte sich wohl in Grassano und hatte dort geheiratet. Seine Frau war Maddalena, die Schwester des Antonino, und sie erwartete ein Kind. Sein Leben in der Familie verlief also nun mehr wie das eines Grassaners denn eines Konfinierten. Übrigens waren die Konfinierten in Grassano so gut wie frei; sie konnten in dem sehr großen Gemeindebezirk nach Gefallen umherwandern, und die Vorschrift, abends zu einer bestimmten Stunde heimzukehren, wurde ohne jede Strenge gehandhabt. Riccardo war ein sanfter, angenehmer Mensch, und ich hörte ihn gern seinen venezianischen Dialekt reden. Nach den beiden Schwägern erschienen bald ihre Freunde: Handwerker, Tischler, ein Schneider und ein paar Bauern.

In Grassano hatte ich viel weniger Bauern kennengelernt als in Gagliano, nicht allein deshalb, weil ich dort kürzere Zeit war und nicht den ärztlichen Beruf ausübte, sondern weil sie vielleicht noch geheimnisvoller und verschlossener sind. In Gagliano besitzen die meisten ein kleines Stückchen Land; in Grassano dagegen herrschen die Großgrundbesitzer, und die Bauern bearbeiten den Boden der andern. Das Elend ist unter beiden Bedingungen so ziemlich gleich; denn sowohl hier wie dort kann man es sich schwer schlimmer vorstellen. Die Bauern in Grassano leben vom Vorschuß auf die Ernte, und wenn deren Zeit kommt, gelingt es ihnen nur äußerst selten, ihre Schulden abzutragen, die so von Jahr zu Jahr anwachsen und sie immer mehr in das Netz der furchtbaren Armut verstricken. Die Bauern in Gagliano bearbeiten ihren eigenen Grund, ernten jedoch niemals genug, um sich zu ernähren und die Steuern zu bezahlen. Die wenigen, etwa in guten Jahren ersparten Lire gehen bei der ewigen Malaria für Ärzte und Medikamente drauf; deshalb sind die Bauern auch dauernd unterernährt und können niemals daran denken, irgend etwas zu ändern. Es gibt also keinen wirklichen Unterschied im Leben der einen und der andern. Aber während es in Gagliano nur Bauern und ein paar Herren gibt, besitzt Grassano, das ein großer Ort ist, eine zahlreiche Mittelklasse, die aus Handwerkern, hauptsächlich Tischlern, besteht. Ich habe mich oft gefragt, für wen eigentlich die vielen Tischlerwerkstätten im Ort arbeiteten; und sie hatten auch wirklich wenig zu tun und schlugen sich schwer durch. Das Vorhandensein dieser Mittelklasse gab dem Leben dort eine eigene Note. Die Handwerker standen den ganzen Tag unter der Tür ihrer Werkstätten, fast alle ohne Beschäftigung, aber alle mit prachtvollem amerikanischem Werkzeug. Die Bauern sah man nur beim Morgengrauen und in der Abenddämmerung, und sie wirkten noch viel ferner, wie eingeschlossen in ihre abseitige Welt.

Als guter Barbier und Nachrichtenblatt teilte mir Antonino

die Neuigkeiten Grassanos mit. Viel war es nicht: einige Amerikaner waren dem Beispiel dessen mit der Goldkette, von dem ich schon erzählt habe, gefolgt und nach New York ausgerissen; der Chef der Miliz war als einziger Freiwilliger des Ortes nach Afrika gegangen; diejenigen, die sich als Arbeiter gemeldet hatten, waren ebenso wie die in Gagliano nicht angenommen worden und beklagten sich; ein neuer Konfinierter war eingetroffen, ein Slowene aus Dalmatien, der alles machen konnte: kleine Schiffsmodelle und Wachsfigürchen. Meine plötzliche Versetzung vor drei Monaten war noch immer Gegenstand lebhafter Erörterungen: die Ortsparteien hatten sich, wie aller Ereignisse, auch dieses Vorgangs bemächtigt; die Gegner der Gruppe, welche die Macht in Händen hatten, klagten diese an, meine Versetzung durch eine Anzeige in Matera veranlaßt zu haben, weil ich mit einigen ihrer Feinde, wie Herrn Orlando und dem Tischler Lasala, verkehrt hatte; die andern drehten die Anklage um mit der Behauptung, eben die Gegner hätten anonyme Briefe geschrieben, um mich zu entfernen, nur um dann die andern dieser Handlung zu bezichtigen, die in den Augen der beiden sich bekämpfenden Parteien einen schweren Verstoß gegen die Regeln der traditionellen Grassaner Gastfreundschaft darstellte. In Wirklichkeit glaube ich, daß weder die einen noch die andern an meiner Versetzung schuld waren, doch war der Streit hitzig geworden und hatte dazu beigetragen, den jahrhundertealten Vorrat an Haß und an Ränken zu vermehren. Mich interessierten diese Dinge gar nicht; ich wollte nur die noch verbleibenden hellen Stunden ausnutzen, um ein wenig spazieren zu gehen und die mir lieb gewordenen Plätze wiederzusehen. Ich ging also in Begleitung all der jungen Leute aus. Von Gagliano kommend, erschien mir das geschwisterliche Elend von Grassano fast als Reichtum, und die größere Lebhaftigkeit der Menschen, ihre verschiedene Mundart mit den flinken apulischen Klängen erweckten beinah den Eindruck einer lebensvollen Stadt. Endlich sah ich wieder einmal Geschäfte, wenn es auch nur kümmerliche und schlecht mit Waren versorgte Lädchen waren. Es gab auch Stände von fliegenden Händlern auf dem Platz vor dem Palast des Barons Collefusco, wo Stoffe, Rasierklingen, Tonkrüge und Küchengerät verkauft wurden. Auch ein Bücherkarren war darunter, mit den gleichen Büchern, die ich in den Händen des »Capitano«, der Buben und Bauern hier gesehen hatte: die Könige von Frankreich, die Geschichte Konradins, das Leben der Briganten, Almanache und

Kalender. Weiter oben lag ein Café, ein richtiges Café mit Billard; auf einem Gestell aufgereiht standen kunstvolle alte Glasflaschen, wie sie von Sammlern sehr gesucht sind, auf denen eingeritzt die Gesichter von König Viktor Emanuel II., Garibaldi, der Königin Margherita oder nackte Frauen, die eine Kugel tragen oder auch eine Hand, die einen Revolver zückt, zu sehen waren. Aber innerhalb eines Raumes von zweihundert Schritten zwischen Priscos Gasthaus und dem Café erschöpft sich das ganze mondäne Leben Grassanos. Rechts und links, oben und unten gibt es nichts anderes als Sträßchen, Treppchen und Pfade zwischen den aufgereihten Bauernhütten. Diese sind noch armseliger und elender als die in Gagliano, mit noch kleineren Zimmern; es gibt keine Gärten an den Häusern, die aneinandergedrängt sind wie in tödlicher Gefahr. Noch zahlreicher als in Gagliano hüpfen hier Ziegen und Schafe durch die Straßen voller Kehricht; auch hier jagen sich halbnackte, bleiche, aufgedunsene Kinder im Schmutz herum. Die Frauen tragen keine Schleier und keine Tracht, aber auch hier sind ihre Gesichter erdfahl, verschlossen und tierhaft. Auch hier sind Geduld und Ergebung auf den Gesichtern der Menschen und der Öde der Landschaft eingegraben. Nur liegt dank der häufigeren Berührung mit der Außenwelt ein lebhafterer Wunsch, hinauszukommen, in der Luft, der allerdings doch immer wieder durch die Vergeblichkeit der Hoffnung enttäuscht wird.

Ich kletterte allein die bekannten Gäßchen hinauf und hinunter, bis ich die windumwehte Kirche auf der Höhe des Ortes erreichte, von wo aus der Blick den ganzen weiten Horizont umfaßt, der sich unendlich über die Grenzen Lukaniens ausdehnt. Hier lagen die Häuser des Ortes mit ihren gelblichen Dächern zu meinen Füßen und weiter der wellige, graue Abstieg am Berg bis zum Basento und gegenüber die Berge von Accettura, von den niedrigeren, die Ferrandina verbergen, bis zu dem Dolomitgebirge von Pietra Petrosa, hinter dem sich das Kiesbett des Flusses verliert. Überall sonst das große Meer formloser Erde und jenseits des Bilioso die Höhlen der Briganten und der Monachicchi und die von Irsina, das steil auf einem zackigen Hügel liegt. Ringsherum erschienen in weitester Ferne winzige Orte wie verlorene Segel auf diesem Meer, bis dort hinten, wo man eben noch Salandra und Banzi entdecken kann. Es ist schwer, sich in dieser Glut vorzustellen, daß dort einst wirklich einmal die frische Quelle vorhanden war, »klarer als Glas und würdig des Weines und des Böckleins«. Andere, weniger entfernte Ortschaften scheinen auf einen nahen Hafen zuzuschwimmen, bis hin nach Grottole, dort drüben, hinter der Kapelle des heiligen Antonius mit ihren beiden in der Einöde verlorenen Bäumen. Diese unendliche, eintönige, wellige Ebene wird seit ein paar Jahren mit Weizen bestellt, einem kümmerlichen Weizen, der nicht einmal den Samen, die Kosten und die Mühe wert ist. Als ich sie zum erstenmal im Sommer sah, war gerade Erntezeit. Der ganze Boden war überall gelb unter der Sonne, und nur der Klang ferner Dreschmaschinen zog seine Spur durch die Stille. Jetzt war alles grau, keine einzige Farbe störte die einsame Öde.

Ich blieb lange oben, bis es anfing, dunkel zu werden und ein paar Regentropfen fielen. Da stieg ich eilig zum Gasthaus hinunter. Dort waren schon eine Menge Leute versammelt, die essen wollten: durchziehende Fuhrleute, fliegende Händler und Pappone. Schon von der Straße her übertönte alle Stimmen das apulische Geheul Priscos und das neapolitanische Geschrei Pappones, die stets so taten, als stritten sie sich. Pappone war ein Obsthändler aus Bagnoli, der oft in Geschäften nach Grassano kam, wo es sehr gute Birnen gibt: ich hatte ihn während des Sommers kennengelernt. Er war sehr befreundet mit Prisco; die beiden pflegten sich als Zeichen ihrer Zuneigung zu beschimpfen. Pappone schrie ihm zu: »Du Scheißhaufen!«, und Prisco erwiderte: »Mit 'nem Fähnchen drauf, du Stinker!«, und nach diesem Anfang ging es auf dieselbe Weise lange weiter, mit drohenden Blicken, aber lachend. Pappone war ein ehemaliger Mönch, dick, rund, verfressen und auf seine Art sehr witzig. Er war besonders in der Kochkunst bewandert und schickte Frau Prisco vom Herd weg, um sich selbst die Fischsauce für die Makkaroni zu bereiten; er gab immer davon ab, und es war wirklich die beste, die ich je gekostet habe. Noch stärker war er in der Kunst, die verrücktesten Geschichten zu erzählen, die er mit einem großen Aufwand von Mimik begleitete. Leider waren aber seine Anekdoten derartig gesalzen, unanständig und mönchshaft, daß ich wirklich nicht eine einzige wiedergeben kann: nicht einmal die, welche er an jenem Abend bei Tisch zum besten gab, obwohl sie unter allen, welche ich von ihm gehört habe, die unschuldigste war.

Endlich konnte ich wieder in Gesellschaft essen, das machte mir Freude; es schien mir, ich sei wieder ein freier Mensch. Seit jener Zeit ist mir das Alleinessen so zuwider, daß ich sogar einen unbekannten Tischgenossen dem Alleinsein vorziehe.

Das sehr bescheidene Abendessen erschien mir als köstlich und die Geschichte von Pappone viel witziger als die berühmten, äußerst langweiligen Novellen von Firenzuola. Wir aßen, und Prisco leistete uns in Hemdsärmeln, dröhnend, beweglich und verschwitzt, die Arme auf dem Tisch, bei einem Glas Wein Gesellschaft. Da trat ein neuer Gast herein: ein Stoffhändler aus Brindisi, den ich bereits kannte. Er war ein riesengroßer Mann, sehr stark und sehr dick, mit einem Menschenfressergesicht, mächtiger Nase, großen Augen, wulstigen Lippen und Hängebacken, die er beim Essen mit viel Geräusch bewegte. Er aß mindestens soviel wie vier gewöhnliche Menschen, auch weil er sich auf diese einzige Abendmahlzeit beschränkte, nachdem er den ganzen Tag Ansprachen an die Frauen gehalten hatte, damit sie seine Stoffe kauften. Trotz seinen fürchterlichen Kinnladen, dem Schweiß, der über sein Gesicht strömte und dem ganzen, schreckenerregenden Aussehen eines häßlichen Riesen, war er ein freundlicher und fast ebenso witziger Mann wie sein Freund Pappone. So waren wir alle am Tisch unter großem Lärm sehr vergnügt.

Der Capitano, sein Bruder und ihr Freund Boccia, ein junger, infolge einer Kinderkrankheit etwas zurückgebliebener Mensch, der bei der Gemeinde angestellt war, saßen in einer Ecke des Zimmers und verschlangen eine alte Nummer der ›Sportzeitung‹. Der Menschenfresser aus Brindisi konnte diese Sportbegeisterung nicht leiden und griff mit seiner lauten Stimme den Capitano sofort direkt an: »Capità! Jetzt gibt's nichts anderes mehr als Sport! Den Krieg in Afrika und Sport! An etwas anderes denkt man nicht mehr. Aber was ist denn schon dieser Sport?« – Der Capitano suchte nach dem Gegenstoß. – »Carnera«, antwortete er, »ist Weltmeister«. Der Kaufmann fing so an zu lachen, daß die Gläser auf dem Tisch klirrten. »Euer Carnera«, sagte er, »ist wie Garibaldi«. Die Behauptung war so entschieden, daß der Capitano keine Erwiderung darauf fand, und so fuhr der Riese fort: »Das ist alles Betrug. Carnera hat gewonnen, weil es vorher so abgekartet war. Er ist wirklich eine Art von Garibaldi. Die Geschichte ändert sich nicht. In euren Schulbüchern steht eine Menge Unsinn, aber die Wahrheit sieht ganz anders aus. Als König Franceschiello aus Neapel fort mußte und sich nach Gaëta zurückzog, gingen Garibaldi und seine Freunde mit ihren roten Hemden froh und stolz und voller Mut zum Angriff gegen ihn vor. Von den Mauern Gaëtas schossen die Kanonen, aber sie wurden dadurch nicht eingeschüchtert: es sah aus, als gingen sie, mit Fanfaren und Fahnen an der Spitze, auf eine Hochzeit. Als König Franceschiello von Gaëta aus sah, daß seine Kanonenschüsse gar keinen Eindruck machten, dachte er: Die sind entweder verrückt, oder da steckt etwas Merkwürdiges dahinter. Jetzt will ich mal versuchen, einen Schuß abzugeben. Gesagt, getan. Er ließ eine schöne Kugel holen und damit eine Kanone laden, und dann schoß der König höchstselbst. Bum! Als sie nun die Kugel heransausen sahen, warteten Garibaldi und seine Rothemden keine zweite ab, sondern rannten alle davon. Denn die Schüsse vorher waren Schreckschüsse gewesen. Garibaldi hatte das wie Carnera vorher abgemacht. Als der König richtig schoß, sagte Garibaldi: »Hier in Gaëta klappt es nicht mehr. Los, Jungens, wir gehen nach Teano!« Und so ging er nach Teano.

Pappone, Prisco, die Fuhrleute, die Kaufleute, alle lachten: hier unten ist Garibaldi nicht beliebt; und damit war der Ruhm Carneras endgültig abgetan. Auch der Capitano mußte sich geschlagen geben, nur Boccia, den seine einstige Hirnhautentzündung etwas schwer von Begriff gemacht hatte, blieb unerschütterlich. Im Gemeindehaus hatten sie ihm eben wegen dieses Defektes den Posten gegeben, der darin bestand, Papiere in Ordnung zu halten und manchmal als Bote und Laufbursche zu dienen. Die Armen im Geiste sind hier sehr beliebt und werden von der Bevölkerung beschützt. Übrigens, wie es oft in solchen Fällen geht, wenn Boccia auch ein bißchen langsam begriff, so hatte er doch ein eisernes Gedächtnis, das sich allerdings auf die Gegenstände seiner beiden Hauptleidenschaften, Sport und Recht, beschränkte. Er wußte die Namen sämtlicher Mitglieder aller italienischen Fußballmannschaften der letzten Jahre auswendig und pflegte sie mir wie Litaneien aufzusagen mit Augen, die vor Vergnügen funkelten. Aber seine zweite Leidenschaft war noch heftiger. Das Recht, die Rechtsanwälte, die Gerichtsverhandlungen erfüllten ihn mit Begeisterung und Entzücken. Er wußte die Namen aller Rechtsanwälte der Provinz auswendig und ebenso Stellen aus ihren berühmtesten Prozeßreden; darin stand er übrigens nicht allein; denn die Liebe zur forensischen Redekunst ist hier stark verbreitet. Ein Fall, der sich vor zwei oder drei Jahren zugetragen hatte, war das wichtigste und beseligendste Ereignis seines Lebens. Wegen irgendeiner kleinen Grenzstreitigkeit war eine Abteilung des Bezirksgerichts beauftragt worden, in Grassano selbst eine Verhandlung abzuhalten, und dabei hatte der größte Rechtsanwalt von Matera, der berühmte Advokat Latronico, gesprochen. Diese Rede Latronicos wußte Boccia vollständig auswendig, und es verging kein Tag, an dem er sie nicht wiederholte und dabei voll Bewunderung auf die rührendsten Stellen hinwies: »Wölfe von Accettura, Hunde von San Mauro, Raben von Tricarico, Füchse von Grottoli und Kröten von Garaguso!« hatte Latronico in seiner Ansprache gesagt. Dem Boccia erschien das als der Gipfel aller Redekunst. »Kröten von Garaguso!« wiederholte er mit zerknirschtem oder emphatischem Ausdruck, je nach der augenblicklichen Laune – »genauso ist es, Kröten von Garaguso; denn sie leben nah am Wasser über dem Sumpf. Was für eine Rede!«

Bei Tisch gab es außer den Makkaroni mit der Sauce von Pappone einen mageren, würzigen, in dicke Stücke geschnittenen Schinken, der ganz anders schmeckte als unsere Schinken im Norden und den ich ausgezeichnet fand. Ich sprach mich bei Prisco lobend darüber aus, und er sagte mir, das sei Bergschinken, den er selbst bei den Bauern in den höchsten und entferntesten Dörfchen aussuchte. Es waren ganz kleine Schinken, die vier Lire das Kilo kosteten. Als ich Prisco erzählte, daß sie in der Stadt mindestens fünfmal soviel wert seien, witterte sein lebhafter Geist sofort ein gutes Geschäft. Er schlug mir vor, mit mir eine Gesellschaft für den Handel mit Schinken zu gründen, wenn ich Freunde hätte, die den Verkauf übernehmen könnten. Er würde den Einkauf besorgen, und ich sollte sie durch meine Korrespondenten verkaufen. Man könnte eine ganz nette Menge auftreiben und mit den Jahren vielleicht auch die Produktion vermehren. Ich habe gar keinen Geschäftssinn, und vielleicht gerade deshalb erschien mir der Vorschlag großartig. Ich antwortete, da wir eben von Garibaldi gesprochen hätten, könnte ich es wie er machen; er hatte unter ähnlichen Umständen angefangen, Kerzen zu verkaufen; zwischen Kerzen und Schinken ist der Unterschied schließlich nicht so groß. Vom Eifer der Neuheit getrieben, schrieb ich an einen Freund, einen Händler und Exporteur, der die verschiedensten Dinge in allen möglichen Ländern der Welt verkaufte. Nach einiger Zeit kam die Antwort, die Schinken interessierten ihn nicht, da sie trotz ihrer Güte so verschieden seien von denen, an die das Publikum gewöhnt ist, daß man eigens eine Verkaufsorganisation schaffen müßte, die in keinem Verhältnis zu der geringen Menge der Ware stehen würde; ich sollte lieber Ginster auftreiben, der in diesen Zeiten der Autarkie sehr gesucht war. Ginster ist die einzige Pflanze, die in diesen Wüsten überall in dürren Sträuchern wächst und den Ziegen als Futter dient. Aber meine Begeisterung für lukanischen Handel war inzwischen abgekühlt, und ich verfolgte die Sache nicht weiter.

Dieser erste gesellige Abend verging bei geschäftlichen Projekten, heiteren Geschichtchen und Kritik der garibaldinischen Geschichte im Fluge. Der Menschenfresser aus Brindisi zog sich zum Schlafen in sein kleines Lastauto zurück, um besser aufpassen zu können, daß ihm nachts seine Stoffe nicht gestohlen würden. Die Fuhrleute fuhren im Dunkeln nach Tricarico weiter, und Pappone und ich blieben als einzige Gäste von Prisco übrig; so konnten wir jeder ein Zimmer benutzen, ohne es mit andern teilen zu müssen. Ich wollte am nächsten Morgen früh aufstehen. Ich hatte mir vorgenommen, bis fast an den Basento hinunterzusteigen, um Grassano zu malen, so wie ich es von unten, vom Bahnhof gesehen hatte, hoch am Himmel wie eine Luftstadt. Als Antonio von meiner Absicht erfuhr, schlug er mir vor, mich zu begleiten; er erwartete mich in der Frühe am Tor mit einem Maultier zum Tragen der Leinwand und Staffelei und mit einer Gruppe von Freunden, die alle mitkommen wollten: Riccardo, Carmelo, der radfahrende Arbeiter der Monachicchi, ein Schreiner, ein Schneider, zwei Bauern und zwei oder drei Buben. Das Wetter war grau, der Wind wehte, aber es war zu hoffen, daß es nicht regnen würde. In diesem verschwommenen, kalten Licht des Wolkenhimmels erschienen die Dinge schärfer und vielleicht weniger traurig in ihrer Eintönigkeit als unter der grausamen Sonnenglut: ich zog dies Wetter für meine Bilder vor. Der jüngere Sohn Priscos schloß sich uns an. Der Capitano sagte uns von der Haustür aus Lebewohl; für sein lahmes Bein war der Weg zu weit. Mit Baron als hüpfender Stafette vorneweg begannen wir den Abstieg über den steilen Pfad, der den Kurven und Schleifen der Straße ausweicht und nach acht bis zehn Kilometern den Talgrund erreicht. Über den gleichen Weg und fast in derselben Gesellschaft war ich an einem Augusttag hinuntergeklettert, um im Basento zu baden. Es war an einer einsamen Stelle des Flusses, wo das Wasser eine Art von Teich bildet, umgeben von ein paar Pappeln, die sich merkwürdig wie aus einer andern Landschaft ausnehmen, als seien sie durch irgendeinen launischen Zufall hierhergeweht worden, um Wurzeln zu schlagen. Wir hatten uns alle in der ausgedörrten Luft der Hundstage ganz nackt in den Fluß geworfen. Meine Gefährten suchten mit den Händen nach Fischen, die in den Schlammlöchern am Uferrand standen, und fingen mit dieser primitiven Technik eine ganze Menge. Das Fischen in diesen Flüssen ist verboten, weil die Fische die Larven der Moskitos zerstören sollen, aber niemand kümmert sich um das Verbot; es gibt für die armen Leute in Grassano das ganze Jahr hindurch so wenig zu essen, daß ein Gericht Fische als eine Himmelsgabe erscheint.

Wir hatten uns dann beim Zirpen der Grillen und dem Summen der Mücken in der ausstrahlenden Hitze des Lehmbodens an der Sonne getrocknet. Heute war dagegen die Luft frisch: aber die Landschaft war nicht verändert; sie war nur vom Gelblichen ins Grau übergegangen. Wir kamen an eine Stelle, die mir für meine Arbeit geeignet erschien, und dort machte ich halt. Antonio blieb bei mir; er tat sich etwas zugute auf das Vorrecht, mir je nach Bedarf die Farbtuben reichen zu dürfen; ein Junge paßte auf das Maultier auf, das die Stoppeln abweidete. Die andern stiegen zum Fluß hinunter, in der Hoffnung auf einen wunderbaren Fischzug, und ich begann zu malen.

Von hier aus war die Landschaft denkbar unmalerisch, und eben deshalb gefiel sie mir sehr. Es gab keinen Baum, keine Hecke und keinen Felsen, der wie eine versteinte Gebärde wirkte. Hier unten fehlen die Gebärden ebenso wie die liebenswürdige Rhetorik der sprießenden Natur oder der menschlichen Arbeit. Nichts als eine gleichförmige Ebene verlassener Erde und oben der weiße Ort. Am grauen Himmel eine kleine, tief über den Häusern hängende Wolke in der undeutlichen Form einer Engelsgestalt.

Meine Gefährten kamen vom Fluß mit leeren Händen zurück. Sie umstanden mein Bild und wunderten sich, wie Grassano so aus dem Nichts entstand. Ich habe immer bemerkt, daß Bauern im allgemeinen fähig sind, Malerei zu sehen; sie besitzen nicht die hemmenden Vorurteile der Halbbildung, ich hatte die Gewohnheit, sie nach ihrer Meinung über das, was ich gemacht hatte, zu fragen. Während ich mit der Arbeit fortfuhr, zündeten meine Freunde ein Feuer an, um die mitgebrachten Vorräte zu wärmen; da saßen wir auf der Erde und betrachteten mein Bild auf der Staffelei, an die wir große Steine gebunden hatten, damit der Wind sie nicht wegwehte. Nach dem Essen fing es an zu regnen, und uns blieb nichts übrig, als zurückzukehren. Das Bild war inzwischen fast fertig geworden, wir wickelten es in ein Tuch, luden es auf den Maulesel und machten uns unter leichtem Regen auf den Weg.

Im Ort erwartete uns eine außerordentliche Neuigkeit: Eine Schauspielertruppe war auf einem Karren mit einem dürren Klepper eingetroffen. Sie wollte ein paar Tage bleiben und spielen; es sollte also Theatervorstellungen geben. Der mit einem Wachstuchzelt bedeckte Karren stand mit zusammengerollten Kulissen und Vorhang auf der Piazza. Die Schauspieler machten sich in seinem Umkreis zu schaffen und versuchten, in Bauernhäusern gastliche Aufnahme zu finden, um sich die Ausgaben in Priscos Gasthaus zu ersparen. Die Gesellschaft bestand aus einer Familie, dem Vater als Direktor, der Mutter als erster Schauspielerin, zwei noch nicht zwanzigjährigen Töchtern mit ihren Männern und ein paar andern Verwandten. Es waren Sizilianer. Der Schauspielleiter kam sofort zu Prisco, um sich etwas Warmes für seine Frau, die fieberte, geben zu lassen. Sie konnten an dem Abend nicht spielen, vielleicht nicht einmal morgen, doch wollten sie jedenfalls ein paar Tage bleiben. Er war ein Mann mittleren Alters, schon ein bißchen dick, mit hängenden Backen und einer sehr ausgeprägten Mimik, die wie eine Imitation von Zacconi* wirkte. Als er erfuhr, daß ich Maler war, sagte er mir, wie glücklich er sein würde, wenn ich ihm ein paar Kulissen, die er dringend brauchte, malen wollte. Seine Dekorationen waren durch das ewige Liegen auf dem Karren bei Regen und Sonnenschein fast auf nichts zusammengeschrumpft. Er erzählte mir, er habe auch in guten Schauspieltruppen gespielt, dann aber, um sich durchzuschlagen, mit Frau und Töchtern, die glänzende Schauspielerinnen seien, dies Wanderleben begonnen. Sie zogen durch die Städte Siziliens. Hier in Lukanien waren sie noch nie gewesen. Sie blieben in den größten und reichsten Orten verschieden lang, je nach den Einnahmen: aber man verdiente wenig, das Leben war schwer, eine seiner Töchter war schwanger und würde bald nicht mehr auftreten können. Ich sagte ihm, ich würde die Szenerien gern malen, aber wir suchten im Ort vergebens nach Leinwand oder Papier und den nötigen Farben, und so konnte ich zu meinem großen Bedauern nichts machen. Er lud mich jedoch zu der nach zwei

---

* Zacconi ist der älteste und berühmteste italienische Schauspieler. (Anmerkung der Übersetzerin.)

Tagen stattfindenden Vorstellung ein und stellte mir seine Truppe vor. In der Familie hatte nur der Vater das übliche Aussehen des alten Schauspielers; die Frauen waren keine Schauspielerinnen, sondern Göttinnen. Die Mutter und die beiden Töchter sahen sich ähnlich. Sie schienen wie aus der Erde emporgestiegen oder aus einer Wolke herabgesunken: ihre übergroßen schwarzen Augen waren dunkel und leer wie bei Statuen. Ihre Marmorgesichter, in die dichte schwarze Augenbrauen und ein roter fleischiger Mund eingeschnitten waren, saßen unbewegt auf dem weißen, kräftigen Hals. Die Mutter war groß und üppig mit der trägen Sinnlichkeit einer archaischen Juno; die schlanken, biegsamen Töchter erschienen wie Waldnymphen, die nur zu einer phantastischen Verkleidung in bunte Lumpen gehüllt waren.

Ich beeilte mich, zu den Carabinieri zu gehen, um mir die Erlaubnis zum abendlichen Ausgang und zum Besuch der Vorstellung zu holen. Doktor Zagarella, der Bürgermeister von Grassano, spielte im Gegensatz zu Don Luigino nicht gern den Polizisten und überließ die Konfinierten den Carabinieri. Er war ein ernst zu nehmender, gebildeter Arzt, und dank seiner und Doktor Garaguso, dem zweiten Arzt, der ein besonderes Ansehen genoß, war Grassano der einzige Ort in der Provinz, wo etwas im Kampf gegen die Malaria getan wurde, und zwar mit einigem Erfolg. Diese beiden Ärzte waren ein außergewöhnlicher Glücksfall in dieser Gegend, wo fast alle ihre Kollegen mehr oder minder den beiden Scharlatanen in Gagliano ähnelten. Eben deshalb hatte ich mir als einen Hauptzweck meiner Reise vorgenommen, sie aufzusuchen, um von ihrer besonderen Erfahrung Ratschläge zu empfangen.

Beide gaben mir sehr wertvolle Hinweise und zeigten mir ihre Statistiken. Seit einigen Jahren wurden in Grassano systematische Vorbeugungsmaßnahmen getroffen; ebenso sorgten sie einigermaßen für Trockenlegung der verseuchten Gewässer, obwohl sie praktisch keinerlei Unterstützung von den Provinzbehörden und ebensowenig Geldmittel erhielten. Die Fälle von Wechselfieber waren fast verschwunden, und in den letzten zwei Jahren waren neue Krankheitsfälle sehr viel seltener geworden. Die Malaria ist hier unten eine viel schlimmere Geißel, als man sich vorstellen kann; sie befällt alle und dauert, da sie schlecht behandelt wird, das ganze Leben lang. Die Arbeit wird dadurch behindert, die Rasse geschwächt und entkräftet, die kleinen Ersparnisse werden aufgezehrt: daraus entsteht die schlimmste Armut und hoffnungslose Sklaverei. Die Krankheit wird verursacht durch das Elend der Abholzung, der sich selbst überlassenen Flüsse, einer völlig ungepflegten Landwirtschaft, und erzeugt ihrerseits in einem tödlichen Kreislauf neues Elend. Um sie auszurotten, bedarf es gewaltiger Arbeiten: man müßte die vier großen Flüsse Lukaniens, den Bradano, den Basento, den Agri und den Sinni sowie die kleinen Gießbäche fassen; man müßte die Berghänge wieder aufforsten und überall tüchtige Ärzte einsetzen, Krankenhäuser gründen und Mittel zur Behandlung und Vorbeugung zur Verfügung stellen. Aber auch viel bescheidenere Maßnahmen könnten schon etwas helfen, wie mir Zagarella und Garaguso sagten. Nur kümmert sich keiner darum, und die Bauern werden weiter krank und sterben.

Das Wetter war herbstlich geworden. Es regnete an allen drei Tagen vor der Vorstellung, und ich konnte nicht zum Malen hinausgehen. Ich wanderte durch den Ort, besuchte meine Bekannten und arbeitete in meinem Zimmer. Prisco war auf der Jagd gewesen und mit drei Füchsen, von der roten einheimischen Art, und einem Flußvogel zurückgekommen. Ich malte den Vogel und die Füchse sowie ein Bildnis des »Capitano«. Während ich eines Tages die Füchse malte, unterbrach ich einen Augenblick die Arbeit und sah durchs Fenster auf die Straße. Es war um die Zeit der Siesta; im Gasthaus schliefen alle, und es war vollkommen still. Ich hörte ein Geräusch von nackten Füßen, die mit eiligen Schritten die Treppen hinunterjagten, und sah Prisco barfuß und in Hemdsärmeln mit einem großen Satz auf die Straße springen, wie ein Blitz in der Tür gegenüber verschwinden und mit einem Messer in der Hand wieder herauskommen, alles in vollkommener Stille. Ich öffnete das Fenster und hörte lautes Stimmengewirr. Gegenüber lag ein Schuppen, in dem sich die durchfahrenden Fuhrleute aufhielten. Prisco, der sich in seinem Zimmer ausruhte, aber immer nur mit einem Auge und mit gespannten Ohren zu schlafen pflegte, hatte gemerkt, daß etwas da drüben, wo die Fuhrleute Passatella spielten, nicht in Ordnung war. Er hatte etwas blitzen sehen und war, flink wie eine Katze, ohne sich die Schuhe anzuziehen oder zu sprechen, rechtzeitig genug gekommen, um demjenigen das Messer zu entreißen, der es schon zum Stoß erhoben hatte.

Die Passatella ist hier das verbreitetste Spiel: es ist das Spiel der Bauern. An Festtagen und langen Winterabenden treffen sie sich in den Weinschenken zum Spiel. Aber oft geht es schlecht aus, wenn auch nicht immer mit Messerstechereien wie an diesem Tag, so doch mit Streitigkeiten und Schlägereien. Die Passatella ist mehr noch als ein Spiel: ein Turnier bäuerlicher Beredsamkeit, bei dem in unendlichen Wechselreden sich aller heimliche Groll, aller Haß und alle unterdrückten Rachegefühle Luft machen. Durch ein kurzes Kartenspiel wird der Sieger bestimmt, der König der Passatella ist, und sein Adjutant. Der König ist Herr der Flasche, die alle bezahlt haben, und er füllt nach Willkür bald diesem, bald jenem das Glas und läßt einige nach Gefallen leer ausgehen. Der Adjutant bietet die Gläser an und hat ein Vetorecht: das heißt, er kann den, der gerade trinken will, daran hindern, das Glas an die Lippen zu setzen. Sowohl der König als auch der Adjutant müssen ihre Entscheidung und ihr Veto rechtfertigen, und sie tun es mit Rede und Gegenrede in langen Auseinandersetzungen, in denen Ironie und unterdrückte Leidenschaften abwechselnd zum Ausdruck kommen. Manchmal ist das Spiel unschuldig und beschränkt sich darauf, den ganzen Wein einem zuzusprechen, der ihn schlecht verträgt, oder gerade den leer ausgehen zu lassen, der besonders gern trinkt. Meistens aber enthüllen die vom König und dem Adjutanten angeführten Gründe Haß und Interessen, die mit der Bedächtigkeit, der Schlauheit, dem Mißtrauen und der tief eingewurzelten Überzeugung der Bauern zum Ausdruck gebracht werden. Passatella und Flaschen folgen stundenlang aufeinander, bis die Gesichter gerötet sind vom Wein, von der Hitze und dem Aufflackern der Leidenschaften, die durch Ironie verschärft und durch Trunkenheit schwerfälliger werden. Wenn der Streit nicht ausbricht, so steckt noch in allen die Bitterkeit über die gesagten Dinge und die erlittenen Beleidigungen. Prisco kannte diese einzige Unterhaltung der Bauern gut und paßte auf.

Als ich nach der Episode mit dem Messer mit dem Malen der Füchse fertig war, ging ich aus, um mir die Beine zu vertreten. Es hatte aufgehört zu regnen; die Luft war erfüllt vom Geruch des verbrannten Fleisches der »gnemurielli«*, die mitten auf der Straße über Kohlenbecken geröstet und für zwei Soldi das Stück verkauft wurden. Ich kletterte eine Treppe hinauf zur Höhe und erreichte das Haus, wo ich in den letzten Tagen vor meiner Abreise nach Gagliano gewohnt und mich endgültig einzurichten beabsichtigt hatte. Meine Wohnung bestand aus einem großen Zimmer mit zwei Fenstern im ersten Stock, das

* Siehe Seite 95.

mir eine neapolitanische Witwe vermietet hatte. Unten im Erdgeschoß war eine Tischlerwerkstatt. Die Frau des Tischlers, Margherita, besorgte mir das Haus und hatte mich sehr gern. Auch jetzt lief sie mir freudig entgegen, um mich zu begrüßen, als sie mich von weitem daherkommen sah: »Bist du zurückgekehrt? Bleibst du bei uns?« Sie war enttäuscht, als sie hörte, daß ich wieder abreisen mußte. Margherita war ein altes Weibchen mit einem dicken, knolligen Kropf, der ihren Hals entstellte, und einem sehr gütigen Gesicht. Sie wurde für eine der gescheitesten und gebildetsten Frauen des Ortes gehalten, denn sie hatte die Volksschule bis zur fünften Klasse besucht und erinnerte sich an alles, was sie gelernt hatte. Wenn sie auf mein Zimmer kam, wiederholte sie mir tatsächlich die Gedichte, die sie in ihrer lang zurückliegenden Schulzeit gelernt hatte: die Expedition von Sapri* und den Tod Irmingards**. Sie wiederholte sie, indem sie aufgerichtet, mit steif herabhängenden Armen, mitten im Zimmer stand und sie herunterleierte. Von Zeit zu Zeit unterbrach sie sich, um mir irgendein schwieriges Wort zu erklären. Margherita war anhänglich und freundlich. Sie sagte mir oft: »Sei nicht traurig darüber, daß deine Mutter so weit fort ist. Du hast eine Mutter verloren, aber eine andere gefunden. Ich werde deine Mutter sein.« Trotz ihrem Kropf hatte sie wirklich etwas Mütterliches. Ihre beiden schon erwachsenen Söhne waren verheiratet, der eine lebte in Amerika. Sie sprach immer von ihren Söhnen und zeigte mir die Photographien ihrer Enkelchen. Als ich aber eines Tages fragte, ob sie noch weitere Kinder gehabt hätte, fing sie an zu weinen in zärtlicher Erinnerung an ihr drittes, liebstes Kind; es war gestorben, und sie erzählte mir unter Tränen seine Geschichte. Dieses Kind war das schönste von allen gewesen; es war etwas über anderthalb Jahre alt und sprach schon gut, hatte schöne schwarze Löckchen und lebhafte Augen und verstand alles. Eines Tages im Winter, als es schneite, hatte Margherita es einer Gevatterin und Nachbarin anvertraut, die es mit aufs Feld nahm, als sie Holz sammeln ging. Am Abend kam die Bäuerin allein und verzweifelt zurück. Sie hatte das Bübchen, das kaum lief, ein paar Minuten allein gelassen, während sie am Waldrand Reisig sammelte; als sie jedoch zurückkam, war das Kind nicht mehr da. Sie war überall in der Nähe herumgestreift, hatte aber keine Spur

* Gedicht von Giovanni Berchet. (Anmerkung der Übersetzerin.)
** Szene aus ›Adelchi‹, von Alessandro Manzoni. (Anmerkung der Übersetzerin.)

von dem Kind gefunden. Sicherlich hatte ein Wolf oder ein anderes Waldtier es geholt, und man würde es nie mehr finden. Margherita mit ihrem Mann, sämtliche Bauern und die Carabinieri machten sich sofort auf und durchsuchten Feld und Wald Meter um Meter die ganze Nacht und die folgenden Tage hindurch; aber das Kind war nicht zu finden, und nach drei Tagen gab man die Streife auf. Am Morgen des vierten Tages begegnete Margherita, die trostlos und allein durch das Land irrte, an einer Biegung des Pfades einer großen und schönen Frau mit schwarzem Gesicht. Es war die Madonna von Viggiano. Sie sagte zu ihr: »Weine nicht, Margherita. Dein Kind lebt. Es ist dort hinten im Wald in einem Wolfsgraben. Geh nach Hause und hole Leute, und du wirst es finden.« Margherita rannte zurück und eilte dann, begleitet von den Bauern und den Carabinieri, an den von der Madonna bezeichneten Ort. Im Wolfsgraben, mitten im Schnee, lag, ruhig schlafend, das Kind, rosig und warm in all der Kälte. Die Mutter umarmte es und weckte es auf. Alle weinten, auch die Carabinieri. Das Bübchen erzählte, daß eine Frau mit schwarzem Gesicht gekommen wäre, es vier Tage bei sich behalten und ihm Milch gegeben hätte. Hier im Graben hätte sie es ganz warmgehalten. Als sie heimgekehrt waren, sagte Margherita zu ihrem Mann: »Dies Kind ist nicht wie die andern. Die Madonna hat ihm im Wolfsgraben Milch gegeben. Wer weiß, was aus ihm wird. Wir wollen nach Grottole zum Wahrsager gehen. In Grottole«, so erzählte Margherita, »lebte damals ein Wahrsager, der sehr gut prophezeite. Wir gingen zu ihm, bezahlten eine Lira, und er sagte uns alles, was geschehen war, als wäre er dabei gewesen. Aber dann verdunkelte sich sein Gesicht, und er sagte, das Kind würde mit sechs Jahren durch einen Fall von der Treppe sterben. Und leider war es auch so. Mit sechs Jahren fiel mein armes Bübchen eine Treppe hinunter und starb.« Margherita weinte.

Andere Kinder waren durch die Luft entführt und dann dank der Madonna wiedergefunden worden. Ein wenige Monate altes Kind verschwand und wurde später auf einem der beiden Bäume, die neben der Kapelle des heiligen Antonius stehen, etwa zehn Kilometer weit vom Ort, auf halbem Weg zwischen Grassano und Grottole, entdeckt. Ein Dämon hatte es dort hinaufgetragen, und der heilige Antonius hatte sich seiner angenommen. Aber das einzige Kind, dessen Familie ich kannte, war das der Margherita. Endlich kam der Abend der Vorstellung. Es hatte aufgehört zu regnen, und die Sterne leuchteten, als ich in den Ort hineinging. Es waren keine großen Räume oder Säle vorhanden, die für das Theater geeignet waren: so hatte man eine Art von Keller oder halbunterirdischer Grotte gewählt, wo auf den gestampften Lehmboden Schulbänke gestellt worden waren. Im Hintergrund war eine kleine, mit einem alten Vorhang abgeschlossene Bühne gezimmert. Der Raum war vollgepfropft mit Bauern, die mit neugierigem Staunen den Beginn des Schauspiels erwarteten. Man gab ›La Fiaccola sotto il Moggio‹ (Die Fackel unter dem Scheffel) von d'Annunzio. Ich war, angesichts dieses rhetorischen, von ungewandten Schauspielern vorgeführten Dramas, auf tödliche Langeweile gefaßt und erwartete, daß der Abend nur deshalb unterhaltend werden würde, weil es sich eben um eine Zerstreuung und etwas Neues handelte. Aber es kam ganz anders. Diese göttlichen Weiber mit den großen, leeren Augen und den Gebärden einer festgelegten, unbeweglichen Leidenschaft spielten wundervoll und wirkten auf der vier Schritte breiten Bühne riesenhaft. Die ganze Rhetorik, die gesuchte Sprache, die aufgeblasene Leerheit des Trauerspiels verschwanden, und es blieb von dem Drama d'Annunzios das, was es hätte werden können, aber nicht war, nämlich eine wilde Geschichte von Leidenschaften in der zeitlosen Erdenwelt. Zum erstenmal fand ich ein Werk des Abruzzeser Dichters schön und von allem Ästhetisieren frei. Ich merkte sofort, daß diese Art von Reinigung mehr noch als durch die Schauspieler durch das Publikum bewirkt wurde. Die Bauern nahmen den lebhaftesten Anteil an den Geschehnissen. Orte, Flüsse und Berge, von denen gesprochen wurde, waren nicht weit von hier. So waren sie ihnen bekannt, es waren Gegenden wie die ihren, und sie brachten in zustimmende Rufe aus, wenn sie die Namen nennen hörten; Geister und Dämonen, die in der Tragödie erscheinen und die man hinter den Geschehnissen spürt, sind die gleichen Geister und Dämonen, die hier in den Lehmhöhlen wohnen. Alles wurde natürlich, wurde vom Publikum in seine wahre Umgebung, in die verschlossene, verzweifelte und ausdruckslose Welt der Bauern übertragen. An diesem Abend, an dem die Tragödie durch Schauspieler und Publikum ihres ganzen d'Annunzianismus entkleidet wurde, blieb nur ein roher und elementarer Inhalt übrig, den die Bauern als ihren eigenen empfanden. Es war eine Illusion, aber sie offenbarte die Wahrheit. D'Annunzio war eigentlich einer der ihren: doch er war ein italienischer Literat, der sie verraten mußte. Er war von hier ausgegangen, von einer

Welt ohne Ausdruck, und hatte das gleißende Gewand der zeitgenössischen Dichtung, die nur Ausdruck, Sinnlichkeit und Zeitgeist ist, darüber breiten wollen. Er hatte damit diese Welt zu einem bloßen rhetorischen Werkzeug und diese Dichtkunst zum leeren sprachlichen Formalismus herabgewürdigt. Sein Versuch konnte nur zu einem Verrat und einem Bankrott werden. Aus dieser zweideutigen Mischung konnte nur ein Monstrum entstehen. Die sizilianischen Schauspieler und das Publikum schlugen den umgekehrten Weg ein; sie streiften das übergeworfene Gewand ab und fanden auf ihre Weise den bäuerlichen Kern, und dieser rührte und begeisterte sie. Die beiden in ästhetisierender Leere schlecht verschmolzenen Welten klafften wieder auseinander, weil ihre Berührung unmöglich ist, und hinter dem Schwall unnötiger Worte kamen für die Bauern wieder der wahre Tod und das wahre Schicksal zum Vorschein.

Am nächsten Tag wurde ich von Herrn Orlando, dem Bruder eines bekannten, in New York lebenden Journalisten, eingeladen. Es war ein großer, ernsthafter und melancholischer Mensch. Er lebte zurückgezogen in seinem kleinen Palast in einem abgelegenen Teil des Ortes, und als Gegner der augenblicklichen Machthaber hielt er sich soviel als möglich von allen lokalen Fragen fern. Ich hatte den Umschlag für ein Buch seines Bruders über Amerika gezeichnet; das gab den Vorwand für unsere Bekanntschaft, und er erwies mir viele Freundlichkeiten. Er lebte noch nach alter lukanischer Sitte; seine Frau aß bei Tisch nicht mit uns zusammen und ließ uns allein. Wir sprachen von den Bauern, der Malaria, der Landschaft und den verschiedenen Seiten der süditalienischen Frage. Ich hatte an jenem Tag einen Konfinierten gesehen, einen kleinen Turiner Buchhalter, der bei einem Syndikat angestellt gewesen und nach seiner Darstellung wegen skandalöser Unterschlagungen durch hohe faschistische Beamte bei der Syndikatskasse als Sündenbock hierher verschickt worden war. Er hatte auf einem der größten Güter des Landes Arbeit als Rechnungsführer gefunden und zeigte mir die Geschäftsbücher. Auf diesem großen Besitz wurde gemäß den Anordnungen der Regierung nur Weizen angebaut. In guten Jahren war trotz Dünger und Bearbeitung der Ertrag höchstens neunmal so groß wie die Aussaat; in den andern Jahren war die Ernte noch viel geringer; manchmal wurde nur drei-, viermal so viel wie die Aussaat erzielt. Es war also wirtschaftlich ein Wahnsinn, beim Weizen zu bleiben. Auf diesem Boden gedeihen nur Mandeln und Oliven, und vor allem müßten wieder Wälder und Weiden entstehen. Die Bauern erhielten Hungerlöhne. Ich erinnerte mich daran, wie ich am Tag meiner Ankunft mitten in der Ernte lange Reihen von Frauen mit Weizensäcken auf dem Kopf von den Feldern am Basentoufer die endlose Straße bis zum Ort heraufkeuchen sah wie Verdammte des Inferno unter der grausamen Sonne. Für jeden Sack, den sie heraufbrachten, bekamen sie eine Lira. Unten auf den Feldern herrschte Malaria. Aber, so stellten wir, Orlando und ich, fest, der Gemeinplatz, daß die einzige Ursache der Übel hier der Großgrundbesitz ist, und daß es genügen würde, die Güter aufzuteilen, um eine Wendung zum Bessern herbeizuführen, entspricht nicht der Wahrheit. Die Verhältnisse der kleinen Besitzer in Gagliano sind nicht etwa besser, eher schlechter als die der landlosen Bauern hier. Was ist unter den gegebenen Umständen zu tun: »Nichts«, meinte Orlando mit seiner tiefen, südlichen Schwermut, womit er das trostlose Wort des bedeutendsten und menschlichsten Denkers dieses Landes, Giustino Fortunato, wiederholte, der sich selbst gern den »Politiker des Nichts« nannte. Ich überlegte, wie oft am Tage ich dieses immer wiederkehrende Wort in allen Gesprächen mit den Bauern gehört hatte. »Ninte«, wie sie in Gagliano sagen. »Was hast du gegessen?« – »Nichts!« – »Auf was hoffst du?« – »Nichts!« – »Was könnte man tun?« – »Nichts!« – Immer das gleiche, und die Augen blicken mit dem Ausdruck der Verneinung zum Himmel auf. Das andere in Gesprächen immer wieder auftauchende Wort ist »crai«, das lateinische cras, morgen. Alles, worauf man wartet, was eintreffen, was getan oder geändert werden soll, ist crai. Aber crai bedeutet niemals.

Die Trostlosigkeit Orlandos ist die gleiche wie bei allen italienischen Südländern, die ernsthaft über die Probleme ihres Landes nachdenken. Sie stammt bei allen aus einem tiefeingewurzelten Minderwertigkeitsgefühl. Deshalb könnte man vielleicht sagen, daß es für sie unmöglich ist, ihr Land und seine Probleme vollständig zu begreifen, da sie, ohne es zu merken, von einem Vergleich ausgehen, den sie nicht oder zumindest erst hintendrein machen dürften. Wenn man die bäuerliche Kultur als minderwertig ansieht, dann wird alles zu einem Gefühl der Ohnmacht oder der Verbitterung; und Ohnmacht und Verbitterung haben noch nie etwas Lebendiges geschaffen.

Die wenigen Tage in Grassano verflogen so zwischen Malerei, Theater und Freunden im Nu, und ich mußte wieder abfahren. Eines Morgens in der Frühe, bei grauem, unsicherem Wetter, erwartete mich das Auto vor der Türe. Unter dem lärmenden Lebewohl von Prisco und seinen Söhnen und Antonino und Riccardo nahm ich Abschied von dem Ort, in den ich nie mehr zurückgekehrt bin.

Gagliano nahm mich wieder auf und schloß sich über mir, wie das grüne Wasser eines Sumpfes den Frosch verschluckt, der am Ufer verweilt hat, um sich an der Sonne zu trocknen. Es erschien mir noch abseitiger und einsamer als vorher, kein Ton aus der Außenwelt drang herein; hier erschienen weder Schauspieler noch Händler. Die Hexe erwartete mich mit ihrer großen, schwarzen, zeitlosen Gestalt wie gewöhnlich unter der Haustür. Don Luigino erwartete mich auf der Piazza und war froh, mich wieder unter der Fuchtel zu haben. Die Kranken erwarteten mich zahlreicher als vorher in ihren Häuschen, weil sie eine Woche lang sich selbst überlassen geblieben waren. Und wieder begann die Reihe der eintönigen Tage.

Es wurde recht kalt. Aus der Schlucht wehte der Wind in eisigen Strudeln herauf; er wehte fortwährend, als käme er von allen Seiten, drang bis auf die Knochen und verlor sich sausend in den Schlünden der Kamine. Nachts, allein in meinem Hause, lauschte ich ihm, seinem ununterbrochenen Schrei, seinem Heulen und Klagen, als ob sämtliche Geister der Erde zusammen ihre trostlose Gefangenschaft beweinten. Ein langer, starker, endloser Regen setzte ein. Der Ort war eingehüllt in weißlichen Nebel, der über den Tälern lagerte; die Kuppen der Berge ragten aus dieser weißlichen Masse hervor wie Inseln aus einem formlosen Meer von Langeweile. Der Lehm fing an zu schmelzen, langsam die Abhänge hinunterzufließen, hinabzurutschen, so daß sich graue Gießbäche aus Erde bildeten, in dieser sich auflösenden Welt. In meinem Zimmer hörte ich den metallischen Klang der Tropfen, die mit einem Prasseln wie auf eine gespannte Haut auf die Terrasse fielen; der tosende Wind pfiff die Begleitung dazu. Ich lag wie unter einem Wüstenzelt. Durch die Fenster drang ein düsteres, undeutliches Licht; die graubleichen Hügel schienen in schmerzlichem Schlaf zu liegen. Nur Baron lief lustig wie ein Kobold unterm Regen ins Freie, den Gerüchen der nassen Erde nachschnuppernd, und kam hüpfend und sein verregnetes Fell schüttelnd wieder zurück. Der heftige Gegenwind jagte den Rauch wieder durch den Kamin zurück in die Zimmer: einen scharfen, aromatisch duftenden Rauch von Ginster und Heidegestrüpp aus den Bündeln, die mir eine Bäuerin auf ihrem Esel aus dem Wald brachte. Ich mußte entweder frieren oder weinen. Mit brennenden Augen ließ ich die Stunden in dieser wässerigen Atmosphäre der Auflösung vorübergleiten. Dann kam der Schnee, die Hände der Frauen wurden rot vor Frost; über den weißen Schleiern erschienen die weiten schwarzen Wollumhänge. Eine noch unbeweglichere Starre, eine noch tiefere Stille als gewöhnlich schien sich auf die einsamen Hochflächen zu senken.

Eines Abends, als ein heftiger Wind ein paar Fetzen blauen Himmels reingefegt hatte, hörte ich die Trompete und das Trommelschlagen des Ausrufers; die merkwürdige Stimme des Totengräbers wiederholte vor jedem Haus auf der einen hohen schleppenden Note seinen Ruf: »Frauen, der Ferkelverschneider ist gekommen! Morgen früh um sieben, kommt alle zum Timbone della Fontana mit euren Ferkeln. Frauen, der Ferkelverschneider ist gekommen.« Am Morgen war unsicheres Wetter, der Schnee war fast geschmolzen: er lag nur hie und da an Stellen, wo ihn der Wind zusammengeweht hatte. Ich ging früh aus dem Haus und machte mich auf den Weg.

Der Timbone della Fontana war ein breiter, fast ebener Platz zwischen Lehmhügelchen nahe bei der alten Quelle, etwas abseits vom Ort rechts von der Kirche. Als ich hinkam, sah ich in dem noch grauen Licht schon eine große Menge Menschen. Fast alle jungen und alten Frauen waren dort, und viele hielten ihre Sau wie einen Hund an der Leine; die andern begleiteten sie und wohnten der Verschneidung bei. Weiße Schleier und schwarze Schals wehten im Wind, ein lautes Summen, ein Geräusch von Stimmen, Schreien, Lachen, Grunzen schwirrte in der schneidenden Luft. Die Weiber waren alle aufgeregt, rot im Gesicht, voll ängstlicher und leidenschaftlicher Erwartung. Die Jungen rannten hin und her, Hunde bellten, alles war in Bewegung. Mitten auf dem Timbone stand ein fast zwei Meter großer, kräftiger Mann mit glühendrotem Gesicht, roten Haaren, blauen Augen und dichtem, herabhängendem Schnurrbart, was ihn einem antiken Barbaren, einem Vercingetorix, der zufällig in dieses Land von dunklen Menschen hereingeschneit war, ähnlich machte. Das war der »Sanaporcelle«; sanare (eigentlich heilen) bedeutet hier die Ferkel kastrieren, diejenigen nämlich, die nicht zur Zucht verwendet werden, damit sie fetter werden und zarteres Fleisch bekommen. Das ist bei den männlichen Schweinen nicht schwierig, und die Bauern machen es selbst, solange die Tiere noch jung sind. Bei den Säuen muß man aber die Eierstöcke herausschneiden, und das erfordert einen richtigen chirurgischen Eingriff. Dieser Ritus wurde also von dem Sanaporcelle halb als Priester und halb als Chirurg ausgeführt. Es gibt nur sehr wenige: es ist eine seltene Kunst, die vom Vater auf den Sohn vererbt wird. Der, den ich sah, war ein berühmter Ferkelverschneider, Sohn und Enkel eines solchen; er wanderte zweimal im Jahre von Ort zu Ort, um sein Werk zu vollbringen. Er stand im Ruf, sehr geschickt zu sein; es geschah selten, daß ihm eine Sau nach der Operation starb. Aber die Weiber zitterten doch wegen der Gefahr und aus Liebe zu dem vertrauten Tier.

Der rote Mann stand hoch aufgerichtet, mächtig auf dem Platz und wetzte sein Messer. Er hielt eine große Matratzennadel im Mund, um die Hände freizubehalten, ein in dem Öhr steckender Bindfaden hing ihm auf die Brust herab, und er wartete auf das nächste Opfer. Die Frauen um ihn zögerten: jede stieß die Nachbarin oder Freundin vor, damit sie zuerst ihr Tier mit lauten Ausrufen und Flüchen heranbringe. Auch die Säue schienen zu wissen, welches Schicksal sie erwartete; sie stemmten sich mit den Beinen oder zogen an den Leinen, um zu fliehen, und schrien wie erschreckte Mädchen mit ihren beinah menschlichen Stimmen. Eine junge Frau kam mit ihrem Tier heran, und zwei Bauern, die als Gehilfen tätig waren, ergriffen sofort das rosa Schweinchen, das um sich schlug und vor Entsetzen schrie. Sie hielten es an den Beinchen fest, banden diese an Pflöcke, die in der Erde steckten, und legten es so hin, daß es mit dem Bauch nach oben lag. Die Sau heulte, die junge Frau bekreuzigte sich und rief unter dem teilnehmenden Gemurmel aller andern Frauen die Madonna von Viggiano an; und die Operation begann. Der Ferkelverschneider machte schnell wie der Wind mit einem gebogenen Messer einen Schnitt in die Seite des Tieres, einen sichern, tiefen Schnitt bis in die Höhlung des Unterleibs. Das Blut spritzte heraus und vermischte sich mit dem Schlamm und dem Schnee, aber der rote Mann verlor keine Zeit, er führte die Hand bis zum Handgelenk in die Wunde, ergriff den Eierstock und zog ihn heraus. Der Eierstock der Sau ist durch ein Band mit dem Darm verbunden. Nachdem er den linken Eierstock gefunden hatte, handelte es sich darum, auch den rechten herauszuziehen, ohne noch eine Wunde zu machen. Der Ferkelverschneider schnitt den ersten Eierstock nicht ab, sondern steckte ihn mit seiner dicken Nadel an die Haut des Schweinebauches. Nachdem er so sicher war, daß er ihm nicht wieder entgleiten konnte, fing er an, mit beiden Händen den Darm herauszuziehen und ihn wie eine Garnsträhne auseinanderzubreiten. Viele Meter von Eingeweiden kamen aus der Wunde, rosa, lila, graue mit blauen Adern und Flocken gelben Fettes an der Gedärmefetthaut: und immer noch mehr kam zum Vorschein, es schien überhaupt nicht aufzuhören. Bis endlich, am Darm angewachsen, der zweite, rechte Eierstock erschien. Den riß der Mann, ohne sein Messer zu gebrauchen, ebenso wie den andern, den er an der Haut befestigt hatte, ab und warf beide, ohne sich umzuwenden, seinen Hunden hin, vier riesigen, weißen Maremmenhunden mit großen, buschigen Schwänzen, blutunterlaufenen, wilden Augen und stachligen Halsbändern gegen den Biß der Wölfe. Die Hunde warteten auf den Wurf, fingen mit dem Maul die blutigen Eierstöcke auf und bückten sich dann, um das Blut vom Boden aufzulecken. Der Mann hielt keinen Moment inne. Nachdem er die Drüsen abgerissen hatte, stopfte er die Eingeweide Stück für Stück, mit den Fingern nachdrückend, in den Bauch zurück, und da sie wie ein Schlauch mit Luft gefüllt waren und keinen Platz finden wollten, preßte er sie mit Gewalt hinein. Als alles wieder an seinem Platz war, zog der Mann aus seinem Mund unter dem dichten Schnurrbart die eingefädelte Nadel hervor und vernähte die Wunde mit einem Stich und einem Chirurgenknoten. Die von ihren Fesseln befreite Sau blieb einen Augenblick wie unentschlossen liegen, dann richtete sie sich auf, schüttelte sich und rannte schreiend und von den Frauen verfolgt über den Platz, während ihre junge Besitzerin nach überstandener Angst in den Taschen unter dem Rock nach den zwei Liren suchte, die dem Ferkelverschneider gebührten. Die Operation hatte im ganzen drei bis vier Minuten gedauert, und schon war ein andres Tier von den Gehilfen gepackt und opferbereit mit dem Rücken auf die Erde gelegt worden. Die Szene von vorhin wiederholte sich; die Säue wurden, eine nach der andern, den ganzen Morgen lang ohne Unterbrechung kastriert. Das Wetter hatte sich ganz aufgehellt, mit starkem, kaltem Wind, der die Wolkenfetzen umherjagte. Der Blutgeruch hing in der Luft; die Hunde hatten allmählich genug von dem noch lebenden Fleisch. Erde und Schnee waren rot, die Stimmen der Frauen schrillten in den höchsten Tönen, die kastrierten und die noch zu kastrierenden Schweine schrien jedes Mal, wenn eins zu Boden geworfen wurde, antworteten einander und bemitleideten sich wie ein Chor von Klageweibern. Aber die Leute waren vergnügt: offenbar mußte kein Tier sterben. Es war schon Mittag. Der unfehlbare Sanaporcelle richtete sich hoch auf und erklärte, daß er die wenigen Tiere, die noch zu kastrieren waren, am Nachmittag erledigen würde. Die Frauen schickten sich an, mit ihren Tieren an der Leine fortzugehen und das Ereignis zu beschwatzen. Der von seinen Hunden begleitete Ferkelverschneider zählte das eingenommene Geld und ging dann zum Essen ins Haus der Witwe. Ich ging hinter ihm ebenfalls weg. Ein paar Tage lang wurde im Ort von nichts anderem geredet; man zitterte bei dem Gedanken an etwa eintretende Komplikationen, an denen ein paar der kastrierten Schweine eingehen könnten; aber alles war in Ordnung, die Herzen erheiterten sich, und die Angst verging. Der Ferkelverschneider war noch am gleichen Abend unter vielen Segenswünschen mit seinem roten Druidenpriester-Schnurrbart und seinem Opfermesser nach Stigliano weitergezogen.

Es wurde jetzt sehr früh Nacht; die Abende am knatternden, prasselnden, zischenden und rauchenden Feuer waren lang und traurig, während Baron beim Sausen des Windes und dem fernen Heulen der Wölfe die Ohren spitzte. Die Arbeit der Bauern verminderte sich immer mehr; bei schlechtem Wetter hatte es keinen Zweck, auf das Feld zu gehen; sie blieben zu Hause bei ihren spärlichen Feuern oder trafen sich in den Weingrotten und spielten endlos Passatella. Gott sei Dank liebte auch Don Luigino dies volkstümliche Redespiel leidenschaftlich: er steckte ganze Nachmittage im Keller zusammen mit dem andern Lehrer, dem Rechtsanwalt P., dem ewigen Bologneser Studenten und vier oder fünf andern Grundbesitzern; manchmal wurde auch, um demokratische Einstellung zu bekunden oder um mehr Spieler zu haben, der Gemeindewächter oder der amerikanische Barbier zugezogen. Don Luigino kam dann erst am späten Abend mit glänzenden Augen wieder heraus und hielt sich kaum auf den Beinen. So konnte man ohne Gefahr, ihm zu begegnen, sich auf den Platz wagen. Aber seit ein paar Tagen fehlte sein bester Spielkamerad, seine Exekutivgewalt, der notwendige und unzertrennliche Teilhaber seiner Macht. Der Carabinierifeldwebel hatte, nachdem er dem Vernehmen nach an die vierzigtausend Lire in diesem damit nur zu sehr ausgesogenen Ort zusammengescharrt hatte, seine Versetzung in reichere Gefilde beantragt.

Der neue Feldwebel war das Gegenteil des vorigen. Er war ganz jung, blauäugig, stammte aus Bari und machte einen knabenhaften Eindruck. Er kam gerade aus der Schule: dies war sein erster Dienst, und er oblag ihm mit ehrlichem Eifer, in der Überzeugung und mit dem Wunsch, der Gerechtigkeit zu dienen. Er war voller Idealismus und ganz uneigennützig, fühlte sich wirklich als Beschützer der Witwen und Waisen und merkte sehr bald, daß er in eine gemeine Wolfs- und Fuchshöhle geraten war. Als er innerhalb von ein paar Tagen alle Signori des Ortes kennengelernt hatte und sich über ihre Zwistigkeiten und Leidenschaften, ihren Haß gegen die Bauern und über das ganze Elend klar geworden war und begriffen hatte, daß er sehr wenig gegen dies Spinnennetz von Gewohnheit, Straflosigkeit und Resignation tun konnte, war sein junges Herz von Bitterkeit erfüllt. Er traf mich auf dem Platz und sah mich trostlos an. »Lieber Gott, Herr Doktor! Was für ein Ort!« sagte er mir. »Es gibt hier nur zwei anständige Leute: Sie und ich.« Ich tröstete ihn, so gut ich konnte: »Wir sind mehr als zwei, Herr Feldwebel. Übrigens hätten zwei Gerechte genügt, um Sodom und Gomorrha vor dem Zorn des Himmels zu retten. Aber hier gibt es unter den Bauern viele Gerechte, Sie werden sie nach und nach kennenlernen. Und dann ist doch auch Don Cosimino da.«

Don Cosimino stand hinter seinem Postschalter, ganz eingewickelt in eine Tunika aus schwarzer Leinwand, die seinen Buckel bedeckte, hörte den Gesprächen von allen zu, blickte umher mit seinen gescheiten und schwermütigen Augen und lächelte gütig und bitter. Er hatte sich aus eigenem Antrieb angewöhnt, mir und den andern Konfinierten die ankommende Post heimlich, bevor sie die Zensur passierte, auszuhändigen. »Es ist ein Brief da, Herr Doktor«, flüsterte er mir vom Schalter aus zu: »Kommen Sie später, wenn niemand mehr da ist.« Und er schob mir den Brief vorsichtshalber unter einer Zeitung hin. Er hätte unsere gesamte Post nehmen und sie nach Matera zur Zensur schicken sollen, von wo sie dann nach einer Woche zur Verteilung zurückkam. Dank Don Cosimino las ich die Postkarten sofort und gab sie ihm dann ohne weiteres zurück, damit er sie an die Zensur schickte; die Briefe nahm ich mit nach Hause, öffnete sie vorsichtig, und wenn die Operation geglückt war, ohne daß der Umschlag zerriß oder sonst Spuren blieben, brachte ich sie Don Cosimino am nächsten Tag zurück; so liefen wir nicht Gefahr, daß der Zensor sich über die wenige Arbeit wunderte. Niemand hatte diesen buckligen Engel um diese Gunst gebeten; er tat es spontan aus natürlicher Güte.

Anfangs nahm ich die Briefe beinah ungern, aus Furcht, ihn zu kompromittieren, er selbst steckte sie mir jedoch in die Hand und zwang mich mit einer Art von lächelnder Autorität, sie zu nehmen. Auch die abgehenden Briefe mußten über Matera zur Zensur geschickt werden; das bedeutete ebenfalls die Unannehmlichkeit einer sehr langen Verzögerung; und dabei konnte uns Don Cosimino mit allem guten Willen nicht helfen. In dieser Zeit trat bei der Zensur eine Änderung ein. Die Quästur, die vielleicht zuviel zu tun hatte, beauftragte den Bürgermeister mit der Kontrolle der abgehenden Post, was Ansehen und Ruhm Don Luiginos noch vermehrte. Statt die Briefe geschlossen Don Cosimino zu übergeben, der sie dann nach Matera schickte, mußte man sie jetzt offen dem Bürgermeister bringen, der sie las und es selbst übernahm, sie an den Bestimmungsort zu senden. Diese neue Einrichtung hätte die Beförderung beschleunigen können und war vielleicht auch eben deswegen eingeführt worden; aber das daraus entspringende Gute entschädigte nicht für die größere Unannehmlichkeit, am Ort selbst kontrolliert zu werden und seine eigenen und intimen Angelegenheiten einem neugierigen und kindischen Menschen, den man zehnmal am Tag auf der Straße traf, anvertrauen zu müssen. Don Luigino hätte sein Amt pro forma ausüben, einen Blick auf die Briefe werfen und sich ihrer rasch entledigen können. Aber darauf durfte man nicht hoffen. Die Postzensur war für ihn eine neue Ehre, ein neues unverhofftes Mittel, seinen latenten Sadismus und seine Kriminalromanphantasie zu befriedigen. In diesen Tagen war ein neuer Konfinierter eingetroffen: ein großer Ölhändler aus Genua, der nicht aus politischen Motiven, sondern vielmehr aus Geschäftsneid und Konkurrenzgründen hierher geschickt worden war. Ein alter, an bequemes Leben gewöhnter Mann, sehr herzkrank, ein anständiger Mensch, gleichzeitig praktisch und gefühlvoll, dem die Unannehmlichkeiten und das Fernsein von seiner Familie in der ersten Zeit wirklich schwer zusetzten. Er hatte von einem Augenblick zum andern seine ganzen vielfältigen und verwickelten Geschäfte im Stich lassen müssen und hatte daher eine unendliche Menge von Anordnungen zu treffen. Er schrieb also Briefe in der üblichen Art mit den gewöhnlichen, allgemein gebrauchten kaufmännischen Abkürzungen: Ihr gesch. Schreiben v. 7. d. M. usw., und eine Unzahl von Ziffern, Daten, Nummern von Anweisungen und Fälligkeitsterminen. Es waren die unschuldigsten Briefe der Welt; aber Don Luigino kannte den Geschäftsstil nicht, und seine neue Autorität war ihm zu Kopf gestiegen. Er bildete sich sofort ein, daß die abgebrochenen Sätze und die Zahlen eine Geheimschrift seien, und nahm an, er sei einem höchst wichtigen Komplott auf der Spur. Er schickte die Briefe nicht ab und versuchte viele Tage lang vergeblich, sie zu entziffern, um ihre nicht vorhandene, verborgene Bedeutung zu entdecken, und ließ unterdessen den guten Ölhändler überwachen. Dann sandte er die Briefe an die Quästur in Matera; schließlich konnte er sich nicht mehr halten und machte dem alten Genuesen eine heftige Szene voller dunkler Drohungen. Erst nach vielen Tagen beruhigte er sich, aber ich glaube, er war nie ganz von der Grundlosigkeit seines Verdachtes überzeugt. Bei mir war die Geschichte ganz anders. Ich brachte ihm meine Briefe; Don Luigino nahm sie mit nach Hause und las sie aufmerksam. In den folgenden Tagen lobte er, so oft er mich traf, meine literarischen Fähigkeiten. »Wie gut Sie schreiben, Don Carlo. Sie sind ein richtiger Schriftsteller. Ich lese Ihre Briefe ganz langsam, das ist ein wirklicher Genuß. Den vor drei Tagen schreibe ich mir jetzt ab, das ist ein Meisterwerk.« Don Luigino schrieb sich alle meine Briefe ab, ich weiß nicht, ob wirklich aus Bewunderung für ihren Stil oder aus politischem Eifer oder aus beiden Gründen: jedenfalls erforderte diese Arbeit viel Zeit, und meine Briefe gingen nie ab.

Der Dezember rückte vor, es war wieder Schnee gefallen, die Felder lagen sich selbst überlassen im Schlaf, die Bauern blieben im Ort, und die Straßen waren ungewöhnlich belebt. Beim Herabsinken des Abends hörte man im grauen Rauch der Kamine, der vom Wind bewegt und verweht wurde, auf den dunklen Straßen Flüstern, Geräusch von Schritten, Stimmen im Wechselgespräch, und die in Scharen herumstreifenden Kinder ließen die ersten rauhen Töne der »Cupi-Cupi« in die schwarze Luft ertönen. Das Cupo-Cupo ist ein primitives Instrument, bei dem über der obern Öffnung eines Kessels oder einer Blechschachtel eine Haut wie bei einer Trommel gespannt wird. In die Mitte der Haut steckt man ein Holzstöckchen. Reibt man dann mit der rechten Hand das Stöckchen von oben nach unten und von unten nach oben, dann erhält man einen tiefen, zitternden, dunklen Ton wie ein monotones Brummen. Alle Kinder fabrizierten sich in den letzten zwei Wochen vor Weihnachten ein Cupo-Cupo und zogen in Gruppen umher, wobei sie zu dieser einzigen Begleitnote eine Art von Klagelied mit einem einzigen Motiv sangen: lange, sinnlose Litaneien, die einer gewissen Grazie nicht entbehrten. Vor allem aber brachten sie vor den Türen der Herrenhäuser Ständchen und improvisierten Lobgessänge. Dafür mußten die Gepriesenen ein Geschenk geben, getrocknete Feigen, Eier, Brezeln oder etwas Geld. Kaum senkten sich die Schatten hernieder, begannen die immer gleichen Kehrreime. Die Luft war erfüllt von diesen kläglichen, schleppenden Tönen der Kinderstimmen zu der rhythmischen und grotesken Begleitung der Cupi-Cupi.

Ich hörte von weitem:

Da hab' ich gesungen zum Zeitvertreib,
Donna Caterina ist ein prächtiges Weib.
Begleit' mich, Cupille, zu meinem Gesang.

Da hab' ich gesungen, so laut als ich kann,
Doktor Milillo ist ein sehr weiser Mann.
Begleit' mich, Cupille, zu meinem Gesang.

Da hab' ich gesungen auf einem Baum,
Donna Maria ist schön wie ein Traum.
Begleit' mich, Cupille, zu meinem Gesang.

Und so ging es weiter vor allen Haustüren mit melancholischem
Gelärm. Sie kamen auch zu mir und sangen ein endloses Lied-
chen, das so aufhörte:

Da hab' ich gesungen auf einem Balkon,
Unser lieber Don Carlo, das ist ein Baron.
Begleit' mich, Cupille, zu meinem Gesang.

Diese armseligen Lieder und der Klang des Cupo-Cupo ertön-
ten in allen dunklen Gassen wie das Sausen des Meeres in der
Höhlung einer Muschel; sie erklangen unter den kalten winter-
lichen Sternen und erloschen in der weihnachtlichen Luft, die
voll war vom Duft der Pfannkuchen und von einer schwermütigen Festlichkeit. »Früher kamen um diese Zeit die Hirten in den
Ort«, erzählte mir Julia. »Sie spielten an Weihnachten in der
Kirche auf ihren Dudelsäcken ›Das Christkind ist gekommen‹.
Aber seit vielen Jahren haben sie ihren Weg geändert und kommen nicht mehr durch diese Gegend.« Es kam allerdings kurz
vor Weihnachten ein Hirte mit seinem Buben und dem Dudelsack, aber er blieb nur einen einzigen Tag, um Freunde zu
begrüßen, und ging nicht in die Kirche. Ich traf ihn im Haus
seiner Freunde bei der alten Rosano, der Mutter des Maurers,
der gleichen, die mich allein besucht hatte. Am Abend gab es
bei ihr gesellige Unterhaltung, und als ich auf der Straße vorbeiging, wurde ich eingeladen, einzutreten, Wein zu trinken und
Brezeln zu essen. Man hatte das Zimmer ausgeräumt, und etwa
zwanzig junge Bauern und Bäuerinnen tanzten bei dem kläglich-
chen Klang des Dudelsacks. Es war eine Art von Tarantella, die
Tänzer berührten sich nur mit den Fingerspitzen und drehten
sich in abgemessenem Hofieren im Kreis. Dann hielten alle ein,
und in die Mitte des Zimmers traten Hand in Hand ein junger
Bauer und seine Braut, die Tochter der Alten, ein großes stram-
mes Mädchen mit rosigem Gesicht, das ich oft, riesige Lasten
auf dem Kopf balancierend, durch die Straßen gehen sah. Ze-
mentsäcke, Säcke voller Ziegel und sogar lange, dicke Balken
trug sie, als wären es dünne Zweiglein, ohne sie je mit den
Händen zu stützen. Sie arbeitete für ihren Bruder, den Maurer.
Alle schwiegen und guckten zu, und der Dudelsack stimmte

eine neue, näselnde, schluchzende, blökende, tierhafte Tarantella an. Die beiden Verlobten hatten ein natürliches Gefühl für
den Tanz, als handelte es sich um ein Mysterienspiel. Sie begannen sich mit vorsichtigen Schritten einander zu nähern, wobei
sie sich oft den Rücken zukehrten, sich im Kreis drehten, ohne
sich zu begegnen, und unter abwehrenden und zurückweisen-
den Blicken und Gebärden rhythmisch den Takt traten. Dann
wurden die Schritte schneller, sie streiften sich im Vorübergehen, faßten sich bei den Händen und wirbelten wie Kreisel; bei
immer beschleunigterem Rhythmus wurden die Kreise enger,
bis sie sich bei ihren Sprüngen unter heftigem Zusammenprallen
der Hüften zu stoßen anfingen; endlich standen sie sich gegenüber und tanzten mit den Händen um ihre Leiber, als ob die
Pantomime des Liebesgeplänkels und der vorgetäuschten
Abwehr nun zu Ende wäre und jetzt der Liebestanz beginnen
sollte. Aber jetzt klatschten alle in die Hände, der Dudelsack
verstummte, und die schweratmenden Tänzer setzten sich mit
erhitzten Gesichtern und glänzenden Augen zu ihrer Gesellschaft. Die Weingläser gingen herum, man unterhielt sich noch
ein Weilchen beim flackernden Licht des Kaminfeuers, dann
brach der Dudelsackpfeifer auf. Soviel ich weiß, war das der
einzige Ball in Gagliano im ganzen Jahr, das ich dort verlebte.

So kam der Weihnachtsabend heran. Die verlassenen Äcker
lagen voller Schnee. Der Wind trug den düsteren Klang der
Glocke heran, der vom Himmel herabzusteigen schien. Gute
Wünsche und Segenssprüche regneten bei meinem Spaziergang
von den Schwellen auf mich hernieder. Die Kinder wanderten
in Gruppen zum letzten Almosensammeln mit dem Cupo-Cupo. Die Bauern und die Frauen gingen mit Geschenken in die
Herrenhäuser; es ist hier alter Brauch, daß die Armen den Reichen als Zeichen der Ergebenheit Gaben darbringen, die wie
etwas ganz Selbstverständliches angenommen und nicht erwidert werden. Auch ich bekam an diesem Tag Flaschen voll Öl
und Wein und Körbchen mit Feigen, und die Geber wunderten
sich, daß ich das nicht als schuldigen Zoll betrachtete, sondern
mich wehrte und, soweit ich konnte, irgendein Gegengeschenk
machte. Was für ein merkwürdiger Herr war ich doch, daß für
mich nicht die überlieferte Umkehrung der Legende von den
heiligen drei Königen galt und man zu mir mit leeren Händen
kommen durfte? Daß diese mächtigen Könige aus dem Orient
hinter dem Stern her wanderten, um ihre Reichtümer dem Zim-
mermannssohn zu bringen, war ein Zeichen des nahen Welten-

des. Aber hier, wohin Christus nicht gekommen war, hatte man auch die drei Könige nicht gesehen.

Don Luigino ließ uns Konfinierten großmütig mitteilen, daß wir an diesem Abend zum Zeichen des Festes bis spät außer Hause bleiben und, wenn wir wollten, auch an der Mitternachtsmesse teilnehmen dürften. Um punkt Mitternacht war ich vor der Kirche in der Menge der Bauern, Weiber und Signori, und wir vertraten uns die Füße im knirschenden Schnee. Der Himmel war klar, ein paar Sterne glänzten, das Christkind sollte geboren werden. Aber die Glocke läutete nicht, die Kirchentür blieb verriegelt, und von Don Trajella war keine Spur zu sehen. Wir warteten in immer größerer Ungeduld vor der versperrten Türe. Was war geschehen? War der Priester krank oder etwa, wie Don Luigino brüllte, betrunken? Schließlich entschloß sich der Bürgermeister, einen Jungen zum Haus des Pfarrers zu schicken, um ihn zu holen. Ein paar Minuten später sah man Don Trajella mit großen Schneestiefeln und einem langen Schlüssel in der Hand hinuntersteigen: Er näherte sich der Tür, murmelte ein paar Entschuldigungen wegen der Verspätung, drehte ein paarmal den Schlüssel herum, schlug die Tür auf und eilte zum Altar, um die Kerzen anzuzünden. Wir traten dann alle in die Kirche ein, und die Messe begann, eine dürftige, eilige Messe ohne Musik und ohne Gesang. Als sie zu Ende war, nach dem Ite missa est, schritt Don Trajella vom Altar hinunter, drängte sich durch die Bänke, auf denen wir saßen, und bestieg die Kanzel, um seine Predigt zu halten.

»Geliebte Brüder!« so begann er. »Geliebte Brüder! Ihr Brüder!« – und hier unterbrach er sich sofort und fing an, in all seinen Taschen zu suchen, wobei er zwischen den Zähnen unverständliche Worte murmelte. Er setzte die Brille auf, nahm sie wieder ab, setzte sie sich abermals auf die Nase, zog das Taschentuch hervor und trocknete sich den Schweiß ab, erhob die Augen zum Himmel, schlug sie wieder nieder, blickte auf seine Zuhörerschaft, kratzte sich als Zeichen der höchsten Verwirrung am Kopf, seufzte, stieß Ohs und Ahs aus, faltete die Hände und nahm sie wieder auseinander, murmelte ein Vaterunser und schwieg schließlich mit der Miene eines verzweifelten Menschen. Ein Murmeln durchlief die Menge. Was geschah? Don Luigino wurde rot im Gesicht und fing an zu kreischen: »Er ist betrunken! Am Weihnachtsabend!« – »Geliebte Brüder!« setzte Don Trajella wieder von der Kanzel her ein, »ich war hierher in seelsorgerischer Stimmung gekommen, um mit euch, die ihr meine geliebte Herde seid, aus Anlaß dieses heiligen Festes zu sprechen und euch mein Wort als liebevoller Hirte, als sollicitus et benignus et studiosus pastor, zu bringen. Ich hatte eine, in aller Demut sei es mir erlaubt zu sagen, wirklich wunderschöne Predigt vorbereitet. Ich hatte sie aufgeschrieben, um sie abzulesen, weil ich ein schlechtes Gedächtnis habe; ich hatte sie in die Tasche gesteckt, und jetzt finde ich sie leider nicht mehr. Ich habe sie verloren und erinnere mich an nichts mehr. Was soll ich tun? Was kann ich euch, meine Getreuen, sagen, die ihr meines Wortes harrt? Ach, die Worte fehlen mir!« – Und hier schwieg Don Trajella von neuem und blieb unbeweglich stehen, die Augen wie abwesend an die Decke geheftet. Unten auf den Bänken warteten die Bauern, unsicher und neugierig, aber Don Luigino hielt nicht mehr an sich, er sprang wütend auf: »Das ist ein Skandal, eine Profanation des Gotteshauses. Faschisten, her zu mir!« – Die Bauern wußten nicht, wen sie angucken sollten. Don Trajella kniete, als erwachte er aus einer Ekstase, nieder, und zu dem Holzkruzifix gewendet, das auf dem Rande der Kanzel angebracht war, sagte er, die Hände zum Beten gefaltet: »Jesus, lieber Jesus, hilf mir, o Herr! Befreie mich aus dieser üblen Lage, Jesus!« Und siehe da, als habe ihn die Gnade angerührt, sprang der Priester auf: mit raschem Griff faßte er ein zu Füßen des Kruzifixes verborgenes Blatt und rief: »O Wunder, Wunder! Jesus hat mich erhört! Jesus hat mir geholfen! Ich hatte meine Predigt verloren, und er hat mich etwas Besseres finden lassen! Was waren meine armen Worte schon wert? Hört statt dessen Worte, die aus der Ferne kommen!« Und er begann das am Kruzifix gefundene Blatt zu lesen. Aber Don Luigino hörte nicht auf ihn. Er hatte sich in einen Anfall kalter Wut und heiliger Entrüstung hineingesteigert und fuhr fort zu schreien: »Faschisten, her zu mir! Das ist ein Sakrileg! Betrunken in der Kirche in der Weihnachtsnacht! Her zu mir!« Und indem er sieben oder acht Balilla und Avanguardisten aus seiner Schule winkte, damit sie ihm folgten, stimmte er ›Schwarzes Gesichtchen, schöne Abessinierin‹ an.

Der Bürgermeister und die Buben sangen, aber Don Trajella schien sie nicht zu hören und fuhr mit seinem Vorlesen fort. Das wunderbare Blatt war ein Brief aus Abessinien von dem Gaglianer Sergeanten, der im Priesterseminar aufgezogen worden war und den alle kannten. – »Es ist das Wort eines der euren, eines Sohnes dieses Ortes, eines der liebsten Schäflein meiner Herde. Meine arme Predigt war im Vergleich damit nichts wert. Jesus, der mich den Brief hat finden lassen, hat das Wunder getan. Hört: ›Weihnachten naht sich, und meine Gedanken fliegen nach Gagliano zu allen Freunden und Gefährten, die ich mir vorstelle, wie sie in unserem kleinen Kirchlein versammelt sind, um die heilige Messe zu hören. Hier kämpfen wir, um unsere heilige Religion den ungläubigen Völkern zu bringen; wir kämpfen, um diese Heiden zum wahren Glauben zu bekehren, um ihnen Frieden und die ewige Seligkeit zu bringen‹ usw.« – In dem Stil ging es noch eine ganze Weile fort; es endete mit Grüßen an alle und besonders an viele im Ort, die er mit Namen aufzählte. Die Bauern hörten mit Vergnügen die überirdische afrikanische Botschaft. Don Trajella nahm dann von hier den Ausgangspunkt für seine Ansprache, indem er mit den Begriffen von Krieg und Frieden manövrierte. »Weihnachten ist das Friedensfest, und wir sind im Krieg. Aber, wie der Brief richtig sagt, dieser Krieg ist kein Krieg, sondern eine Friedensaktion für den Triumph des Kreuzes, das den einzigen wahren Frieden unter den Menschen bedeutet« und so fort. Die Predigt ging unter in einem Höllenlärm. Don Luigino und seine Jungen waren vom ›Schwarzen Gesichtchen‹ zur ›Giovinezza‹ übergegangen, und als sie damit fertig waren, hatten sie wieder ›Schwarzes Gesichtchen‹ angestimmt. Als sie sahen, daß die Bauern nicht mitmachten und der Priester, der so tat, als bemerke er den Lärm nicht, weitersprach, wendete sich der Bürgermeister zum Ausgang, indem er schrie: »'raus aus der Kirche! Dieser Raum ist profaniert! Faschisten, her zu mir!« und gefolgt von seinen Balilla und Avanguardisten und einigen seiner Freunde ging er hinaus und fing an, mit seinem Gefolge um die Kirche herumzuziehen und abwechselnd ›Schwarzes Gesichtchen‹ und ›Giovinezza‹ zu singen, und das ging so weiter, solange die Predigt dauerte. Don Trajella ließ sich indessen nicht beirren; er war in der Kirche der einzige, der sich anscheinend nicht aus der Fassung bringen ließ: er hatte nur, anders als sonst, zwei rote Flecken auf den Backen in seinem totenbleichen Gesicht. – »Pax in terra hominibus bonae voluntatis, meine geliebten Kinder. Pax in terra, das ist die göttliche Botschaft, auf die wir in diesem Kriegsjahr mit besonderer Andacht und Zerknirschung lauschen müssen. Das göttliche Kind ist in eben dieser Stunde geboren worden, um dieses Wort des Friedens zu bringen. Pax in terra hominibus, und deshalb müssen wir uns läutern, um uns dessen würdig zu fühlen, wir müssen unser Gewissen prüfen und uns fragen, ob wir unsere Pflicht getan haben, um würdig zu sein, reinen Herzens das Wort Gottes zu hören. Ihr aber seid böse, seid Sünder, ihr kommt nie in die Kirche, macht keine Andachtsübungen, singt schlechte Lieder, flucht, laßt eure Kinder nicht taufen, beichtet nicht, geht nicht zum Abendmahl, habt keine Achtung vor den Dienern des Herrn, gebt nicht Gott, was Gottes ist, und deshalb senkt sich kein Friede auf euch. Pax in terra hominibus; ihr könnt kein Latein. Was heißt das, pax in terra hominibus? Es bedeutet, daß ihr heute am Weihnachtstag eurem Pfarrer nach altem Brauch ein Zicklein als Gabe hättet bringen müssen. Ihr aber habt das nicht getan; denn ihr seid Ungläubige, und weil ihr nicht bonae voluntatis, nicht guten Willens seid, erhaltet ihr keinen Frieden und keinen Segen des Herrn. Überlegt es euch also, bringt eurem Pfarrer sein Zicklein, bezahlt ihm die Schulden für seine Ländereien, die noch vom vorigen Jahr anstehen, wenn ihr wollt, daß Gott barmherzig auf euch herabsieht, euch die Hand auf das Haupt legt und in eure Herzen Frieden gießt, wenn ihr wollt, daß der Friede wieder in die Welt zurückkehrt und der Krieg aufhört, der euch um das Schicksal eurer Lieben und eures teuren Vaterlandes zittern läßt.« – Und in dem Stil ging es weiter mit Witzchen, Ermahnungen und lateinischen Zitaten. ›Schwarzes Gesichtchen‹ klang es durch die Türe als Untermalung der Ansprache, während der Glöcknerjunge auf einen Wink des Priesters sich an die Glocke hing, um zu versuchen, die Lieder des Bürgermeisters mit seinem Totengeläut zu übertönen. Bei diesem Getöse kam unter allgemeiner Bestürzung die Predigt endlich zum Abschluß. Don Trajella stieg von der Kanzel herunter und ging, ohne nach rechts oder links zu blicken, hinaus, und wir alle folgten ihm. Draußen fuhr Don Luigino fort zu singen. Ein Bauer im schwarzen Mantel wartete mit einem gesattelten Maultier am Zügel. Er war aus Gaglianello gekommen, um den Priester abzuholen, der dort auch die Weihnachtsmesse lesen mußte. Don Trajella verschloß die Kirche, steckte den Schlüssel in die Tasche, kletterte mit Hilfe des Bauern auf das Maultier und ritt davon. Er hatte zwei Stunden Weges im Schnee auf einem Pfad zwischen Schluchten zurückzulegen. In Gaglianello wurde in diesem Jahre das Christkind um vier Uhr morgens geboren. Don Trajella wiederholte dort sein Wunder, und da es in diesem weltabgeschiedenen Weiler weder Bürgermeister noch Herren gab, ging alles herrlich ab, die Bauern waren von der Predigt begeistert, und der arme Priester wurde endlich einmal mit den gebührenden Ehren behandelt, bekam soviel Wein wie er wollte, betrank sich diesmal wirklich und kehrte erst drei Tage später nach Gagliano zurück. Ich, der ich mit den andern vor der Kirche geblieben war, machte mich eilig davon aus der Gesellschaft, die das Geschehene besprach. Alle Signori außer Doktor Milillo, der angeekelt über seinen Neffen den Kopf schüttelte, gaben dem Bürgermeister recht und beschlossen, den Priester bei den Behörden anzuzeigen. – »Endlich werden wir ihn los!« schrie Don Luigino mit seiner schrillen Stimme, »das ist eine gute Gelegenheit!« – Niemand wird je erfahren, ob Don Trajella das Wunder mit der eines Stendhal würdigen Inszenierung der Verspätung, des Verlustes seines Predigtmanuskriptes und seiner Bestürzung auf der Kanzel nur zum Zweck der Erbauung vorbereitet hatte, um durch diese rednerische List größeren Eindruck auf die Seelen der Zuhörer zu machen, oder ob er mit dieser List sich nicht auch über seine Feinde und vielleicht auch sich selbst lustig machen und sich auf Kosten der Menschen, die ihn haßten und von denen er sich verfolgt fühlte, unterhalten wollte. Bestimmt war er nicht berauscht, oder wenn er selbst ein bißchen mehr als gewöhnlich getrunken hatte, so hatte das doch seine Klarheit und Geistergegenwart nur erhöht. Aber Don Luigino war überzeugt, daß der Priester betrunken gewesen, daß er seine Predigt wirklich verloren hatte und daß das ganze ein Skandal war: das war das Verderben des armen alten Priesters. Am nächsten Morgen schon gingen trotz des Weihnachtsfests die Anzeigen ab: Briefe an den Präfekten, die Polizei und den Bischof. Nach einiger Zeit erschienen zwei vom Bischof gesandte Priester, um eine Untersuchung vorzunehmen. Ich glaube, alle, die befragt wurden, sagten gegen den Priester aus: nur ich versuchte, ihn zu entschuldigen, aber meine Stimme galt natürlich nichts. Und der Bischof beschloß, Don Trajella zu befehlen, an seinen eigentlichen Sitz nach Gaglianello zu ziehen, und verbot ihm, sich bei dem Wettbewerb um die Pfarrei in Gagliano zu beteiligen. Aber das geschah erst später.

Am Morgen war der Himmel grau, es war kalt, und die Bauern schliefen bis spät in den Tag hinein. Die Kamine rauchten mehr als gewöhnlich: vielleicht kochten ein paar Stückchen Fleisch in den Töpfen.

Es war das größte Fest des Jahres, ein froher Tag angeblichen Friedens und vorgetäuschten Reichtums. Vor allem aber war es ein Tag, an dem man Dinge sagen und tun konnte, die zu jeder andern Zeit des Jahres unmöglich waren. Julia kam in mein

Haus ganz und gar frisch hergerichtet mit einem Schal, aus dem sie die Flecken entfernt hatte, einem schön gebügelten Schleier, und auch das Kind war weniger zerlumpt als gewöhnlich und schleppte sich in den großen Stiefeln eines andern, ein paar Jahre älteren Jungen. Ich erwartete sie ungeduldig: sie wollte mir heute einen ganz besonderen, und zwar den wichtigsten Teil ihrer Hexenkunst, der nur an diesem Tage mitteilbar ist, beibringen. Julia hatte mich alle möglichen Zaubereien und magische Formeln gelehrt, die dazu dienten, Krankheiten zu heilen und Liebe zu erwecken. Sie hatte sich jedoch immer geweigert, mir den Todeszauber, durch den man Krankheiten und den Tod herbeirufen kann, zu verrraten. – »Nur an Weihnachten in größter Heimlichkeit und mit dem Schwur, sie niemandem zu wiederholen, außer an diesem einen Tag, der ein heiliger Tag ist. An allen andern Tagen des Jahres ist es eine Todsünde.« – Aber trotzdem mußte ich sie immer wieder bitten und darauf bestehen; denn im Grunde ist es auch an Weihnachten keine ganz unschuldige Sache. Ich mußte feierlich schwören, daß sie meiner Diskretion trauen könne und daß sich der Teufel nicht über uns lustig machen sollte. Endlich war sie bereit, mich in die furchtbaren Formeln einzuweihen, die, allein durch das Wort, einen Menschen allmählich in allen lebenswichtigen Teilen angreifen, ihn tödlich treffen, ihn austrocknen und ausdörren und ins Grab bringen. Soll ich hier ein paar der entsetzlichen Zaubersprüche wiederholen, die dem Leser in der heutigen Zeit so nützlich sein könnten? Leider geht das nicht; denn heute ist nicht Weihnachten, und ich bin durch einen Schwur gebunden.

Es kam das Ende des Jahres. Ich wollte dem Brauch gemäß bis Mitternacht aufbleiben. Ich saß allein in der Küche vor einem prasselnden, knisternden und sprühenden Feuer, während draußen ein Schneesturm heulte. Vor mir hatte ich ein Glas Wein, aber worauf sollte ich trinken? Meine Uhr war stehengeblieben, und kein Stundenschlag konnte mich von draußen erreichen und mir das Verrinnen der Zeit anzeigen, hier, wo die Zeit stillsteht. So ging in einem unbestimmten Augenblick das Jahr 1935 zu Ende, dieses unangenehme Jahr voller sehr berechtigter Langeweile, und es begann das Jahr 1936, das dem vorigen und allen vorhergehenden und allen nach ihm kommenden in ihrem gleichgültigen, unmenschlichen Lauf ganz gleichsah. Es begann mit einem düsteren Vorzeichen, mit einer Sonnenfinsternis.

Die Sonnenfinsternis war ein Zeichen des Himmels. Eine pestkranke Sonne blickte mit ihrem verschleierten Auge auf eine Welt, die ihren Auflösungskrieg begonnen hatte. Dahinter steckte eine Sünde: nicht allein der in jenen Tagen begangene Mord mit Giftgasen, über den die Bauern, die wissen, daß jede Schuld gebüßt werden muß, den Kopf schüttelten, sondern eine noch schlimmere Sünde, welche alle, Unschuldige wie Schuldige, bezahlen müssen. Die Sonne verfinsterte sich, um uns zu warnen. »Eine traurige Zukunft erwartet uns«, sagten alle.

Die Tage waren fahl und kalt; die Sonne ging bleich, wie mühsam, über den weißen Bergen auf. Wölfe näherten sich, von Hunger und Kälte getrieben, dem Ort. Baron spürte sie von weitem mit einem geheimnisvollen Sinn, wurde sehr unruhig und merkwürdig aufgeregt. Er lief knurrend, mit gesträubtem Fell durchs Haus und kratzte mit den Nägeln an der Tür, weil er hinaus wollte. Ich öffnete ihm, er verschwand in der Nacht, und ich sah ihn bis zum Morgen nicht wieder. Ich bin nie dahintergekommen, ob in seiner Erregung über die Wölfe Haß oder Schrecken oder nicht vielmehr Liebe und Verlangen lag, ob seine nächtlichen Streifzüge Jagden oder Zusammenkünfte mit uralten Freunden des Waldes waren. Jedenfalls wehte in diesen Nächten der Nordwind den Lärm der Meute und sonderbares Gebell von verschiedenen Stellen des Tales heran. Baron kam morgens müde, durchnäßt und mit Schlamm bedeckt zurück; Gott weiß, wo er gewesen war. Er streckte sich beim Feuer aus und blickte mich mit nur einem offenen Auge von unten herauf an.

Ein paar Wölfe liefen auch durch den Ort; man sah die Spuren am Morgen im Schnee. Ich selber sah eines Abends einen von meiner Terrasse aus: einen großen, dürren Hund, der plötzlich aus dem Dunkel auftauchte, einen Augenblick unter dem Licht einer im Wind schaukelnden Lampe stillstand, die Schnauze schnüffelnd in die Luft streckte und dann wieder mit langsamem, ruhigem Schritt im Dunkel verschwand.

Für Jäger war es eine gute Zeit. Einige machten sich auf, um hinter Accettura an Ebertreibjagden teilzunehmen; man behauptete, es gebe dort viele; aber in Gagliano wurde in diesem

Jahre keiner erlegt. Die meisten benutzten die Pause in der Feldbestellung, um in ihren Samtjacken mit schön geputztem Gewehr auf die Fuchs- und Hasenjagd zu gehen, und kamen oft mit voller Jagdtasche wieder. Aus dem Knochen des rechten Hasenhinterlaufes, aus dem man das Mark mit einem glühenden Eisen entfernt, macht man Zigarrenspitzen, welche die Alten mit religiöser Behutsamkeit rauchen, damit sie von der kalten Luft keine Sprünge bekommen, bis sie schön glänzend schwarz geworden sind. Ein alter Bauer, den ich von irgendeinem Leiden befreit hatte, schenkte mir seine Spitze, die eine ehrwürdige Farbe aufwies, da sie von ihm über zwanzig Jahre benutzt worden war. Als man im Ort erfuhr, daß mir das Geschenk Spaß gemacht hatte, wetteiferten alle darin, mir diese schon durchbohrten oder noch unbearbeiteten Knöchelchen zu schenken; und so begann auch ich sie mit Ausdauer zu bräunen, wenn ich meine jämmerlichen Romazigarren beim Auf- und Abgehen durch die Straßen rauchte.

Wegen des Schnees, der die Straßen verstopfte, kamen weder Zeitungen noch Briefe an: die Insel inmitten der Schluchten hatte jeden Kontakt mit der Welt verloren. Der Tageswechsel bestand einfach aus bedecktem Himmel oder Sonnenschein: das neue Jahr lag unbeweglich wie ein schlafender Baumstamm. In der Gleichheit der Stunden ist weder für Erinnerung noch für Hoffnung Raum; Vergangenheit und Zukunft sind wie zwei tote Tümpel. Das Morgen bis zum Ende aller Tage begann auch für mich zum vagen »crai« der Bauern zu werden, das, abseits von Geschichte und Zeit, aus leerer Geduld bestand. Wie doch manchmal die Sprache mit ihren Widersprüchen täuscht. In diesem zeitlosen Erdenwinkel besitzt der Dialekt reichere Nuancen für das Messen der Zeit als irgendeine andere Sprache; abgesehen von dem unbeweglichen ewigen »crai« hat jeder zukünftige Tag seinen eigenen Namen. Crai ist morgen und immer; aber übermorgen ist prescrai und der Tag danach prescrille. Dann kommt prescruflo, dann maruflo und maruflone, und der siebente Tag ist maruflicchio. Aber diese Genauigkeit der Ausdrucksweise hat vor allem einen ironischen Wert. Diese Worte benutzt man nicht so sehr, um diesen oder jenen Tag zu bezeichnen, sondern man zählt sie alle wie eine Liste auf, und schon der Klang allein ist grotesk; sie wirken wie ein Beweis der Zwecklosigkeit, in den ewigen Nebeln des »crai« Unterscheidungen zu machen. Jedenfalls begann auch ich, nichts mehr von den künftigen marufli oder marufloni oder maruflicchi zu erwarten. Nichts unterbrach die Einsamkeit meiner Abende in der verrauchten Küche, wenn nicht zuweilen der Besuch der diensttuenden Carabinieri, die sich der Form halber vergewisserten, daß ich vorhanden sei, und ein Glas Wein mit mir tranken. Der Hausherr hatte mich benachrichtigt, daß ich oft durch das Geräusch der Ölpresse gestört werden würde, die sich unter meinen Zimmern befand; der Eingang war vom Garten aus durch ein Seitentürchen neben den Stufen, die ins Haus führten. Die Presse sollte auch nachts arbeiten, hatte er mir gesagt. Wenn der alte Mühlstein, der von einem im Kreis laufenden Esel mit verbundenen Augen bewegt wurde, sich drehte, zitterte das Haus, und ein fortwährendes Dröhnen tönte durch den Fußboden. Aber die Olivenernte war in diesem Jahr so kümmerlich, daß die Presse im ganzen nur zwei oder drei Tage arbeitete und dann still und stumm wie vorher blieb, so daß meine Abende nicht mehr gestört wurden.

Ein einziges Mal kamen abends der Feldwebel und Rechtsanwalt P. zum Kartenspielen zu mir. Sie sagten, sie wüßten, wie allein ich sei, und nähmen an, ich würde gern ein bißchen Gesellschaft haben; sie hatten sich vorgenommen, oft zu kommen und nette Stunden mit mir zu verbringen. Ich zitterte bei dem Gedanken, daß die Sache zu einer täglichen Gewohnheit werden könnte, die mich zwingen würde, meine Zeit mit der törichten Leere des Kartenspiels hinzubringen: ich las und studierte damals viel lieber allein.

> To rede and dryve the night away
> For me thoughte it better play
> Then plyen either at chesse or tables.

Trotzdem wußte ich die freundliche Absicht zu schätzen, machte gute Miene zum bösen Spiel, und wir verbrachten den Abend mit einer endlosen Kartenpartie. Sie kamen aber nicht wieder. Don Luigino hatte sofort durch einen seiner Aufpasser von diesem Besuch erfahren. Mir sagte er nichts; er machte aber dem Feldwebel auf der Piazza eine fürchterliche Szene, wobei er ihn der Verbrüderung mit den Konfinierten bezichtigte und drohte, ihn anzuzeigen und versetzen zu lassen. So wagte niemand mehr, mich zu besuchen, außer den Kranken und den Bauern (die es ruhig tun durften, da sie doch eigentlich nicht als Menschen angesehen wurden). Nur Doktor Milillo kam, der gern seine Unabhängigkeit betonte und in seiner Eigenschaft als alter Onkel von dem Neffen auch nichts zu fürchten hatte.

So war ich also frei und konnte über meine Zeit verfügen. Erfreute ich mich auch nicht der Gesellschaft der Herren, so hatte ich dafür die der Kinder. Sehr viele jeden Alters klopften zu jeder Stunde des Tages an meine Haustür. Anfangs übte Baron, dies prachtvolle und kindliche Geschöpf, eine besonders starke Anziehungskraft auf sie aus. Dann machte ihnen meine Malerei Eindruck, und sie hörten nie auf, sich über die Bilder zu wundern, die wie durch Zauberei auf der Leinwand erschienen und die richtig ihre Häuser, ihre Hügel und die Gesichter der Bauern waren. Sie wurden meine Freunde, hatten freien Zutritt, standen Modell für meine Bilder und waren stolz darauf, daß ich sie malte. Sie fragten, wann ich zum Malen ins Freie ginge, und kamen dann in Scharen, um mich abzuholen. Es waren immer mindestens zwanzig, und alle sahen es als große Ehre an, mir den Malkasten, die Staffelei und die Leinwand tragen zu dürfen; sie stritten und schlugen sich um diese Ehre, bis ich wie ein unfehlbarer Gott eingriff, bestimmte und richtete. Der Auserwählte zog dann beflügelten Schrittes los mit dem Malkasten, dem schwersten und deshalb geschätztesten und erstrebtesten Gegenstand, stolz und glücklich wie ein Paladin. Einer, ein blasser Bub von acht bis zehn Jahren, Giovanni Fanelli, mit großen schwarzen Augen, einem langen, dünnen Hals, mit einer Haut so weiß wie die einer Frau, war ganz besonders begeistert für Malerei. Alle Kinder baten mich um die alten leeren Farbtuben und die alten haarlosen Pinsel, die ihnen für ihre Spiele dienten. Giovanni bekam auch seinen Anteil, benutzte ihn aber auf ganz andre Art: ohne mir etwas zu sagen, fing er ganz im geheimen an zu malen. Er paßte gespannt auf, was ich machte. Er sah, wie ich durch Auftragen der Grundfarbe die Leinwand vorbereitete und sie in den Rahmen spannte; diese Handlungen erschienen ihm, da ich sie ausführte, ebenso wichtig für die Kunst wie die Tatsache des Malens selbst. Er suchte sich also Holzstöckchen, und es gelang ihm, sie zusammenzufügen: Auf diese unsymmetrischen und unregelmäßigen Rahmen spannte er ein paar Fetzen eines alten Hemdes, das er irgendwo gefunden hatte, und schmierte darauf wer weiß was für einen Brei als Symbol für die Grundfarbe. Wenn er an diesem Punkt angelangt war, schien ihm das meiste schon geschafft zu sein. Mit Restchen aus den leeren Tuben, dem Gemisch auf meiner Palette und den gerupften Pinseln malte er auf seine

Leinwand, wobei er den Strich und die Art meiner Pinselführung nachzuahmen suchte. Er war ein schüchternes Kind, das leicht errötete und trotz des größten Verlangens nie gewagt hätte, mir seine Werke zu zeigen. Die andern erzählten mir davon, und ich sah sie mir an. Es waren weder die üblichen Kindermalereien noch Nachahmungen, sondern formlose Gebilde, Farbflecken, die eines gewissen Reizes nicht entbehrten. Ich weiß nicht, ob Giovanni Fanelli Maler geworden ist oder werden könnte: sicher aber habe ich niemals bei irgend jemand ein solches Vertrauen in eine Offenbarung gesehen, die durch die Arbeit selbst kommen sollte, und einen solchen Glauben, daß das Wiederholen der Technik wie eine Zauberformel oder ein Bearbeiten der Erde sei, die, wenn man sie nur pflügt und besät, schon ihre Früchte trägt.

Die Kinder, die gleichen, welche zu Weihnachten in Scharen beim Klang des Cupo-Cupo durch den Ort zogen oder denen man auf den Straßen begegnete, wo sie immer zur Flucht bereit waren wie Vogelschwärme, hatten keinen Anführer, wie es der »Capitano« in Grassano war. Sie waren lebhaft, gescheit und traurig. Fast immer hatten sie schlecht geflickte Lumpen an, alte Jacken älterer Geschwister, mit zu langen, an den Handgelenken aufgekrempelten Ärmeln; sie waren barfuß oder trugen große, durchlöcherte Männerstiefel. Alle waren bleich und gelb von Malaria, mager, mit aufmerksamen, schwarzen, leeren, ganz tiefen Augen. Alle Arten von Veranlagungen waren vertreten: naive und schlaue, unschuldige und boshafte, aber alle waren sehr beweglich und mit fiebrigen Augen, alle erregt von einem frühreifen Leben, das mit den Jahren im eintönigen Gefängnis der Zeit erlöschen sollte. Ich sah sie flink und still von allen Seiten auftauchen, erfüllt von gegenseitiger Kameradschaft und unausgesprochenen Wünschen. Alles, was ich besaß oder tat, erregte ihre leidenschaftliche Bewunderung. Die kleinsten Dinge, die ich fortwarf, bis auf leere Schachteln oder Papierfetzen, waren für sie Schätze, um die sie sich heftig balgten. Sie rannten, um mir ungefragt alle möglichen Dienste zu leisten: sie gingen aufs Feld und kamen am Abend wieder, um mir Bündelchen von wilden Spargeln oder fade, faserige Holzpilze zu bringen, die man hier in Ermangelung von Besserem als Nahrung verwendet. Sie machten weite Gänge bis nach Gaglianello und holten mir die bitteren Früchte wilder Orangen von dem einzigen Baum, den es in der ganzen Gegend dort oben gab, damit ich sie malen konnte. Sie waren meine Freunde, aber sehr schüchtern, zurückhaltend und mißtrauisch, an selbstverständliches Schweigen und das Verbergen ihrer Gedanken gewöhnt; sie tauchten in der fliehenden, geheimnisvollen, tierhaften Welt unter, in der sie lebten wie kleine, flinke, leichtfüßige Zicklein. Einer von ihnen, Giovannino, ein Bübchen, ganz weiß und schwarz, mit runden Augen im erstaunten Gesicht unter einem Männerhut, der Sohn eines Hirten, trennte sich niemals von seiner rötlichen Ziege mit gelben Augen, die ihm überall wie ein Hündchen folgte. Wenn er mit den andern Kindern in mein Haus kam, schlüpfte auch die Ziege Nennella mit in die Küche und schnupperte nach Salz. Baron hatte es gelernt, sie zu respektieren: Wenn es zum Malen losging, folgte Nennella hüpfend dem Kinderzug, während der Hund voraussprang und in seinem unaufhaltsamen Freiheitsdrang fröhlich bellte. Wenn wir haltmachten, guckte Giovannino der Arbeit zu, wobei er die Ziege umhalste, bis Nennella sich mit einem Ruck losriß und davonlief, um an einem Ginsterbusch zu knabbern. Ich schickte dann die Kinder fort, damit sie mich nicht störten; sie entfernten sich ungern und kamen am Abend wieder, wenn schon Mückenschwärme um mich herumsummten und die letzten, langen, rötlichen Sonnenstrahlen mich streiften, um das fertige Bild zu sehen und es im Triumph nach Hause zu tragen. Jetzt, wo Schnee die Erde bedeckte, waren diese Kinderzüge zu Ende; aber die Kinder besuchten mich im Haus, blieben und wärmten sich am Küchenfenster oder fragten mich, ob sie auf die Terrasse steigen und dort spielen dürften. Vor allem drei oder vier waren dauernd um mich herum. Der kleinste war der Sohn der Parroccola, die in einem Loch ein paar Meter von meinem Haus wohnte. Er war vielleicht fünf Jahre alt, mit einer Stumpfnase und einem fleischigen Mund im runden Dickkopf über einem schmalen Körperchen. Die Parroccola, seine Mutter, die so hieß, weil sie auch einen mächtigen dicken Kopf hatte, der sie dem Hirtenstab des »Parroco«, des Pfarrers, ähnlich machte, war eine der bäuerlichen Hexen des Ortes, die bescheidenste, häßlichste und gutmütigste von allen. Ihr großes Gesicht unter spärlichen Haaren, mit breiter, platter Nase, zwei riesigen, offenen Nüstern, einem verzerrten Mund und rauher, gelblicher Haut war unter dem Schleier wirklich fürchterlich garstig mit ihrem kleinen, plumpen, in Fetzen eingemummten Körper. Aber sie war eine brave Frau. Sie schlug sich als Wäscherin durch und schenkte, je nach Bedarf, in ihrem Bett, das groß war wie ein Dorfplatz, ihre Gunst irgendeinem Carabiniere oder sonst einem jungen Burschen. Ich sah sie alle Tage unter der Haustür mir gegenüber und sagte ihr im Scherz, sie gefiele mir und ich hoffe, sie würde mich nicht zurückweisen. Die Parroccola errötete vor Vergnügen, so weit sie bei ihrer rindenartigen Haut überhaupt rot werden konnte, und sagte zu mir: »Ich bin nicht gut genug für dich, Don Carlo. Ich bin ›zambra‹!« Die Parroccola war zambra, das heißt roh und bauernhaft, aber mit ihrem Menschenfressergesicht war sie doch freundlich. Das Bübchen war das einzige ihrer Kinder, das sie bei sich hatte, und es sah ihr ähnlich. Die andern waren tot oder in der Fremde.

Ein anderer meiner Getreuen war Michelino, ein zehnjähriger Junge, gierig, schlau und schwermütig, mit schwarzen Augen, deren Glanz durch das Erbe uralten Weinens getrübt war und die das wahre Abbild dieses verlassenen Landes zu sein schienen. Am meisten aber hingen die Schneiderkinder an mir, vor allem das kleinste, Tonino, ein winziges, flinkes, listiges und schüchternes Kerlchen mit einem kleinen, rasierten Kopf und scharfen Äugelchen wie Stecknadelköpfe. Der Vater, der sie sehr liebte, versuchte sie ein bißchen besser zu halten als die andern, aus Stolz darauf, daß er ein guter Handwerker, ein Schneider aus New York war. Doch was konnte er tun, da er in die Heimat zurückgekehrt und alles schief gegangen war und er nicht mehr Geld hatte als die Bauern? Seine Kinder wuchsen auf wie die andern, und er dachte beim Durchziehen des Zwirnes voll Bitterkeit daran, daß er keinerlei Hoffnung mehr hatte, sie zu etwas Besserem zu erziehen und daß er nicht einmal die Mittel besaß, ihre ewig geschwollenen Mandeln und ihre Drüsenwucherungen behandeln zu lassen. Und auch Tonino, der doch so munter wie ein Monachicchio war, trug in sich schon einen Widerschein der väterlichen Enttäuschung.

Alle diese Kinder hatten etwas Sonderbares an sich; etwas vom Tier und etwas vom Erwachsenen, als ob sie schon bei der Geburt fix und fertig ein Bündel von Geduld und dunklem Wissen um den Schmerz mitbekommen hätten. Ihre Spiele waren nicht die üblichen der Stadtkinder aus dem Volk, die sich überall gleichen; allein die Tiere waren ihre Gefährten. Sie waren verschlossen, konnten schweigen, und hinter der kindlichen Naivität steckte die Undurchdringlichkeit des Bauern, der unmöglichen Trost verachtet und die bäuerliche Scham, die wenigstens die Seele in einer schrecklichen Welt verteidigt. Sie waren im allgemeinen viel intelligenter und frühreifer als die

Stadtkinder ihres Alters: schnell im Erfassen, sehr lernbegierig und voller Bewunderung für die unbekannten Dinge der Welt draußen. Eines Tages sahen sie, wie ich schrieb, und fragten mich, ob ich es ihnen beibringen wollte; in der Schule lernten sie nichts bei der Methode der Stöckchen, der Zigarren, des Geschwätzes vom Balkon und der patriotischen Reden. Sie gingen alle zur Schule, der Unterricht war obligatorisch, aber bei diesen Lehrern kamen sie als Analphabeten wieder heraus. So gewöhnten sie sich aus eigenem Antrieb an, manchmal abends zum Schreiben in meine Küche zu kommen. Ich bedaure es, daß ich ihnen, aus natürlicher Abneigung gegen jeden unmittelbaren Unterricht, nicht mehr Zeit und Sorgfalt gewidmet habe; ein guter Lehrer hätte nirgends eine bessere, von einem fast unglaublichen Eifer beseelte Schülerschaft finden können.

Unerwartet und anachronistisch kam der Karneval heran. In Gagliano gibt es weder Feste noch Spiele, so daß ich seine Existenz vollständig vergessen hatte. Aber eines Tages wurde ich daran erinnert, als ich, während ich durch die Hauptstraße über den Platz hinauswanderte, im Hintergrund drei weiß gekleidete Gespenster auftauchen und blitzschnell heranlaufen sah. Sie kamen in großen Sprüngen und heulten wie wütende Tiere, wobei sie sich an ihrem eigenen Geschrei aufregten. Es waren bäuerliche Masken. Sie waren ganz weiß; auf dem Kopf trugen sie Mützen aus weißen Sweatern oder weißen Strümpfen, die auf einer Seite herabhingen und in denen weiße Federn steckten. Das Gesicht war mit Mehl bepudert; sie hatten weiße Hemden an, und auch die Schuhe waren weiß umhüllt. In der Hand trugen sie trockene, wie Stöcke zusammengerollte Schafhäute, die sie drohend schwenkten und womit sie alle, die nicht beizeiten auswichen, auf Kopf und Rücken schlugen. Sie wirkten wie losgelassene Dämonen, voll wilder Begeisterung für diesen einzigen Augenblick von Narrheit und Straflosigkeit, der in dieser tugendhaften Atmosphäre noch närrischer und unerwarteter wirkte. Ich erinnerte mich an die Johannisnacht in Rom, wenn die jungen Leute herumziehen und mit großen Knoblauchknollen schlagen; aber das ist eine Nacht froher, phallischer Gemeinschaft, voll vergnügten Unsinns vor Riesentellern voller Schnecken, mit Feuerwerk, Gesang, Tänzen und Liebeleien in der milden Wärme unter einem sommerlichen Himmel. Die Pritschenschläger in Gagliano waren dagegen allein und einsam in ihrer erzwungenen und düsteren Narrheit; sie suchten sich mit einem wilden, übertriebenen Zerrbild der Freiheit schadlos zu halten für ihre Mühen und ihre Sklaverei. Die drei weißen Gespenster schlugen unbarmherzig und ohne Unterschied auf alle, die in ihre Nähe kamen, los; denn dies eine Mal war es zwischen Herren und Bauern erlaubt; von Wut gepackt nahmen sie mit schrägen Sprüngen die ganze Straße ein, wie besessen schreiend und bei ihrem Hüpfen die weißen Federn schüttelnd wie unblutige Amokläufer oder Tänzer eines heiligen Schreckenstanzes. So flink, wie sie gekommen waren, verschwanden sie oben hinter der Kirche. Dann begannen die Kinder, mit schwarz verschmierten Gesichtern und Schnurrbärten, die mit angerußtem Kork gemalt waren, umherzulaufen. So hergerichtet, überfielen mich eines Tages etwa ihrer zwanzig, und als ich ihnen sagte, es wäre leicht, sie mit richtigen Masken zu verkleiden, baten sie mich darum. Ich machte mich also ans Werk und fabrizierte aus weißen Papierzylindern mit Löchern für die Augen jedem eine Maske, die viel größer als das Gesicht war und alles bedeckte. Warum weiß ich nicht, vielleicht in Erinnerung an die düsteren Bauernmasken, die ich gesehen hatte, vielleicht auch vom Ortsgeist, ohne es zu wollen, angesteckt, jedenfalls machte ich sie alle gleich, schwarz-weiß bemalt, und alle waren Totenköpfe mit schwarzen Höhlungen für Augen und Nase und lippenlosen Zähnen. Die Kinder waren nicht erschreckt, sondern höchst vergnügt, und beeilten sich, sie überzustülpen, setzten auch Baron eine auf und rannten davon in alle Häuser des Ortes. Es war inzwischen Abend geworden, und die zwanzig Gespenster kamen schreiend in die vom roten Kaminfeuer und schwankenden Öllämpchen nur spärlich erleuchteten Zimmer. Die Frauen flohen entsetzt; denn hier ist jedes Symbol wirklich, und die zwanzig Kinder waren an dem Abend in Wahrheit ein Triumph des Todes.

Die Tage begannen langsam länger zu werden; der Gang des Jahres hatte sich gewendet; der Schnee hatte seinen Platz dem Regen und heiteren Tagen abgetreten. Der Frühling war nicht mehr fern, und ich dachte, man sollte beizeiten, ehe die Sonne die Mücken wiederbringen würde, dafür sorgen, alles nur mögliche zu tun, um die Malaria zu bekämpfen. Auch mit den beschränkten Mitteln, über die man hier verfügte, konnte man schon allerhand erreichen. Man konnte sich an das Rote Kreuz wenden, um Pariser Grün zur Desinfizierung der wenigen stehenden Gewässer in der Nähe des Ortes zu erhalten; man konnte etwas tun, um die alte Quelle zu fassen; man konnte Vorräte von Chinin, Atebrin, Plasmochinin und Schokoladenkonfekt für die Kinder anlegen, um im Sommer keinen Mangel zu leiden, und so weiter. All das waren sehr einfache Dinge, die übrigens dem Gesetz nach zwangsläufig hätten getan werden müssen. Ich fing immer wieder an, mit dem Bürgermeister davon zu reden; aber ich mußte bald merken, daß Don Luigino zwar meine Pläne billigte, sich aber wohl hütete, irgend etwas zu tun. Um seine Verantwortung festzulegen, fiel mir ein, alles, was gemacht werden mußte, aufzuschreiben. Ich verfaßte also eine Art Denkschrift von ungefähr zwanzig Seiten mit den genauesten Einzelheiten, sowohl über alle von der Gemeinde auszuführenden Arbeiten als auch über die Dinge, die man in Rom anfordern sollte, und übergab sie dem Gemeindediener Magalone. Der Bürgermeister las die Denkschrift, erklärte, wie froh er darüber sei, belobte mich mit liebenswürdigem Lächeln und kündigte mir an, daß er am nächsten Tag nach Matera reisen müsse und die Schrift dem Präfekten, der uns helfen könne, zeigen wolle. Don Luigino fuhr nach Matera, und nach seiner Rückkehr kam er sofort zu mir, um mir zu sagen, daß Seine Exzellenz von meiner Arbeit begeistert sei und daß für alles, was ich zum Kampf gegen die Malaria verlangt hatte, gesorgt werden würde. Natürlich würde das auch für mich und alle andern Konfinierten günstig sein. Don Luigino strahlte und war stolz, mich bei sich zu haben. Es schien also alles in bester Ordnung.

Drei oder vier Tage nach der Rückkehr des Bürgermeisters

kam ein Telegramm von der Polizei in Matera, worin mir unter Androhung von Gefängnisstrafe verboten wurde, in Gagliano den ärztlichen Beruf auszuüben und mich überhaupt mit Medizin zu beschäftigen. Ich habe nie erfahren, ob dieses plötzliche Verbot das praktische Ergebnis meiner Denkschrift und meines übertriebenen Eifers war, wie viele Bauern annahmen – »wir sollen die Malaria behalten; wenn du sie vertreiben willst, schicken sie dich weg« –, ob es etwa auf die Machenschaften der Ortsärzte zurückging, wie andere glaubten, oder ob es nicht einfach auf die Furcht der Polizei zurückzuführen war, ich könnte zu populär werden, da mein Ruf als Wunderarzt sich immer weiter verbreitete und oft Kranke auch aus fernen Orten kamen, um mich zu Rate zu ziehen. Das Telegramm wurde mir abends von den Carabinieri zugestellt.

Am nächsten Morgen in der Dämmerung, als noch niemand im Ort von dem Verbot wußte, klopfte ein Reiter an meine Tür. »Komm sofort, Doktor«, sagte er. »Meinem Bruder geht's schlecht. Wir wohnen unten im Pantano, drei Stunden von hier. Ich habe ein Pferd bei mir.« Das Pantano ist eine weite, öde Zone gegen den Agri zu: dort liegt ein Pachthof, der einzige in der ganzen Gegend, wo die Bauern auf den Feldern weit entfernt vom Ort leben. Ich antwortete dem Mann, ich könne nicht kommen, da ich mich nicht vom Ort entferne und überdies nich einmal mehr den ärztlichen Beruf ausüben dürfe. Ich riet ihm, sich an Doktor Milillo oder Doktor Gibilisco zu wenden. – »An diese Scharlatane? Dann verzichte ich lieber.« – Er schüttelte den Kopf und ritt davon.

Ein eisiges Schneetreiben, untermischt mit Regen, setzte ein. Ich blieb den ganzen Morgen zu Hause, um einen Brief an die Polizeibehörde zu schreiben, worin ich gegen das Verbot protestierte, seine Aufhebung beantragte und verlangte, daß mir bis zum Erlaß neuer Verfügungen wenigstens bewilligt werde, weiter für die Kranken, die ich gerade in Behandlung hatte, zu sorgen. Auch bat ich, im Interesse der Bevölkerung mich weiter mit dem Kampf gegen die Malaria befassen zu dürfen. Auf diesen Brief erhielt ich niemals eine Antwort.

Als ich gegen zwei Uhr nachmittags gerade vom Essen aufstand, kam der Mann mit dem Pferd wieder. Er war im Pantano gewesen; seinem Bruder ging es schlechter, er war wirklich sehr krank, ich sollte um jeden Preis versuchen, ihn zu retten. Ich sagte ihm, er solle mit mir kommen, und wir gingen zusammen zum Bürgermeister, um eine Sondererlaubnis zu erbitten. Don

Luigi war nicht zu Hause; er war bei seiner Schwester zum Kaffee. Dort fanden wir ihn, hingegossen in einen Sessel. Ich legte ihm den Fall vor: »Unmöglich, die Befehle aus Matera sind ganz eindeutig. Ich kann die Verantwortung nicht übernehmen. Bleiben Sie hier, Doktor, und trinken Sie mit uns Kaffee.« – Der Bauer, ein gescheiter und entschlossener Mann, gab sich nicht geschlagen und drang weiter in ihn. Meine Beschützerin, Donna Caterina, trat auf unsere Seite. Das Verbot aus Matera vernichtete all ihre Pläne und gab ihrem Feind Gibilisco freie Hand. Sie hörte nicht auf zu flehen und auszurufen: »Das sind die anonymen Briefe. Es sind wer weiß wie viele geschrieben worden. Gibilisco war vorige Woche in Matera. Dort wissen sie nicht, daß Sie ein Segen für das Land sind. Aber lassen Sie mich nur machen; wir haben auch unsern Einfluß in der Präfektur: das Verbot wird aufgehoben werden. Es ist wirklich eine Schande!« – Und dabei versuchte sie, mich mit Kaffee und Süßigkeiten zu trösten. Aber das Problem war sehr dringend, und obgleich Donna Caterina auf unserer Seite war, blieb Don Luigi fest. – »Ich kann nicht, ich habe zu viele Feinde. Wenn man es erführe, würde ich meine Stellung verlieren. Ich muß den Befehlen der Polizeibehörde gehorchen.« – Don Andrea, der alte Schulmeister, der dann und wann einnickte und zwischendurch Kuchen stibitzte, gab ihm recht. Die Diskussion ging weiter, ohne daß etwas dabei herauskam. Dem Bürgermeister, der sich gern populär machte, war die Weigerung in Gegenwart des Bauern unangenehm, aber seine Furcht war größer. – »Schließlich sind doch die andern Ärzte da, versuch es, die zu rufen.« – »Die taugen doch gar nichts«, sagte der Bauer. – »Da hast du recht«, rief Donna Caterina, »der Onkel ist zu alt, und vom andern wollen wir gar nicht reden. Außerdem werden sie in dem Wetter und bei den schlechten Wegen gar nicht gehen.« – Der Bauer erhob sich. – »Ich werde sie aufsuchen«, sagte er und empfahl sich.

Er blieb fast zwei Stunden weg, und unterdessen ging der Familienrat ergebnislos weiter. Trotz aller Unterstützung von Donna Caterina gelang es mir nicht, die Angst des Bürgermeisters zu besiegen; der Fall war für ihn zu neu und erforderte eine zu große Verantwortung. Da kam der Bauer mit zwei Zetteln in der Hand zurück, und auf seinem Gesicht las man die Genugtuung über einen schwer errungenen Erfolg. – »Die beiden Ärzte können nicht kommen, sie sind krank. Ich habe mir von beiden eine schriftliche Erklärung geben lassen. Jetzt müssen Sie Don Carlo mitkommen lassen. Hier, sehen Sie?« – Und er breitete die beiden Zettel vor Don Luigi aus. Dem Bauern war es wahrscheinlich mit sehr eindringlichen Überredungskünsten, vielleicht auch unter Drohungen gelungen, sich von beiden bestätigen zu lassen, daß sie sich angesichts ihres Alters und angegriffenen Gesundheitszustandes bei dem schlechten Wetter nicht ins Pantano begeben könnten, was für den alten Doktor Milillo übrigens stimmte. Jetzt dachte ich, nichts könnte mich mehr hindern. Aber der Bürgermeister war noch nicht überzeugt und diskutierte weiter. Er schickte nach dem Gemeindesekretär, dem Schwager der Witwe, der ein guter Kerl war, und fand, man solle mich gehen lassen. Doktor Milillo erschien, schlechter Laune wegen des ihm bewiesenen Mißtrauens, doch war er nicht dagegen, daß ich ging. – »Aber lassen Sie sich vorher bezahlen. Bis nach dem Pantano laufen! Nicht einmal für zweihundert Lire!« – Aber die Zeit verging, neue Tassen Kaffee und neue Kuchen wurden aufgefahren, und wir waren noch immer auf demselben Punkt. Da fiel mir ein, vorzuschlagen, den Carabinierifeldwebel rufen zu lassen; wenn dieser persönlich die Verantwortung für meinen Gang übernähme, würde der Bürgermeister vielleicht, ohne sich zu kompromittieren, nachgeben können. Und so geschah es. Als der Feldwebel den Fall gehört hatte, sagte er sofort, ich solle gehen, er habe Vertrauen zu mir und würde mir niemand mitgeben: das Leben eines Menschen sei wichtiger als alle andern Bedenken. Es war ein Augenblick allgemeiner Erleichterung; auch Don Luigino erklärte, glücklich über den Entschluß zu sein, und um mir seinen guten Willen zu zeigen, ließ er mir einen Mantel und hohe Stiefel holen, die er bei den vielen Gräben für nötig hielt. Inzwischen war es Abend geworden. Ich mußte eine Erlaubnis haben, draußen auf dem Pachthof zu schlafen und erst am nächsten Tag zurückzukehren. Und endlich, unter Grüßen und guten Ratschlägen, konnte ich mich mit dem Bauern, dem Pferd und Baron auf den Weg machen.

Das Wetter hatte sich gebessert. Schnee und Regen hatten aufgehört. Ein scharfer Wind fegte den Himmel rein, und der Mond erschien rund und hell zwischen den zerrissenen ziehenden Wolken beim Timbone della Madonna degli Angeli. Sobald wir das glitschige Pflaster des Ortes hinter uns hatten, blieb mein Gefährte, der bis dahin das Pferd am Zügel geführt hatte, stehen, damit ich aufsteigen könne. Seit langer Zeit war ich nicht geritten, und in dieser Nacht und in den Schluchten zog ich vor, meine Beine zu gebrauchen. Ich sagte ihm, er solle das Tier benutzen, ich würde zu Fuß schneller gehen. Er sah mich höchst erstaunt an, als stehe die Welt auf dem Kopf. Er, ein »Cafone«, zu Pferd und ich, der Herr, zu Fuß. Das ging durchaus nicht. Ich hatte große Mühe, ihn zu überreden. Schließlich entschloß er sich sehr ungern, meinem Rat zu folgen. Nun ging ein wahres Rennen nach dem Pantano an. Ich stieg mit langen Schritten die abschüssigen Pfade hinunter, das Pferd folgte dicht hinter mir, und ich fühlte in meinem Rücken seinen warmen Atem und hörte das Aufschlagen seiner Hufe im Schlamm. Ich rannte wie ein Gehetzter durch die unbekannte Gegend, belebt von der Nachtluft, der Stille und der Bewegung, und fühlte mich wunderbar leicht. Der Mond erfüllte den Himmel und schien sich auf die Erde zu ergießen, auf ein Land, fern wie der Mond, weiß unter diesem stillen Licht, ohne Pflanze und Grashalm, von uralten Wassern zerklüftet, ausgehöhlt, durchlöchert und zerfurcht. Der Lehm stürzte in Kegelbildungen, Schluchten und Hängen, die durch Licht und Schatten seltsam verwandelt wirkten, zum Agri ab, und wir suchten ohne zu sprechen unsern Weg in diesem durch die Jahrhunderte und durch Erdbeben geformten Labyrinth. Es schien mir, als fliege ich gewichtlos wie ein Vogel über diese Geisterlandschaft dahin.

Nach mehr als zweistündigem Lauf klang durch das Schweigen das langgezogene Bellen eines Hundes zu uns herauf. Wir kamen aus den Lehmbildungen heraus und befanden uns auf einer abschüssigen Wiese; im Hintergrund tauchte hinter welligem Gelände der Pachthof auf. In dem von jedem Dorf weit abgelegenen Haus wohnten mein Gefährte und sein kranker Bruder mit ihren Frauen und Kindern. Aber am Eingang erwarteten uns drei Jäger aus Pisticci, die tags zuvor eingetroffen waren, um längs des Flusses Füchse zu jagen, und dort geblieben waren, um ihrem Freund beizustehen. Auch die beiden Frauen stammten aus Pisticci und waren Schwestern: hochgewachsen, mit großen schwarzen Augen und edlen Gesichtern, sehr schön in ihrer Landestracht mit langen, schwarzweißen Röcken, schwarzweißen Schleiern und Bändern auf dem Kopf, so daß sie Schmetterlingen glichen. Sie hatten für mich die besten Speisen vorbereitet, Milch und frischen Käse, und boten sie mir sofort nach meiner Ankunft an mit der uralten unservilen Gastfreundschaft, die alle Menschen gleichstellt. Sie hatten den ganzen Tag auf mich gewartet wie auf einen Retter: aber ich sah gleich, daß nichts mehr zu machen war. Es handelte sich um eine Bauchfellentzündung mit Durchbruch; der Kranke lag bereits in Agonie, und nicht einmal ein Eingriff, selbst wenn ich ihn hätte machen können, würde ihn noch gerettet haben. Ich konnte nichts tun, als seine Schmerzen mit ein paar Morphiumspritzen lindern und abwarten.

Das Haus bestand aus zwei Zimmern, die durch eine breite Öffnung miteinander in Verbindung standen. Im zweiten Raum befand sich der Kranke mit dem Bruder und den Frauen, die ihn pflegten. Im ersten Zimmer war das Feuer in einem großen Kamin angezündet; um das Feuer saßen die drei Jäger. In der gegenüberliegenden Ecke war für mich ein sehr hohes und weiches Bett bereitet. Ich ging von Zeit zu Zeit zu dem Kranken und setzte mich dann zu den Jägern ans Feuer und unterhielt mich mit leiser Stimme. Um Mitternacht kletterte ich, ohne mich auszuziehen, auf mein Bett, um auszuruhen. Aber ich konnte nicht schlafen.

Ich lag dort oben wie in einer luftigen Loge. Rund um das Bett herum hingen die Bälge der vor kurzem erlegten Füchse. Ich spürte ihren wilden Geruch, sah ihre spitzen Schnauzen im rötlichen Flackern der Flammen, und fast ohne die Hand zu erheben konnte ich die Pelze berühren, die an Höhlen und Wald erinnerten. Durch die Tür drang das anhaltende Jammern des Sterbenden: »Jesus, hilf mir, Doktor, hilf mir, Jesus, hilf mir, Doktor, hilf mir« – wie eine Litanei ununterbrochener Todesangst, dazu das Flüstern der betenden Frauen. Das Feuer im Kamin zuckte, ich beobachtete die langen Schatten, die wie vom Wind getrieben sich bewegten, und die drei schwarzen Gestalten der Jäger, mit dem Hut in der Hand, unbeweglich vor dem Herd. Der Tod war im Haus: Ich liebte diese Bauern und fühlte den Schmerz und die Demütigung meiner Machtlosigkeit. Warum senkte sich doch ein so großer Friede auf mich? Ich empfand mich wie losgelöst von allem, von jedem Ort, ganz fern von aller Bestimmung, verloren außerhalb der Zeit in irgendeiner Unendlichkeit. Ich fühlte mich verborgen, den Menschen unbekannt, versteckt wie ein Keim unter der Baumrinde; ich lauschte in die Nacht hinein, und mir schien plötzlich, als sei ich bis zum Herzen der Welt vorgedrungen. Ein unendliches, nie empfundenes Glücksgefühl durchflutete und durchdrang mich ganz mit der strömenden Glut einer unermeßlichen Fülle.

Um die Morgendämmerung näherte sich der Kranke dem Ende. Sein Flehen und Atmen wurde zum Röcheln, auch dies

wurde in der Anstrengung eines letzten Kampfes immer schwä-
cher und brach ab. Er war noch nicht tot, als die Frauen ihm
schon die Lider über den aufgerissenen Augen zudrückten und
die Totenklage begannen. Die schwarzweißen, zurückhaltenden und freundlichen Schmetterlinge verwandelten sich mit einem Schlag in zwei Furien. Sie rissen sich Schleier und Bänder
ab, brachten ihre Kleider in Unordnung, kratzten sich mit den
Nägeln das Gesicht blutig und begannen mit großen Schritten
durch das Zimmer zu tanzen, rannten mit dem Kopf gegen die
Wand und sangen auf einer einzigen, ganz hohen Note die
Geschichte des Todes. Von Zeit zu Zeit stellten sie sich ans
Fenster, immer im gleichen Ton schreiend, als wollten sie den
Feldern und der Welt den Tod anzeigen; dann kehrten sie ins
Zimmer zurück und fingen wieder den Tanz und das Heulen
an, das ohne Unterbrechung achtundvierzig Stunden bis zur
Beerdigung andauern mußte. Es war ein langer, immer gleicher,
monotoner, durchdringender Laut. Man konnte ihn unmöglich
hören, ohne von einem unwiderstehlichen Gefühl körperlicher
Beklemmung erfaßt zu werden; ein Knoten stieg in die Kehle
bei diesem Schrei, der bis in die Eingeweide drang. Um nicht in
Tränen auszubrechen, nahm ich in aller Eile Abschied und ging
mit Baron im ersten Morgenlicht fort.

Es war ein heiterer Tag; die Wiesen und die geisterhaften
Hänge vom vorigen Abend breiteten sich vor mir nackt und
einsam in dem noch grauen Licht aus. Ich war frei in diesen
schweigenden Weiten. Noch fühlte ich in mir das Glücksgefühl
der Nacht. Ich mußte zwar zurück in den Ort, aber noch streifte ich durch die Felder, fröhlich meinen Stock schwingend und
meinem Hund pfeifend, der wohl durch irgendein unsichtbares
Wild aufgeregt war. Ich beschloß, den Weg ein wenig zu verlän-
gern und über Gaglianello zu gehen, die Gegend, die ich bisher
noch nicht hatte besuchen können.

Es ist eine große Gruppe von Häusern auf einem kahlen,
nicht sehr hohen Hügel am Malariafluß. Dort leben vierhundert
Menschen, ohne Straßen, ohne Arzt, ohne Hebamme, ohne
Carabinieri oder Beamte irgendwelcher Art, aber auch hierher
kommt von Zeit zu Zeit der Steuereinnehmer, auf dessen roter
Mütze die Buchstaben U. E. stehen. Zu meinem Staunen sah
ich, daß ich erwartet wurde. Man wußte, daß ich im Pantano
gewesen war, und hoffte, daß ich bei der Rückkehr vorbeikom-
men würde. Bauern und Frauen standen auf der Gasse, um
mich willkommen zu heißen; die merkwürdigsten Kranken hat-

ten sich auf die Häuserschwellen tragen lassen, damit ich sie ansehe. Es war wie eine cour des miracles. Kein Arzt war seit undenklichen Zeiten hierher gekommen: alte Krankheiten, die niemals anders als durch Zaubersprüche behandelt worden waren, hatten sich in diesen Körpern eingenistet und seltsam gewuchert, wie Pilze auf faulem Holz. Ich verbrachte fast den ganzen Vormittag, indem ich von einem der elenden Löcher zum andern wanderte, zwischen hohlwangigen Malariakranken, Menschen mit verjährten Fisteln und brandig gewordenen Wunden, wobei ich wenigstens ein paar Ratschläge gab, da ich ja keine Rezepte verschreiben durfte; im übrigen trank ich den gastlich gebotenen Wein. Sie wollten mich den ganzen Tag bei sich behalten, aber ich mußte zurück. Sie begleiteten mich ein Stück und baten mich, wiederzukommen. »Wer weiß, wenn ich kann, komme ich«, sagte ich zu ihnen. Aber ich bin niemals zurückgekehrt. Ich ließ meine neuen Freunde aus Gaglianello auf dem Pfad zurück und fing an, zwischen Schluchten heimwärtszusteigen.

Die Sonne stand hoch und leuchtete, die Luft war mild; das Gelände mit seinen Buckeln und Hügelchen, zwischen denen sich der Weg in fortwährenden Windungen und kurzen Auf- und Abstiegen dahinschlängelte, hinderte den Blick, ins Weite zu schweifen. An einer Wendung tauchte der Feldwebel auf, der mir mit einem Carabiniere entgegenkam, und mit ihnen setzte ich meinen Weg fort. Auf den Ginsterbüschen hüpften Vögel, große, schwarze Amseln, die bei unserm Vorbeimarsch aufflogen. – »Wollen Sie schießen, Doktor?« fragte mich der Feldwebel und reichte mir sein Gewehr. Von der Amsel, die ich traf, blieben nur die Federn übrig, die langsam durch die Luft herunterglitten; der Körper war offenbar völlig in Stücke gerissen durch den unproportionierten Gewehrschuß, und wir hielten nicht an, um ihn zu suchen.

Gleich nach meiner Ankunft in Gagliano merkte ich an der Miene der Bauern, daß im Ort irgend etwas gärte. Während meiner Abwesenheit hatten alle vom Verbot meines Praktizierens und von der am Vortage verlorenen Zeit, bis ich nach dem Pantano durfte, erfahren. Die Nachricht vom Tod des Bauern war wie durch eine geheimnisvolle Telegraphie bereits eingetroffen. Alle im Ort kannten den Toten und hatten ihn gern. Es war der erste und einzige Tote unter all denen, die ich in vielen Monaten behandelt hatte. Alle glaubten, ich hätte ihn, wenn ich gleich hätte gehen können, bestimmt gerettet, und sein Tod sei nur auf die Verzögerung und die Bedenken des Bürgermeisters zurückzuführen. Als ich ihnen sagte, daß ich wahrscheinlich, auch wenn ich ein paar Stunden früher angekommen wäre, ohne Mittel, ohne chirurgische Praxis und mit nur geringer Möglichkeit, ihn auch nur nach Sant' Arcangelo zu transportieren, nicht viel hätte tun können, schüttelten sie ungläubig die Köpfe. Für sie war ich ein Wunderarzt, und nichts wäre mir unmöglich gewesen, wäre ich nur beizeiten eingetroffen. Der Zwischenfall war für sie eine tragische Bestätigung der Bosheit, die dem Verbot zugrunde lag, das mich von nun an daran hinderte, ihnen beizustehen. Die Bauern hatten Gesichter, wie ich sie noch nie an ihnen gesehen hatte: eine düstere Entschlossenheit, eine zielsichere Verzweiflung machte ihre Augen noch schwärzer. Sie kamen aus ihren Häusern, bewaffnet mit Jagdgewehren und Äxten. – »Wir sind Hunde«, sagten sie zu mir. »Die in Rom wollen, daß wir wie Hunde sterben. Endlich hatten wir einmal einen guten Menschen unter uns: die in Rom wollen ihn uns wegnehmen. Wir werden das Gemeindehaus anzünden und den Bürgermeister umbringen.«

Die Luft der Revolte wehte durch den Ort. Ein tiefer Gerechtigkeitssinn war angetastet worden: und diese sanften, resignierten und passiven Menschen, die nichts von Politik oder Parteitheorien verstanden, fühlten in sich die Brigantenseele wieder erwachen. Die heftigen und schnell vorübergehenden Explosionen dieser unterdrückten Menschen kommen immer auf dieselbe Weise zustande: ein uralter, starker, heimlicher Groll bricht um eines menschlichen Motives willen durch, und dann werden die Steuerhäuser und die Carabinierikasernen angesteckt und die Herren ermordet; es entsteht für einen kurzen Augenblick eine spanische Grausamkeit, eine furchtbare, blutige Freiheit. Dann wandern sie gleichmütig ins Gefängnis wie jemand, der sich in einer Sekunde von dem Luft gemacht hat, was seit Jahrhunderten darauf wartete.

Hätte ich damals gewollt (und einen Augenblick lang spielte ich mit dem Gedanken, aber 1936 war die Zeit noch nicht gekommen), so hätte ich an der Spitze von ein paar hundert Briganten stehen und den Ort halten oder auch mich ins offene Feld schlagen können. Statt dessen zwang ich mich dazu, sie zu beruhigen, was mir nur mit vieler Mühe gelang. Die Gewehre und Äxte wurden in die Häuser zurückgebracht, aber die Gesichter entspannten sich nicht. Die in Rom, der Staat, hatten sie zu tief getroffen, einer von ihnen war daran gestorben; die Bauern hatten mit dem Gewicht des Todes die ferne Hand Roms gespürt und wollten von ihr nicht zerdrückt werden. Ihr erstes Gefühl war, unmittelbare Rache an den Symbolen und Abgesandten Roms zu nehmen. Wenn ich sie von der Rache abbrachte, was konnten sie sonst tun? Leider, wie stets, nichts. Gar nichts. Aber dieses Mal wollten sie sich mit dem Nichts nicht abfinden.

Am folgenden Tag, als Zorn und Blutdurst zum Teil verraucht waren, kamen die Bauern in Gruppen zu mir. Sie hatten auf das Gemetzel verzichtet; die befreienden Augenblicke des rächenden Hasses können, wenn sie einmal ohne Ausbruch vorübergegangen sind, nicht verlängert werden. Aber jetzt wollten sie wenigstens durchsetzen, daß ich berechtigterweise fortführe, ihr Arzt zu sein, und so hatten sie beschlossen, eine von allen unterzeichnete Bittschrift zu diesem Zweck einzureichen. Ihre Abneigung gegen den fremden und feindlichen Staat ging konform (und das mag seltsam erscheinen, ist es aber nicht) mit einem natürlichen Sinn für das Recht, mit einer Intuition dessen, was für sie der Staat wirklich sein sollte: ein gemeinsamer Wille, der zum Gesetz wird. Das Wort »legitim« gehört zu den hier am meisten gebrauchten, aber nicht im Sinn von etwas Saktioniertem und Kodifiziertem, sondern in der Bedeutung von wahr und echt. Ein Mensch, der gut handelt, ist legitim; ein unverfälschter Wein ist legitim. Eine von allen unterzeichnete Bittschrift erschien ihnen als durchaus legitim, und als solche sollte sie auch eine wirkliche Macht darstellen. Sie hatten an sich recht, aber ich mußte ihnen erklären, was sie übrigens besser als ich wußten: daß sie es nämlich mit einer durchaus illegitimen Macht zu tun hatten, die man nicht mit gleichen Waffen bekämpfen konnte; waren sie zur Gewaltanwendung zu schwach, so lag es noch weniger in ihrer Kraft, ein Recht ohne Waffen durchzusetzen, und das einzige Ergebnis der Bittschrift würde meine sofortige Versetzung in einen andern Ort gewesen sein. Wenn sie also durchaus die Bittschrift aufsetzen wollten, sollten sie es tun, aber sie dürften sich nicht darüber täuschen, daß sie lediglich meine Entfernung erreichen würden. Sie verstanden nur zu gut. – »Solange die Angelegenheiten unseres Landes, unser Leben und Tod in den Händen der Leute in Rom liegen, werden wir also immer Tiere bleiben«, sagten sie. Die Bittschrift wurde nicht abgeschickt. Aber die Sache lag ihnen zu sehr am Herzen, um ohne jeden Protest vergessen zu werden. Und da sie sich weder durch Gewalt noch durch das Recht hatten ausdrücken können, so taten sie es durch die Kunst.

Eines Tages kamen zwei junge Leute zu mir und baten mich mit geheimnisvoller Miene um einen meiner weißen Ärztekittel. Ich solle nicht fragen, wofür er dienen sollte; es sei ein Geheimnis, das ich aber am nächsten Tage erfahren würde. Morgen abend würden sie mir dann den Kittel wieder zurückbringen. Am nächsten Tag sah ich bei meinem Spaziergang auf der Piazza die Leute zum Haus des Bürgermeisters strömen, vor dem eine kleine Ansammlung von Menschen stand. Ich ging auch hin, und man machte mir Platz. Da sah ich denn, daß innerhalb eines Kreises von Männern, Frauen und Kindern als begeisterten Zuschauern auf dem Straßenpflaster ohne Bühne oder Dekorationen eine Theatervorstellung begonnen hatte. Nachher erfuhr ich, daß jedes Jahr in den ersten Tagen der Fastenzeit die Bauern die Gewohnheit hatten, eine improvisierte Komödie aufzuführen. Zuweilen, aber sehr selten, handelte es sich um einen religiösen Stoff, manchmal wurden die Taten der Ritter und Briganten dargestellt: meistens jedoch waren es komische Szenen und Hanswurstiaden, die dem täglichen Leben entnommen waren. In diesem Jahre hatten die Bauern, die noch von den jüngsten Ereignissen erregt waren, ein satirisches Drama ersonnen, um ihren Gefühlen dichterisch Luft zu machen.

Die Schauspieler waren alles Männer, auch die in Frauenrollen; junge Bauern, Freunde von mir, die ich aber unter ihren außerordentlichen Masken nicht erkannte. Das Drama beschränkte sich auf eine einfache Szene, welche die Schauspieler improvisierten. Ein Chor von Frauen und Männern kündigte die Ankunft eines Kranken an; und da erschien auch der Kranke auf einer Bahre mit weißbemaltem Gesicht, schwarzen Ringen unter den Augen und schwarzen Zeichen auf den Wangen, die wie bei einem Toten eingefallen waren. Der Kranke war von seiner weinenden Mutter begleitet, die immer nur sagte: »Mein Sohn, mein Sohn«, was sie dauernd durch die ganze Vorstellung wiederholte als eintönige, traurige Begleitung. Neben dem Kranken erschien, vom Chor gerufen, ein weißgekleideter Mann, an dem ich meinen Kittel erkannte; er schickte sich an, den Kranken zu heilen: da aber trat, um ihn daran zu hindern, ein Alter im schwarzen Anzug mit einem Ziegenbart auf. Die beiden Ärzte, der weiße und der schwarze, der Geist des Guten und der des Bösen, stritten sich wie Engel und Teufel um den auf der Bahre liegenden Körper und bewarfen sich mit satirischen und beißenden Stichelreden. Der Engel war der stärkere und brachte seinen Feind zum Schweigen; da kam ein Römer herbeigerannt, mit einem greulichen wilden Gesicht, der den weißen Mann zum Fortgehen zwang. Der Schwarze, Professor Bestianelli (frei nach Bastianelli*, der sogar bei diesen Bauern berühmt ist), behauptete das Feld. Aus einer Tasche zog er ein großes Messer und begann die Operation. Er machte einen Schnitt in die Kleider des Kranken und zog mit blitzschneller Handbewegung aus der Wunde eine Schweinsblase, die darin versteckt war. Triumphierend wandte er sich an den Chor, der Proteste und Worte des Entsetzens murmelte, und schrie, indem er die Schweinsblase schwenkte: »Da haben wir das Herz!« Mit einer dicken Nadel durchbohrte er das Herz, aus dem ein Blutstrahl sprang, während die Mutter und die Frauen des Chores eine Totenklage anstimmten, und damit war das Stück zu Ende.

Ich habe nie erfahren, wer der Verfasser war; vielleicht war es gar nicht einer, sondern mehrere, alle Schauspieler zusammen. Die Stichworte, die sie improvisierten, bezogen sich auf die Frage, welche die Geister in diesen Tagen so stark bewegte: aber das bäuerliche Feingefühl vermied allzu deutliche Anspielungen; sie waren verständlich und treffend, ohne jedoch gefährlich zu werden. Und vor allem wurden die Spieler über alle Satire und alle Proteste hinweg von der Freude an der Kunst mit fortgerissen; jeder lebte in seiner Rolle, und die weinende Mutter schien die Heldin einer griechischen Tragödie oder eine Maria des Jacopone zu sein; der Kranke hatte ein richtiges Totenantlitz; der schwarze Scharlatan durchbohrte das Herz mit grausamer Freude; der Römer war ein fürchterliches Ungeheuer, ein Staatsdrache, und der Chor gab seine Kommentare mit verzweifelter Geduld. War dieses klassische Schema eine Erinnerung an das antike Drama, das zu diesem kümmerlichen Überrest volkstümlicher Kunst zusammengeschrumpft war, oder handelte es sich um ein spontanes, ursprüngliches Wiedererstehen, eine natürliche Sprache in diesem Land, wo das Leben eine einzige Tragödie ohne Bühne ist?

Kaum war die Vorstellung beendet, stand der Tote von seiner Bahre auf, die Schauspieler liefen flink durch ein Gäßchen und zogen zum Hause von Doktor Gibilisco. Dort begann die Vorstellung von neuem; sie wurde im Lauf des Tages noch oft wiederholt: vor dem Haus von Doktor Milillo, vor der Kirche,

* Sehr bekannter römischer Chirurg. (Anmerkung der Übersetzerin.)

vor der Carabinierikaserne, dem Gemeindehaus, auf der Piazza und hier und dort in den Straßen von Ober- und Unter-Gagliano, bis der Abend kam und mir der Kittel des Engels im Triumph zurückgebracht wurde, worauf dann jeder nach Hause ging.

Der dichterische Erguß beruhigte weder die Gemüter noch schaffte er die Bitterkeit aus der Welt. Die Bauern hielten das Verbot für widersinnig und weigerten sich, es zu beachten. Sie suchten mich wie vorher auf, um sich behandeln zu lassen, nur kamen sie abends im Dunkeln und sahen sich vorsichtig um, ehe sie an meine Tür klopften, um sicher zu sein, daß die Straße leer und frei von Spionen sei. Mir war es angesichts ihrer dringlichen Bitten und unter dem unabweisbaren Zwang ihrer Notlage praktisch unmöglich, sie wegzuschicken, ohne mich um sie zu kümmern. Ihrer völligen Verschwiegenheit und Treue war ich sicher: sie hätten sich eher totschlagen lassen, als mich zu verraten. Trotzdem war meine ärztliche Kunst naturgemäß sehr behindert; ich mußte mich auf Ratschläge beschränken. Ich selbst verteilte die gewöhnlichsten Heilmittel, von denen ich einen Vorrat hatte. Für andere Heilmittel konnte ich keine Rezepte schreiben oder doch nur für diejenigen, die sie zur Besorgung an Verwandte nach Neapel schickten. Ich konnte keine Verbände anlegen oder die kleinen chirurgischen Eingriffe machen, die sichtbar gewesen wären und unser Geheimnis allen verraten hätten. Dieser Zwang zum Versteckspielen hielt die Gemüter in Wallung. Die Langeweile war aus dem Ort verschwunden, das Verbot war wie ein launisch hingeworfener Stein in das tote Wasser des eintönigen Daseins der Signori gefallen. Doktor Gibilisco triumphierte. Ob er der deus ex machina gewesen war oder nicht (ich habe das nie herausgebracht), jedenfalls war seine Genugtuung vollkommen. Die Gefühle des alten Doktor Milillo waren komplizierter und zwiespältiger: Vom Standpunkt seines Stolzes und seines beruflichen Interesses freute er sich, meine Konkurrenz losgeworden zu sein; aber als ehemaliger guter Nitti-Anhänger und alter Liberaler konnte er nicht umhin, die Willkür der Polizei offen zu mißbilligen. Im Grunde war er der Glücklichere, da sein Vergnügen aus zwei verschiedenen Quellen gespeist wurde: der materiellen seines Vorteils und der moralischen, ehrlich sein Mißfallen und seine Freundschaft für mich zum Ausdruck bringen zu können. Für Donna Caterina war das Ereignis eine schwere Niederlage; ihre Pläne gingen in Rauch auf; sie war in ihrer Hauptleidenschaft vor ihren Feinden gedemütigt worden. Sie spie Feuer und Flammen. Sie ging so weit, zu erklären: »Wenn mein Bruder, der Dummkopf, der immer zu schwach ist, nichts unternimmt, dann fahre ich selbst nach Matera, um mit dem Präfekten zu sprechen.« Sie war meine Hauptverbündete. Don Luigino wußte nicht, wie er sich benehmen sollte. Unter dem Druck seiner Schwester und der öffentlichen Meinung hätte er gern gehandelt und seine Beziehungen »zum Wohle des Ortes« spielen lassen; aber er hatte Angst, offen Partei zu ergreifen, weil das vielleicht die Behörden verstimmt hätte, und das hielt ihn davon ab, irgend etwas zu tun, so daß er sich nur mit Worten auf die Seite von Donna Caterina stellte. Die Herren waren also geteilt wie Welfen und Waiblinger; die einen machten mit dem Volk gemeinsame Sache, während die andern allein standen, jedoch die mächtige Unterstützung des Heiligen Römischen Reiches von Matera für sich hatten. Don Luigino lavierte zwischen den Gegenwinden. Er war der Bürgermeister, der Hüter des Gesetzes, wie dieses auch immer lauten mochte; aber er hatte einen merkwürdigen Rechtsbegriff. Eines Abends schickte er sein Dienstmädchen, um mich zu rufen: sein Töchterchen hätte Halsweh, sicherlich wäre es Diphterie. Ich ließ ihm sagen, ich komme nicht, da es mir verboten sei. Darauf erhielt ich eine neue Botschaft: zu ihm dürfe ich kommen, da er, der Bürgermeister, über den Verordnungen stehe. Ich sagte ihm, ich werde mir sein Kind unter der Bedingung ansehen, daß er mir die Erlaubnis gebe, jedweden Bauern, der es nötig habe, mit seiner Zustimmung in der gleichen Art zu behandeln. Seine Antwort lautete, ich solle unterdessen nur seine Tochter kurieren, das Weitere werde sich schon finden; er könne mir zwar keine ausdrückliche Ermächtigung erteilen, aber wohl ein Auge zudrücken. Die Diphterie des Kindes war selbstverständlich nur eine der vielen eingebildeten Krankheiten des Vaters. So kamen wir zu einem modus vivendi, der dann zum Dauerzustand wurde, wonach ich eine ärztliche Tätigkeit mit halber, nicht ausdrücklicher Bewilligung soweit ausübte, als die Sache geheimgehalten werden konnte. Mir wäre es lieber gewesen, ganz aufzuhören und nur an meine Bilder zu denken; das war aber unmöglich, solange ich in Gagliano blieb. Natürlich hatte dieser ungesetzliche, versteckte Zustand sein Unangenehmes, und es ergaben sich denn auch ein paar Zwischenfälle, welche die so mühsam niedergehaltene Wut wieder zu entfachen drohten.

Eines Abends erschien aus Gaglianello ein junger, von einigen

Freunden begleiteter Bauer mit einem Arm in der Schlinge. Er hatte sich mit einer Sichel zwischen zwei Fingern verletzt; als ich die Binde löste, spritzte das Blut in einem Strahl gegen die Wand: er hatte sich die Ader zwischen den Fingern durchgeschnitten. Ich mußte die Stummel mit einer Pinzette suchen und sie zusammenbinden; aber ich konnte diese kleine Operation nicht machen, da man es erfahren hätte. Ich schickte den Burschen also zu Doktor Milillo und schrieb ihm einen Brief, worin ich mich als Assistent bei dem Eingriff anbot; ich nahm an, er würde seinen Namen dafür hergeben und mich die Sache, deren ich ihn nicht für fähig hielt, machen lassen. Aber der Alte nahm es beinahe übel und ließ mir sagen, er könne es selbst machen und habe keine Hilfe nötig. Am nächsten Morgen in der Frühe kehrte der junge Mensch vom vorigen Abend zurück, diesmal auf einem Esel in Begleitung seines älteren Bruders. Er war wachsbleich: er hatte die ganze Nacht hindurch Blut verloren. Ich sah die Hand an: der alte Chirurg hatte sich damit begnügt, wieder die Haut irgendwie zusammenzunähen, er hatte nicht einmal nach der durchschnittenen Arterie gesucht. Was am Abend vorher leicht gewesen wäre, war jetzt schwieriger, und ich persönlich durfte nach dem Verbot nicht in das Werk eines andern eingreifen. Da die Bauern weder zu Milillo zurückkehren noch zu Gibilisco gehen wollten, blieb ihnen nichts übrig, als die 509 des Amerikaners zu mieten und sich so rasch als möglich nach Stigliano oder noch weiter auf die Suche nach einem bessern Chirurgen zu begeben. Das taten sie denn auch; aber bevor er das Auto bestieg, rief der ältere Bruder, ein entschlossener und kühner Mensch, eine Menge von Bauern zusammen und schrie auf dem Platz vor dem Gemeindehaus seine Anklagen über den jetzigen Zustand der Dinge heraus, fluchte und drohte gegen die Herren und den Bürgermeister und die in Rom. Es war eine denkwürdige Szene: die Bauern stimmten ihm bei, und es gab wieder einen unruhigen Tag.

Für Julia hatte das Verbot überhaupt keine Bedeutung. »Mach, was du willst«, sagte sie zu mir, »was können sie dir schon tun? Und außerdem, wenn sie dich nicht praktizieren lassen, wirst du eben trotzdem heilen. Du solltest Hexenmeister werden. Du hast jetzt alles gelernt und weißt alles. Und daran können sie dich nicht hindern.«

Ich war in diesen Monaten unter den Lehren von Julia und der andern Frauen, die zu mir ins Haus kamen, und bei dem, was ich täglich in den Bauernfamilien und an den Krankenbet-

ten sah, wirklich zum Meister geworden in all dem, was die
Volksmagie und ihre Anwendung auf die Heilkunst betrifft;
und so hätte ich dem Rat der Julia folgen können, den sie mir
übrigens ganz ernsthaft gab, wobei sie ihre bösen, schmachtenden und kalten Augen auf mich heftete: »Du solltest Hexenmeister werden.« – Mit dem gleichen Ernst sagte Julia zu mir, als
sie mich singen hörte: »Schade, daß du nicht Priester geworden
bist, du hast eine schöne Stimme.« – Für sie war der Priester
ein Schauspieler, der in würdiger Weise für alle Gottes Lob
sang. Priester, Arzt und Zauberer: für Julia hätte ich alle Tu-
genden des orientalischen Rofé, des Wundertäters, in mir
vereint.

Die Volksmagie heilt ein bißchen alle Krankheiten und fast
immer allein durch die Kraft von Formeln und Zaubersprü-
chen. Es gibt solche für bestimmte Krankheiten und andere, die
allgemein gelten. Einige sind meiner Meinung nach lokalen Ursprungs, andere gehören in den klassischen Bestand magischer
Formeln, die auf unbekannten Pfaden und zu unbestimmter
Zeit hierher gelangt sind. Von diesen klassischen Amuletten
war das gebräuchlichste das Abracadabra. Beim Besuch der
Kranken bemerkte ich oft ein Blättchen Papier oder ein kleines
Metallplättchen, meist an einer Schnur um den Hals hängend,
auf dem folgende Formel in Dreiecksform geschrieben oder
eingeritzt stand:

A
A B
A B R
A B R A
A B R A C
A B R A C A
A B R A C A D
A B R A C A D A
A B R A C A D A B
A B R A C A D A B R
A B R A C A D A B R A

Anfangs versuchten die Bauern, dies Amulett vor mir zu verstecken und entschuldigten sich beinah, daß sie es trugen; denn
sie wußten, daß die Ärzte gewöhnlich diesen Aberglauben ver-
achten und im Namen von Vernunft und Wissenschaft dagegen
donnern. Und damit haben sie natürlich völlig recht an Orten,

wo Vernunft und Wissenschaft den gleichen magischen Charakter wie die gewöhnliche Magie annehmen können: aber hier sind sie noch keine verehrten Gottheiten, auf die man hört, und sie werden es vielleicht nie sein.

Daher respektierte ich das Abracadabra, gab seinem Alter und seiner dunklen, geheimnisvollen Einfachheit die Ehre und war lieber sein Verbündeter als sein Feind; die Bauern waren mir dafür dankbar, und vielleicht gereichte es ihnen tatsächlich zu einigem Nutzen. Übrigens sind die Zauberpraktiken hierzulande alle unschuldig: die Bauern erblicken in ihnen keinerlei Widerspruch zur offiziellen Heilkunde. Die Gewohnheit, jedem Kranken für jede Krankheit, auch wenn es nicht nötig ist, ein Rezept zu geben, ist eine magische Gewohnheit, um so mehr, wenn das Rezept wie in alten Zeiten lateinisch oder doch wenigstens in unlesbarer Schrift geschrieben war. Beim größten Teil der Rezepte würde es zur Heilung des Kranken schon genügen, wenn sie nicht in die Apotheke getragen, sondern ebenso wie das Abracadabra an einem Schnürchen um den Hals gehängt würden.

Außer dem Abracadabra gab es noch zahlreiche und höchst verschiedene Dinge mit allgemeiner Heilkraft: kabbalistische und astrologische Zeichen, Heiligenbilder, Viggiano-Madonnen, Wolfszähne, Krötenknochen und so fort. Origineller ist die Kur bei einzelnen Krankheiten. Würmer bei Kindern werden nur durch einen Zauberspruch weggebracht. Man sagt:

> Heiliger Montag
> Heiliger Dienstag
> Heiliger Mittwoch
> Heiliger Donnerstag
> Heiliger Freitag
> Heiliger Samstag
> Ostern ist Sonntag
> Würmer verschwinden mit einem Schlag

Und dann rückwärts:

> Heiliger Samstag
> Heiliger Freitag
> Heiliger Donnerstag
> Heiliger Mittwoch

Heiliger Dienstag
Heiliger Montag
Ostern ist Sonntag
Würmer verschwinden mit einem Schlag

Diese auf- und absteigende Doppelformel muß dreimal hintereinander vor dem Kranken gesprochen werden. Und die verzauberten Würmer sterben, und das Kind wird gesund. Es ist sicherlich eine uralte Formel, die Verbindung einer archaischen römischen Beschwörung, die zu den frühesten erhaltenen Zeugnissen der lateinischen Sprache gehört, mit einem christlichen Element.

Die Gelbsucht heißt hier die »Bogenkrankheit«: die Krankheit des Regenbogens, weil durch sie der Mensch die Farbe wechselt und in ihm wie beim Sonnenspektrum das Gelb überwiegt. Wie bekommt man die Bogenkrankheit? Der Regenbogen wandert über den Himmel und stützt seine beiden Füße auf die Erde, wobei er sie an verschiedenen Punkten auf das Feld stellt. Wenn die Füße des Regenbogens auf die zum Trocknen ausgelegte Wäsche treten, dann nimmt derjenige, welcher diese nachher anzieht, durch die darin enthaltene Kraft die Farben des Bogens an und erkrankt. Es wird auch behauptet (aber die erste Hypothese über den Ursprung der Krankheit ist die verbreitetste und glaubwürdigere), daß man sich hüten müsse, gegen den Regenbogen zu urinieren: da der bogenförmige Strahl der Flüssigkeit der bogenförmigen himmlischen Iris ähnelt und sie widerspiegelt, wird der ganze Mensch eine Art von gelber Iris. Um die Gelbsucht zu bekämpfen, muß der Kranke in der ersten Morgendämmerung auf einen Hügel außerhalb des Ortes gebracht werden. Ein Messer mit schwarzem Griff muß ihm auf die Stirn gelegt werden, zuerst senkrecht, dann waagrecht, so daß ein Kreuz entsteht. Auf die gleiche Weise muß man durch Auflegen des Messers Kreuze an allen Gelenken des Körpers machen und bei jedem Kreuz eine einfache Beschwörung sprechen. Die Operation muß dreimal wiederholt werden, ohne ein einziges Gelenk auszulassen, und zwar in drei aufeinanderfolgenden Wochen. Dann zieht sich der Bogen von Farbe zu Farbe zurück, und das Gesicht des Kranken wird wieder weiß.

Die Formel gegen Rotlauf nützt allein nichts, sondern nur in Verbindung mit Silber. Die Bauern bewahren zu diesem Zweck einen alten Scudo im Hause, und ich habe niemals einen dieser hier recht zahlreich auftretenden Kranken gesehen, ohne daß auf seiner geschwollenen roten Haut das große Geldstück gelegen hätte.

Es gibt Sprüche, um Knochen zu heilen, und solche gegen Zahn-, Leib- und Kopfweh; andere, um Schmerzen auf einen andern Menschen oder irgendein Tier oder eine Pflanze oder einen Gegenstand abzulenken oder um sich vor dem bösen Blick oder vor Verhexung zu schützen. Doch hier gleitet man vom Heilen unmerklich in das Gegenteil, in die verschiedenen Arten, Krankheit und Tod herbeizurufen, oder auch in das andere, höchst wichtige Fach der volkstümlichen Magie: die Kunst, zur Liebe zu zwingen oder von Liebe zu befreien. In diesem Zweig bin ich, wie schon gesagt, häufig Zuschauer und vielleicht noch häufiger Objekt und Opfer gewesen; und wenn ich davon im Augenblick auch nichts gemerkt habe, wie kann ich sicher sein, daß diese Tränke und Zaubersprüche nicht viel später in mir eine so starke Fähigkeit zur Leidenschaft bewirkt haben? Inzwischen mußte ich mich zuweilen gegen die unmittelbaren Angriffe einiger Hexen wie der Maria C. verteidigen, die mich unter dem Vorwand rufen ließ, daß ihr Kind krank sei, als ihr Mann (der wegen Mordes aus Eifersucht im Gefängnis gesessen hatte) auf dem Feld war. Es war die gleiche, die den Mann der Witwe an einer geheimnisvollen Krankheit hatte sterben lassen; ihre Kleine, so behaupteten alle, war die Tochter des Toten, ein hübsches Mädchen von anständigem Aussehen. Die Mutter dagegen konnte einem Angst einflößen: sie war klein, gedrungen, mit einer so niedrigen Stirn, daß der Ansatz der blauschwarzen, glatten Haare, die durch einen geraden Scheitel in zwei dicke Strähnen geteilt waren, fast die ebenso buschigen und dunklen Augenbrauen berührte. Darunter saß ein kleines, wildes Tiergesicht mit einer Stumpfnase, weit offenen Nasenlöchern und einem kleinen fleischigen Mund mit weißen, spitzen Zähnen. Aber das blasse Gesicht in all dem Schwarz der Haare und Augenbrauen war beherrscht von enormen, abwesenden, wahnsinnigen, weit auseinanderstehenden Augen von ganz hellem Blaugrün, das an einen See mit gefährlichem Treibsandufer zwischen verfaulten tropischen Bäumen erinnerte. »Du solltest Hexenmeister werden; du kannst jetzt auch auf unsere Art Krankheiten heilen.« – Ich fuhr fort, heimlich meine Praxis auszuüben, wobei ich mich in acht nahm, nicht den magischen Gepflogenheiten zu widersprechen. Hier, wo alle Beziehungen zwischen den Dingen aus Einflüssen und Magie bestehen, hat

auch die Medizin nur durch ihren magischen Inhalt Macht,
wenn sie dabei auch korrekt und streng wissenschaftlich bleibt
und kein geheimnisvolles Gebaren annimmt. Das Chinin hat
leider alle Kraft verloren, weil es für die Bauern zu einer diskre-
ditierten, unverständlichen und anspruchsvollen Wissenschaft
gehört. Ich mußte meine ganze Autorität anwenden, um sie zu
überzeugen, es zu nehmen; doch so wider Willen eingenom-
men, half es nur wenig: ich ersetzte es durch neue, stärkere und
wirksamere Mittel wie Atebrin und Plasmochin, mit denen ich
ausgezeichnete Erfahrungen machte, da sie zugleich als chemi-
sche Substanzen und als magische Einflüsse wirkten.

Abgesehen vom Chinin werden sämtliche Heilmittel von den
Bauern vertrauensvoll entgegengenommen; nur sind sie nicht
zu finden oder zu teuer oder werden von Ärzten und Apothekern als übliches Ausbeutungsmittel verwendet. In den alten
staubigen Apotheken des Landes weiß man nie, ob die Medizin,
wenn sie überhaupt vorhanden ist, auch wirklich nach dem
Rezept hergestellt worden oder, im besten Fall, ein unschädli-
ches Gemisch von Pülverchen ist. Man tut daher besser, sich
immer an fertige Präparate zu halten, die aber teuer sind; auch
so ergeben sich noch Mißstände. Der Sohn der Parroccola war
erkrankt. Er hatte Milzbrand. Milzbrand ist in dieser tierrei-
chen Welt ziemlich häufig, ich habe sehr viele Fälle gesehen. Ich
besuchte ihn am Abend: mein kleiner Vorrat an Serum war
erschöpft, und im Ort gab es keins. Ich sagte daher zur Mutter,
sie solle keine Zeit verlieren, auf dem kürzesten Weg nach Sant'
Arcangelo gehen und dort das Serum in der Apotheke besorgen. »Hast du Geld?« fragte ich sie. – »Ich habe dreißig Lire.
Die Carabinieri haben mich soeben für die Wäsche bezahlt.« –
Ich wußte, daß die Ampullen sieben Lire fünfzig oder acht Lire
kosteten: demnach genügte das Geld. – »Nimm drei, dann sind
wir sicher.« – Milzbrand ist eine üble Krankheit, die nur durch
reichliches Serum zu heilen ist. Es war spät, und die Parroccola
wagte sich nachts nicht auf die Straße. – »Unterwegs gibt es
Geister, die mich nicht durchlassen werden.« – Aber sie ging
doch noch vor dem Morgengrauen und rannte mit ihren kurzen
Beinen mit der Eile einer ängstlichen Mutter. Zehn Kilometer
hin, zehn Kilometer zurück; am Morgen war sie wieder zu
Hause. Sie brachte nur zwei Ampullen. Ich wunderte mich, und
sie erzählte mir, daß der Apotheker sie gefragt hatte, wieviel
Geld sie bei sich trage. – »Dreißig Lire.« – »Dann kannst du
zwei Ampullen nehmen. Du kannst doch lesen? Sie kosten

fünfzehn Lire das Stück. Es steht drauf.« – Es stand darauf 8,75 Lire. Dieser Mittel bedient sich das Feudalrecht des Kleinbürgertums in dieser Gegend. Glücklicherweise genügten die beiden Ampullen.

Die Parroccola war sehr arm; sie besaß nichts außer ihrem großen Bett und ihren »Zambra«-Reizen. Sie wäre berechtigt gewesen, Heilmittel und Behandlung umsonst zu erhalten; sie hätte auf der Armenliste stehen müssen. Diese Liste gab es zwar, verborgen in irgendeinem Schrank des Gemeindehauses; aber an diesem Ort der allgemeinen und völligen Armut war sie ganz kurz. Sie bestand vielleicht aus vier oder fünf Namen. Unter den verschiedensten Vorwänden erkannte man niemandem die Eigenschaft als Armer zu; wer hätte denn sonst den Ärzten und Apothekern, den unkontrollierten Verfassern der Liste den schuldigen Tribut gezahlt? Auch das gehörte zu den alten, durch den Brauch geheiligten, unvermeidlichen Übeln, gegen die es kein Verteidigungsmittel gab. – »Wenn wir lesen und schreiben könnten, würden sie uns nicht so ausrauben dürfen. Jetzt gibt es zwar Schulen; aber man lernt dort nichts. Die in Rom haben es lieber, daß wir wie Tiere bleiben.« – Diese selben ausgesogenen Bauern, die einen Tagesmarsch von Senise aus unternahmen, um für zwei Lire ihr Gemüse zu verkaufen, oder die einmal sogar bis nach Metapont wanderten, um einen einzigen Korb voll schöner Apfelsinen zu holen (deren Zucht nebenbei mehreren Tagelöhnern an dem malariaverseuchten Meeresufer das Leben gekostet hatte), diese selben Bauern opferten trotzdem ihr Gold am »Tag des Eherings«*. Es gab allerdings nur sehr wenig Goldsachen im Ort: denn die Goldhändler, die bis in die entferntesten Dörfer vordringen, haben ihnen schon das meiste abgejagt; sie kommen meist im Mai und Juni, kurz vor der Getreideernte, wenn die Bauern ihre Vorräte aufgezehrt haben und nicht mehr wissen, wie sie sich weiter durchschlagen sollen. Es wurde allen weisgemacht, daß das Gold abgeliefert werden müsse und diejenigen, die es zurückbehielten, schwer bestraft würden, daß auch der Papst angeordnet hätte, alles Gold aus den Kirchen herzugeben: so nahmen sie ergeben auch dieses neue Übel auf sich und brachten das bißchen, das sie noch besaßen, auf den Altar des Vaterlandes. Auch

---

* Zu Beginn des abessinischen Feldzugs setzte die Regierung, um möglichst viel Geld zu sammeln, eine »giornata della Fede« an (Fede heißt sowohl Glaube als Ehering), bei der – freiwillig – Eheringe und andere Geldsachen abgeliefert werden sollten. (Anmerkung der Übersetzerin.)

Julia und die Parroccola beraubten sich ihrer Eheringe, ihrer einzigen Erinnerung an die lang zurückliegende Hochzeit und die jenseits des Meeres verschwundenen Gatten.

Der Mann der Julia war mit ihrem Sohn, dem ersten der siebzehn Kinder, die sie im Laufe der Zeit zur Welt gebracht hatte, nach Argentinien ausgewandert, und man hatte nie wieder etwas von ihm erfahren. Aber eines Tages erhielt Julia einen Brief, den sie mir zum Vorlesen gab. Er war in einem Gemisch von Italienisch und Spanisch geschrieben und kam aus Civitavecchia. Er stammte von dem ersten, seit fast zwanzig Jahren verschollenen Sohn, der in Buenos Aires aufgewachsen war, und jetzt schrieb, daß er sich für Abessinien hatte anwerben lassen. Er hatte sich an die Mutter erinnert, vom Vater sprach er nicht. Wie er sagte, hoffte er, vor der Abfahrt aus Italien Urlaub zu bekommen, um die Mutter zu begrüßen und kennenzulernen. Der Urlaub wurde nicht bewilligt, der junge Mann schickte seine Photographie und schrieb machmal aus Afrika. Schließlich kam ein Brief, worin stand, der Krieg sei nun bald zu Ende, und er bitte seine Mutter, für ihn in Gagliano eine Frau zu finden. Sie solle wählen: sobald er zurückkehre, werde er sie heiraten. Auch über diesen jungen Menschen, der fortgegangen war, bevor sich irgendwelche Kindheitserinnerungen hätten einprägen können, war Amerika spurlos hinweggerollt, wie über die meisten andern Auswanderer. Er würde in den Ort zurückkehren, den er mit Bewußtsein nie gesehen hatte, um eine unbekannte Frau zu heiraten, die ihm seine Mutter, die Hexe, von der er nur den Namen wußte, ausgesucht hatte. Julia, die sämtliche zutage liegenden und geheimen Eigenschaften aller Frauen in Gagliano kannte, wählte für ihren Sohn eine nicht gerade schöne, aber kräftige, sehr spröde Bäuerin, die fast mir gegenüber wohnte, und erwartete mit der Braut die Heimkehr und die Hochzeit.

Der April war ein launischer Monat mit Sonne, Regen und ziehenden Wolken; in der Luft regte sich etwas wie ein fernes Beben, das vielleicht anderswo den Frühling ankündigte; aber bis hierher vermochte dies Ausströmen eines neu erstehenden Lebens und die schwellende pflanzliche Fülle der glücklichen norditalienischen Gegenden, die sich vom Schnee befreien, um unter einer liebevollen Sonne grünend aufzuatmen, nicht zu dringen. Die Kälte war vorbei, starke Winde wehten, aber kein Gras, keine Blume, kein Veilchen wuchs am Rain. Nichts veränderte sich in der Landschaft; der Lehmboden lag grau da wie immer, aber es fehlte etwas: das Leben des Jahres selbst, und das Gefühl dieses Mangels erfüllte das Herz mit Traurigkeit. Mit dem besseren Wetter waren die Straßen des Ortes wieder leer geworden, die Menschen arbeiteten den ganzen Tag draußen auf den unsichtbaren Feldern. Die Kinder plätscherten mit den Ziegen in den Pfützen. Ich ging in meinem Samtanzug müßig umher oder blieb zum Malen im Freien auf der Terrasse. Aus den Häusern klangen abwechselnd Frauenstimmen und das Quieken der jungen Schweine zu mir herüber, wenn diese nach hiesigem Brauch gewaschen, geseift und gestriegelt wurden wie rosige wasserscheue Kinder.

Eines Abends ging ich über das wohlbekannte Auf und Ab der Straße zwischen Ober- und Unter-Gagliano nach Hause und blieb zuweilen stehen, um mechanisch die Berge zu betrachten, von denen ich jeden Fleck und jede Schrunde auswendig kannte, wie vertraute Gesichter, die man durch die lange Bekanntschaft kaum mehr bemerkt. Ich schaute so vor mich hin, ohne in dem Wind und der grauen Luft etwas Bestimmtes zu sehen; mir schien es, als hätte ich jedes Gefühl verloren, als hätte ich die Zeit verlassen und sei untergetaucht in ein Meer regloser Ewigkeit, aus dem ich mich nicht mehr losmachen konnte. Ich setzte mich einen Augenblick an den zu dieser Stunde einsamen Brunnen und lauschte auf den hohlen Klang dieses Meeres in mir, ohne etwas zu denken. Da kam die Postbotin, eine dürre kranke Alte, die Husten und Überanstrengung zerrüttet hatten und die den ganzen Tag mit dem Postbeutel auf dem Kopf durch den Ort keuchte, auf mich zu. Sie händigte mir ein infolge der Zensur sehr verspätetes Telegramm aus, das mir den Tod eines nahen Verwandten anzeigte. Ich ging nach Hause; dort erhielt ich kurz darauf die Nachricht, daß die Polizei mir auf dringenden Antrag der Meinen gestattete, wegen wichtiger Familienangelegenheiten für wenige Tage unter Bedeckung in meine Heimat zu reisen. Ich durfte bei Morgengrauen abfahren, um den Autobus nach Matera zu erreichen; bis dorthin sollte mich Don Gennaro, der Gemeindepolizist, begleiten. So wurde ich dem stumpfen Dahinfließen der Tage entrissen und befand mich von neuem in Bewegung, auf einer Landstraße, im Zug zwischen grünen Feldern. Die Reise war für mich so traurig, daß sie mir fast aus dem Gedächtnis entschwunden ist. Von ferne sah ich wieder den Berg von Grassano, auf dem der prosaische Ort so überirdisch schwebte. Dann kam ich in unbekannte, noch ausgedörrtere, ödere und verlassenere Gegenden zwischen dem Basento, dem Bradano und der Gravina, jenseits von Grottole und Miglionico bei Matera. In Matera mußten wir ein paar Stunden haltmachen, weil über meine Begleitmannschaft entschieden werden mußte. Ich sah also die Stadt und begriff, wie gerechtfertigt das Entsetzen meiner Schwester war, das sich bei mir mit der Bewunderung jener tragischen Schönheit vermischte. Endlich bestieg ich mit einem Polizisten den Zug und fuhr Tag und Nacht durch ganz Italien hinauf. Ich blieb nur wenige Tage in meiner Heimatstadt, in ständiger Begleitung von zwei Polizisten. Sie hätten mich auch bei Nacht bewachen sollen, schliefen jedoch in einem Zimmerchen, das ich ihnen provisorisch in meinem Haus einrichtete. Der Aufenthalt war melancholisch, auch abgesehen vom traurigen Anlaß meiner Fahrt. Ich hatte mir vom Wiedersehen mit der Stadt, dem Gespräch mit alten Freunden, der kurzen Teilnahme an einem vielfältigen und bewegten Leben das größte Vergnügen versprochen: aber jetzt empfand ich in mir ein unüberwindliches Losgelöstsein, ein Gefühl unendlicher Ferne und eine Schwierigkeit, mich hineinzufinden, die mir den Genuß an den wiedergefundenen Gütern verwehrten. Viele wichen mir aus Vorsicht aus, andere mied ich selbst, um sie nicht zu kompromittieren; andere, die mutiger oder weniger gefährdet waren, suchten mich dagegen ohne Furcht vor meinen Wächtern und ihrem allabendlichen Bericht auf. Aber auch mit ihnen gelang es mir nur mühsam, den vollkommenen Kontakt wiederherzustellen. Es schien mir, als stehe ein Teil von mir dieser Welt von Interessen, Ehrgeiz, Tatkraft und Hoffnung jetzt fremd gegenüber; ihr Leben war nicht mehr das meinige und rührte nicht an mein Herz. So gingen diese kurzen Tage im Nu dahin, und ich reiste nicht ungern mit zwei neuen Begleitern ab. Diese beiden Polizisten hatten sich eifrig um diesen Auftrag bemüht, weil sie hofften, bei der Reise etwas herauszuschlagen und Zeit zum Besuch ihrer Familien zu finden. Einer von ihnen, ein magerer Sizilianer, hatte seine Frau in Rom. Als wir dort ankamen und ein paar Stunden auf den nächsten Zug zu warten hatten, bat er mich, ihn nicht zu verraten: er wollte bei seiner Frau bleiben. Ich beruhigte ihn: er solle nur die paar Tage genießen, sein Kollege genüge zu meiner Bewachung; er nahm Abschied und verschwand.

Der andere dagegen, ein junger, brünetter, recht eleganter Mensch mit schon etwas gelichtetem Haar, brachte mich bis nach Gagliano. Er erzählte mir, daß er aus einer sehr guten Familie aus Montemurro im Agrital stammte und sich seines jetzigen Berufes sehr schämte. Später erfuhr ich in Gagliano, daß alles, was er gesagt hatte, auf Wahrheit beruhte. Sein blinder, sehr vermögender Vater war in der ganzen Provinz berühmt gewesen. Er hatte in verschiedenen, weit verstreuten Gegenden Lukaniens sehr große Güter gepachtet; alle kannten ihn und sein merkwürdiges Pferd, das ihn allein und ohne Führer auf allen Wegen zu seinen, zum Teil über fünfzig Kilometer auseinanderliegenden Gütern trug. Er hatte acht Söhne, die älteren hatten alle studiert und ihren Doktor gemacht. Als der Vater starb, brach alles sofort zusammen. Die Brüder hatten alle gute Stellungen, nur mein Polizist De Luca besuchte als Jüngster noch das Gymnasium. Er mußte die Schule verlassen und, da er nichts Besseres fand, dem Brauch entsprechend, bei der Polizei eintreten. Aber dieser Beruf widerte ihn an; er wollte nachträglich noch die Abiturientenprüfung ablegen und sich eine andere Stellung suchen. Ob ich ihm nicht vielleicht helfen könnte? So gestand mir mein Wächter seine Sorgen. In Rom waren seine Brüder und Onkel alle in irgendwelchen Ministerien angestellt. Er wollte sie besuchen, durfte mich aber nicht allein lassen und bat mich daher, ihn zu begleiten. Auf diese Weise sah ich eine ganze Reihe von Beamtenwohnungen; ich wurde allen als persönlicher Freund vorgestellt, bekam überall eine Tasse Kaffee und mußte ausweichende Antworten über mich geben.

De Luca schämte sich auch vor seinen Verwandten, denn keiner von ihnen wußte, daß er bei der Polizei war, und sollte es auch nicht erfahren. Sie nahmen an, er hätte einen guten Posten in einer der norditalienischen Städte, und ich wäre einer seiner Kollegen.

Schon führte uns der Zug über die Hauptstadt hinaus nach Süden. Es war Nacht, und ich konnte nicht schlafen. Auf der harten Bank sitzend, überdachte ich die vergangenen Tage, das Gefühl von Fremdheit, das ich nicht hatte abschütteln können, und die völlige Verständnislosigkeit der Politiker für den Landesteil, auf den ich wieder zueilte. Alle hatten mich über den Süden befragt, und allen hatte ich erzählt, was ich gesehen; und wenn auch jeder mit Interesse zugehört hatte, so wollten doch offenbar nur wenige verstehen, was ich sagte. Es waren Männer mit verschiedenen Ansichten und von verschiedener Veranlagung, von den glühendsten Vertretern der Linken bis zu den starrsten Konservativen. Viele waren wirklich bedeutende Menschen, und alle behaupteten, über das »Problem des Südens« nachgedacht zu haben, und hielten fertige Formeln und Schemata bereit. Doch ebenso, wie für das Ohr der Bauern diese Formeln und Schemata und sogar die Sprache und die Worte, die sie ausdrückten, unverständlich sein würden, ebenso waren für meine Bekannten Leben und Bedürfnisse der Bauern eine verschlossene Welt, in die sie nicht einmal einzudringen versuchten. Im Grunde waren sie allesamt (das schien mir jetzt ganz klar zu sein) mehr oder weniger unbewußte Anbeter des Staates, Götzendiener, ohne es zu wissen. Dabei war es gleichgültig, ob ihr Staat der augenblicklich bestehende war oder einer, den sie für die Zukunft ersehnten; in jedem Falle wurde der Staat als etwas die Menschen und das Volksleben Transzendierendes aufgefaßt, als Tyrannis oder väterlich sorgend, als Diktatur oder Demokratie, aber stets vereinheitlichend, zentralisiert und fern. Daher die Unmöglichkeit einer Verständigung zwischen den Politikern und meinen Bauern. Daher das oft durch pseudophilosophische Ausdrücke verbrämte Vereinfachen der Politiker, die Abstraktheit ihrer Lösungen, die sich nie der lebendigen Wirklichkeit anpassen, sondern schematische Teillösungen sind und also rasch veralten. Fünfzehn Jahre Faschismus hatten alle das Problem des Südens vergessen lassen, und wenn sie sich jetzt auch wieder damit befaßten, so konnten sie es nur im Zusammenhang mit etwas anderem sehen, mit allgemeinen Beglückungstheorien einer bestimmten Partei oder Klasse oder wohl gar einer Rasse. Einige erblickten darin ein bloß wirtschaftliches und technisches Problem, redeten von öffentlichen Arbeiten, Bodenverbesserung, der Notwendigkeit einer Industrialisierung, einer inneren Kolonisation, oder griffen auf die alten sozialistischen Programme von der »Wiederherstellung Italiens« zurück. Manche sahen dagegen dort nur eine traurige historische Erbschaft, eine Tradition von bourbonischer Knechtschaft, die eine liberale Demokratie allmählich abschaffen müßte. Andere behaupteten, das Problem des Südens sei nur ein Sonderfall der kapitalistischen Unterdrückung, welche die Diktatur des Proletariats ohne weiteres aus der Welt schaffen würde. Wieder andere dachten an eine wirkliche Rasseninferiorität und sprachen vom Süden als von einer toten Last für den italienischen Norden und untersuchten die Maßnahmen, um diesem traurigen Zustand von oben her ein Ende zu bereiten. Alle gingen von der Voraussetzung aus, der Staat müsse etwas sehr Nützliches, Wohltätiges und Fürsorgliches unternehmen, und alle sahen mich höchst erstaunt an, als ich sagte, gerade der Staat, so wie sie ihn verständen, verhindere an erster Stelle, daß irgend etwas geschehe. Es kann nicht der Staat sein, hatte ich angeführt, der die Frage des Südens löst, aus dem einfachen Grunde, weil das, was wir das Problem des Südens nennen, nichts anderes als das Problem des Staates selbst ist. Zwischen dem faschistischen, dem liberalen, dem sozialistischen und allen künftigen Formen des Staatssystems, das sich in einem kleinbürgerlichen Land wie dem unsern zu verwirklichen sucht, und der Anti-Staatsauffassung der Bauern klafft ein Abgrund, und das wird immer so sein; man wird ihn nur dann überbrücken können, wenn es uns gelingt, eine Staatsform zu schaffen, in der sich auch die Bauern zu Hause fühlen können. Die öffentlichen Arbeiten und die Bodenverbesserungen sind ausgezeichnet, aber sie lösen das Problem nicht. Die innere Kolonisation mag ganz gute Früchte tragen, aber dann würde ganz Italien und nicht nur der Süden zur Kolonie werden. Die Zentralisierungspläne können bedeutende praktische Ergebnisse zeitigen, aber unter jedem Zeichen würde Italien immer in zwei feindliche Teile gespalten bleiben. Das Problem, über das wir sprechen, ist viel verwickelter, als ihr euch einbildet. Es hat drei verschiedene Seiten, drei Gesichter einer einzigen Realität, die nicht getrennt betrachtet und deren Fragen nicht einzeln gelöst werden können. Es handelt sich vor allem um das Nebeneinanderbestehen von zwei vollkommen verschiedenen Kulturen, von denen keine imstande ist, sich der andern anzugleichen. Land und Stadt, vorchristliche und nicht mehr christliche Kultur stehen einander gegenüber, und solange die letztere fortfährt, der ersten ihre Staatstheokratie aufzuzwingen, wird der Zwiespalt bestehen bleiben. Der jetzige Krieg und die nach ihm kommen werden, sind zum großen Teil das Ergebnis dieses jahrhundertealten Gegensatzes, der jetzt besonders, und zwar nicht nur in Italien, akut geworden ist. Die bäuerliche Kultur wird immer besiegt werden, sie wird sich jedoch niemals ganz zerschmettern lassen und unter dem Schleier der Geduld immer weiterbestehen, um von Zeit zu Zeit zu explodieren, und die tödliche Krise wird weitergehen. Das Brigantentum, der bäuerliche Krieg, ist der Beweis dafür: und dieser Aufstand des vorigen Jahrhunderts wird nicht der letzte sein. Solange Rom Matera regieren wird, bleibt Matera anarchisch und verzweifelt und Rom verzweifelt und tyrannisch. Die zweite Seite des Problems ist die wirtschaftliche: es ist das Elendsproblem. Dies Land ist allmählich verarmt; die Wälder sind abgeholzt, die Flüsse zu Wildbächen geworden, der Viehbestand ist zurückgegangen, statt Bäume, Wiesen und Wälder hat man sich darein verbissen, Getreide auf ungeeignetem Boden anzubauen. Es gibt keine Hauptstädte, keine Industrie, keine Ersparnisse, keine Schulen; die Auswanderung ist unmöglich gemacht worden, die Steuern sind unerträglich und unproportioniert, und überall herrscht die Malaria. All dies ist zum beträchtlichen Teil das Ergebnis der guten Absichten und der Bemühungen des Staates, eines Staates, den die Bauern nie als den ihren anerkennen werden und der für sie nur Elend und Wüste geschaffen hat.

Endlich ist noch die soziale Seite des Problems vorhanden. Man pflegt zu sagen, der große Feind seien die Latifundien, die Großgrundbesitzer; gewiß sind die Latifundien, wo sie vorhanden sind, alles andere als wohltätige Einrichtungen. Wenn aber der Großgrundbesitzer, der in Neapel oder Rom oder Palermo lebt, auch ein Feind der Bauern ist, so ist er doch keineswegs ihr größter oder schlimmster Gegner. Er ist zum mindesten weit weg und lastet nicht täglich auf dem Leben aller. Der wahre Feind, der jede Freiheit und jede Möglichkeit eines menschenwürdigen Daseins für die Bauern verhindert, ist das Kleinbürgertum in den Orten selbst. Das ist eine körperlich und moralisch verkommene Klasse, die unfähig ist, ihre Aufgabe zu erfüllen, und nur von kleinem Raub und der entarteten Tradition eines Feudalrechtes lebt. Solange diese Klasse nicht ausgemerzt und ersetzt wird, ist nicht daran zu denken, das Problem des Südens zu lösen.

Dieses Problem mit seinen drei Seiten war schon vor dem Faschismus vorhanden; aber der Faschismus hat es, obwohl er nicht davon sprach und es leugnete, auf die Spitze getrieben, weil durch ihn die kleinbürgerliche Staatsauffassung sich überall und vollkommen breitgemacht hat. Wir können heute nicht voraussehen, welche politischen Formen sich in Zukunft herausstellen werden: aber in einem kleinbürgerlichen Land wie Italien, wo die kleinbürgerliche Ideologie auch die städtischen Volksschichten angesteckt hat, ist es leider wahrscheinlich, daß die neuen Einrichtungen, die dem Faschismus entweder in langsamer Entwicklung oder unter Anwendung von Gewalt folgen werden (und zwar auch die extremsten und anscheinend revolutionärsten unter ihnen), auf verschiedene Weise dahin kommen werden, sich wieder auf diese Ideologie zu stützen. Sie werden wiederum einen Staat schaffen, der ebenso oder vielleicht in noch größerem Maße lebensfremd, abstrakt und götzendienerisch ist, und sie werden unter neuen Namen und neuen Fahnen den ewigen italienischen Faschismus fortsetzen und verschlimmern. Ohne eine Bauernrevolution werden wir nie eine richtige italienische Revolution haben und umgekehrt. Die beiden Dinge entsprechen sich. Das Problem des Südens ist unlösbar innerhalb des gegenwärtigen Staates und ebenso innerhalb der Staatsformen, die auf diesen, ohne ihm radikal entgegengesetzt zu sein, folgen werden. Es wird nur außerhalb seiner zu lösen sein, wenn wir eine neue politische Idee und eine neue Staatsform schaffen können, so daß der Staat auch ein Staat der Bauern ist, der sie aus ihrer erzwungenen Anarchie und der notwendig daraus folgenden Gleichgültigkeit befreit. Man kann das Problem auch nicht nur mit den Kräften des Südens lösen, da wir in dem Fall nur einen Bürgerkrieg, ein neues grausiges Brigantentum haben würden, das wie gewöhnlich mit der Niederlage der Bauern und einem allgemeinen Zusammenbruch enden würde, sondern nur unter Mithilfe von ganz Italien und durch seine vollkommene Erneuerung. Wir müssen fähig werden, uns einen neuen Staat auszudenken und zu schaffen, der weder der faschistische noch der liberale noch der kommunistische sein darf; denn all das sind nur verschiedene und im Grunde doch gleiche Formen derselben Staatsreligion. Wir müssen wieder zu den Wurzeln der Staatsidee selbst zurückgehen, zu dem Begriff des Individuums, der ihr zugrunde liegt; und wir müssen den juristischen und abstrakten Begriff des Individuums dabei durch einen neuen Begriff ersetzen, der die lebendige Wirklichkeit ausdrückt und die unüberschreitbare Schranke zwischen Individuum und Staat abschafft. Das Individuum ist keine abgeschlossene Wesenheit, sondern steht zu andern in Beziehung, ist der Brennpunkt aller Beziehungen. Dieser Begriff der Verbindung, außerhalb dem das Individuum nicht existiert, ist der gleiche, durch den auch der Staat definiert wird. Individuum und Staat fallen in ihrem Wesen zusammen und müssen dahin gelangen, auch in ihrem täglichen Verhalten zusammenzugehen, um beide existieren zu können. Diese Umkehrung der Politik, die unbewußt heranreift, steckt in der bäuerlichen Kultur, und das ist der einzige Weg, der es uns erlauben wird, aus dem circulus vitiosus von Faschismus und Antifaschismus herauszukommen. Dieser Weg heißt Autonomie. Der Staat darf nur die Gemeinschaft unzähliger Autonomien, eine organische Föderation sein. Für die Bauern kann die Staatszelle, die einzige, durch die sie an dem vielfältigen Kollektivdasein teilnehmen können, nur die ländliche autonome Gemeinde sein. Das ist die einzige Staatsform, die zu einer zeitgemäßen Lösung der drei zusammenhängenden Seiten des Problems des Südens führen kann; die einzige Weise, um zwei verschiedene Kulturen nebeneinander bestehen zu lassen, ohne daß die eine die andere unterdrückt oder von ihr belastet wird. Sie gewährleistet im Rahmen des Möglichen die besten Bedingungen, um aus dem Elend herauszukommen, und wird schließlich durch Abschaffung von Macht und Einfluß sowohl der Großgrundbesitzer wie des lokalen Kleinbürgertums dem Bauernvolk endlich gestatten, sich selbst und allen zu leben. Aber die Autonomie der Landgemeinde kann nicht bestehen ohne die Autonomie der Fabriken, der Schulen, der Städte und aller andern Formen des sozialen Lebens. Das habe ich in einem Jahr unterirdischen Lebens gelernt.

So hatte ich zu meinen Freunden gesprochen, und dies überlegte ich mir in der Nacht, während der Zug in Lukanien einfuhr. Es waren die ersten Andeutungen der Ideen, die ich in den folgenden Jahren durch meine Erfahrungen in Exil und Krieg entwickeln sollte. Und über diesen Gedanken schlief ich ein.

Hinter Potenza weckte mich die hochstehende Sonne zwischen den zerklüfteten Abhängen von Brindisi di Montagna. Irgend etwas Ungewöhnliches lag in der Luft, etwas, worüber ich mir nicht gleich klarwerden konnte. Wir kamen in das Basentotal, fuhren durch die einsamen Bahnhöfe von Pietra Pertosa, Garaguso und Tricarico und erreichten bald unsern Bestimmungsort, die Station von Grassano. Hier mußten wir aussteigen und wie gewöhnlich ein paar Stunden auf das Vorbeifahren des Postautos warten. Die Station war ganz leer, ich ging mit meinem Wächter auf der Landstraße auf und ab und unterhielt mich mit ihm. Grassano grüßte mich oben vom Gipfel des Berges als immer wiederkehrende freundliche Erscheinung; aber sein Aussehen war verändert. Da ging mir ein Licht auf über die Ursache des merkwürdigen Anblicks der Landschaft, die ich beim Erwachen durch das Fenster meines Abteils gesehen hatte. Der Hügel erhob sich wie immer in langsam ansteigenden Wellen und jähen Abstürzen bis zum Friedhof und zum Ort: aber der Boden, den ich immer grau und gelblich gesehen hatte, war jetzt ganz grün, ein Grün, das unnatürlich und unerwartet wirkte. Der Frühling war während der kurzen Tage meiner Abwesenheit mit einemmal ausgebrochen; aber die überall sonst so harmonisch heitere und hoffnungsvolle Farbe hatte hier etwas Künstliches, Heftiges; sie wirkte falsch wie Schminke auf dem sonnenverbrannten Gesicht einer Bäuerin. Das gleiche metallische Grün begleitete mich auch auf dem Anstieg nach Stigliano wie falsche Trompetentöne bei einem Trauermarsch. Die Berge schlossen sich hinter mir wie die Gitter eines Gefängnisses, als wir zum Sauro hinabfuhren und wieder nach Gagliano hinaufkletterten. Auf dem weißen Lehm glänzten die kleinen, hier und dort verstreuten grünen Flecken in der Sonne noch greller und sonderbarer, wie Schreie; man dachte an Fetzen zerrissener Masken, die kunterbunt verstreut lagen.

Es war beinahe Abend, als wir im Ort ankamen. Mein Wächter de Luca wurde von allen wiedererkannt; was er mir von seiner Familie erzählt hatte, war richtig; der Sohn des Blinden mit dem klugen Pferd war fast ein Landsmann, und viele luden ihn ein, vor der Wiederabfahrt etwas bei ihnen zu essen. Aber er hatte Eile; es gelang ihm, sich ein Pferd zu leihen, er schwang sich in den Sattel und galoppierte fort nach Montemurro, das er erreichen konnte, wenn er die ganze Nacht hindurch ritt.

Als ich Gagliano nach diesem kurzen städtischen Zwischenspiel wiedersah, erschien es mir kleiner und trauriger als je mit seiner starren bourbonischen Atmosphäre. Noch zwei Jahre hier unten! Das Gefühl der Langeweile, der immer gleichen künftigen Tage legte sich mir plötzlich aufs Herz. Von den Schwellen tönten mir Grüße und Willkommensrufe entgegen, als ich nach Hause ging. Baron, den ich Julia anvertraut hatte, fand ich mitten auf dem Platz wie einen Signore; er sprang mir fröhlich und laut bellend entgegen. Ich nahm an, ich würde Julia zu Hause treffen; aber die Wohnung war leer, kein Feuer brannte, und es war nichts zum Abendessen vorbereitet. Ich schickte einen Jungen, sie zu holen; er kam zurück und sagte, sie könne nicht kommen, ich solle sie auch morgen und überhaupt nicht mehr erwarten; aber sie ließ mir nicht sagen, weshalb. Ich mußte also wieder zur Witwe hinaufsteigen, um etwas zu essen. Später erfuhr ich von Donna Caterina, daß während meiner Abwesenheit der Albino-Barbier, Julias Liebster, einen Anfall von wahrhaft unbegründeter Eifersucht gehabt und meiner Hexe gedroht hatte, ihr mit dem Rasiermesser die Gurgel durchzuschneiden, wenn sie zu mir zurückkehren würde. Er hatte ihr solche Angst eingejagt, daß sie es nicht einmal mehr wagte, mich auch nur anzusehen oder zu grüßen. Erst viel später, als der Schrecken vergangen war, brachte sie es über sich, stehen zu bleiben und mit mir mit einem merkwürdigen, geheimnisvollen, abweisenden und ein bißchen wohlgefälligen Lächeln zu sprechen, wenn sie mir auf der Straße begegnete; aber sie gestand mir nie den Grund, weshalb sie mich verlassen hatte.

Donna Caterina zerriß sich, um mir eine andere Dienstmagd zu finden. – »Eine ist da, die ist noch besser als Julia. In diesen Tagen hat sie zu tun, aber ich hoffe, ich kann es durchsetzen, daß sie kommt.« – Inzwischen besuchten mich die wenigen Hexen des Ortes, aber ich beschloß, auf den Schützling von Donna Caterina zu warten. Unter denen, die ich zurückschickte, war auch eine Alte, die ich auf sechzig Jahre schätzte und die besonders hartnäckig darauf drang, daß ich sie nehmen sollte. Ich erfuhr dann zu meinem großen Erstaunen, daß sie fast neunzig Jahre alt und die Geliebte des alten, zweiundachtzigjährigen Vaters von Don Luigino war und daß sie sich in mich verliebt hatte. So war ich, ohne es zu ahnen, Gefahr gelaufen, von der ältesten Parze, die ich je kennengelernt hatte, verschlungen zu werden. Endlich erschien Maria, die von der Schwester des Bürgermeisters gesandte Frau. Sie war wie Julia eine Hexe, sogar viel mehr als Julia, und sah aus wie eine der klassischen Hexen, die sich einsalben und auf einem Besenstiel durch die Luft reiten. Sie hatte nichts von der tierhaften Majestät der Julia. Sie war um die Vierzig herum, ziemlich groß und mager, mit einem trockenen, runzligen Gesicht, einer langen, scharfen Nase und einem spitzigen, vorstehenden Kinn. Sie bewegte sich rasch und war sehr flink und geschickt bei der Arbeit; sie schien von einem inneren Feuer, einer Art von unersättlicher Gier, einer nervösen und diabolischen Sinnlichkeit verzehrt zu werden. Sie warf mir Blicke voll düsteren Feuers zu: ich merkte gleich, daß sie nicht Julias antike Passivität besaß und daß ich sie mir vom Leib halten mußte. Die ganze Zeit hindurch, die sie bei mir blieb, war ich daher sehr zurückhaltend. Im übrigen war sie eine ausgezeichnete Person.

Außer Julias Flucht hatten sich während meiner Abwesenheit noch andere Ereignisse im Ort zugetragen. Don Guiseppe Trajella war abgereist und endgültig nach Gaglianello befördert worden, um dort zwischen den elenden Malariahütten zu sterben. Die Weihnachtsnacht hatte ihre Früchte getragen, und Don Luigino triumphierte. Der Bischof hatte für die Pfarrei in Gagliano einen Wettbewerb ausgeschrieben und Trajella verboten, daran teilzunehmen. Sein Nachfolger, Don Pietro Liguari, war bereits aus Miglionico angekommen. Er hatte ein nettes Haus an der Hauptstraße in der Nähe der Piazza gefunden und sich dort mit seiner Haushälterin und einer erstaunlichen Menge von Mundvorrat eingerichtet. Ich traf ihn am Tage nach meiner Rückkehr auf der Piazza, und er kam mir mit freundlichem Lächeln entgegen. Er war über mich schon völlig unterrichtet, sagte, er freue sich, meine Bekanntschaft zu machen, und lud mich zu einem Kaffee bei sich ein. Wenn man etwas durchaus Gegensätzliches im Aussehen, in der Art und Veranlagung zu dem armen, menschenfeindlichen, in das Dorf über dem Fluß verbannten Erzpriester hätte finden wollen, dann hätte man gewiß keinen andern als Don Pietro Liguari wählen können. Er war ein mittelgroßer Mann von etwa fünfzig Jahren, kräftig und ziemlich behäbig, einer von den gelbbleichen Dicken. Seine schwarzen, spanischen Augen blickten sehr schlau. Er hatte ein großes, markantes Gesicht mit etwas gebogener Nase, schmalen Lippen und schwarzen Haaren. Man hatte den Eindruck, ihn schon gesehen zu haben oder doch jemanden zu kennen, der ihm ähnlich sah. Bei näherer Überlegung erhielt dieser Eindruck seine Rechtfertigung. Der Erzpriester hatte ein typisches Gesicht, so italienisch, wie es in jenen Jahren nur denkbar war, eine Mischung von Schauspieler, Prälat und Barbier, eine Kreuzung von Mussolini und Ruggero Ruggeri*. Don Pietro Liguari stammte aus dieser Gegend und vermutlich aus einer Bauernfamilie. Aus seinem Gesicht sprachen Schlauheit und Verschlagenheit, und er hatte eine einschmeichelnde Art. Mit einer gewissen Feierlichkeit schritt er daher, sein Äußeres war gepflegt, die Schleife auf dem Hut flammend rot, und am Finger trug er einen Rubinring.

Als ich in sein Haus eintrat, war ich beeindruckt von der großen Menge von Schlackwurst, Würstchen, Schinken, verschiedenen Käsen, Kränzen von getrockneten Feigen, Pfefferschoten, Zwiebeln, Knoblauch, die von der Decke herabhingen, den Konserven- und Marmeladenbüchsen und den Öl- und Weinflaschen, von denen die Speisekammern voll waren. Bestimmt war keines der Herrenhäuser in Gagliano so gut mit Vorräten versorgt. Die Haushälterin öffnete uns, eine große, magere, etwa vierzigjährige Frau mit ernstem, undurchdringlichem Gesicht, ganz in Schwarz, mit weißem Krägelchen, ohne Schleier auf dem Kopf. Später hörte ich, daß diese streng aussehende Frau eine Bäuerin aus Montemurro war, eine ausgezeichnete Köchin und, wie böse Zungen behaupteten, Mutter von vier Söhnen, deren Väter angeblich Priester waren; sie wurden in verschiedenen Provinzkollegien erzogen. Don Liguari führte mich durch seine Zimmer, damit ich seine Vorräte bewunderte.
– »Sie müssen manchmal kommen, um mein frugales Mahl zu teilen«, sagte er, indem er mir frische Butter zeigte, die es in Gagliano überhaupt nicht gab und die ich seit meinem Hiersein nicht mehr gesehen hatte. – »Die Nudeln meiner Haushälterin sind ausgezeichnet. Sie werden schon sehen. Aber jetzt wollen wir uns setzen und Kaffee trinken.« – Nachdem wir unsere Täßchen geleert hatten, begann der Erzpriester über den Ort zu reden, mir seine Eindrücke zu schildern und nach den meinen zu fragen. – »Es gibt hier viel zu tun«, sagte er, »sehr viel zu tun. Ich möchte sagen, eigentlich alles. Die Kirche ist in schlechtem Zustand, ein Glockenturm muß errichtet werden. Der Zins für unsern Boden wird uns nicht oder nur wenig und

* Ein bekannter Schauspieler. (Anmerkung der Übersetzerin.)

zu spät bezahlt. Vor allem aber mangelt es an Religion. Ein großer Teil der Kinder ist nicht einmal getauft, und keiner kümmert sich darum, wenn sie nicht gerade krank oder am Sterben sind. Zum Gottesdienst kommen höchstens ein paar alte Weiber, bei der Sonntagsmesse ist die Kirche fast leer. Die Leute beichten nicht und gehen nicht zur Kommunion. Das muß anders werden und wird sich bestimmt rasch ändern, wie Sie bald merken werden. Die Behörden kümmern sich nicht darum und tun ihr möglichstes, um die Lage zu verschlimmern. Es sind Materialisten, und sie sprechen bloß vom Krieg. Sie glauben, sie seien mit ihrem Faschismus die Herren des Landes. Arme Kerle! Sie wissen nicht, daß nach den Lateranverträgen nicht mehr sie, sondern wir die Herren sind, daß wir allein die geistige Autorität besitzen. Die Lateranverträge bedeuten, daß die Leitung der Dinge jetzt bei uns Priestern liegt. Wenn der Bürgermeister glaubt, daß er jetzt hier kommandieren kann, so irrt er sich.« – Hier schwieg Don Liguari, fast als reute es ihn, zuviel gesagt zu haben: aber er hatte wohl begriffen, daß er es bei mir tun konnte ohne Furcht, ich würde seine Worte weitertragen. Es lag ihm daran, mich für sich einzunehmen. Er begann deshalb vom Problem der Konfinierten zu sprechen, von der Pflicht, die er als Priester empfinde, ihnen zu helfen und sie ohne Unterschied ihrer politischen Gesinnung und ihres religiösen Glaubens zu trösten. Das war alles sehr schön, aber seine einschmeichelnde Art und der Ton seiner Stimme verrieten nur zu deutlich, daß er nicht so sehr vom Geist der Barmherzigkeit, als von einem Interesse oder einer Berechnung getrieben war. Und endlich, nach diesen langen Umschweifen, kam denn auch der Grund, weshalb er mich zu sich gebeten hatte, zum Vorschein. – »Man muß das Volk zur Religion zurückführen, sonst fällt es den Atheisten anheim, die sich die Befehlsgewalt anmaßen. Auch wer einen andern Glauben hat, muß das zugeben.« – Und hier sah er mich bedeutsam an. – »Übrigens können alle von der Gnade berührt werden. Aber um die Bauern in die Kirche zu ziehen, muß der Gottesdienst reizvoller gestaltet werden, mehr auf ihre Phantasie einwirken. Die Kirche ist ärmlich und nackt, das bloße Wort hat nicht genug Anziehungskraft. Damit die Bauern wieder häufiger das Gotteshaus besuchen, muß man ihnen Musik bieten. Ich habe aus Miglionico ein Harmonium kommen lassen, gestern ist es in der Kirche aufgestellt worden. Es ist gerade das, was wir brauchen. Aber die Sache hat einen Haken: wer wird es spielen? Keiner im Ort kann mit dem Instrument etwas anfangen. Da habe ich denn an Sie gedacht, der Sie doch alles können und so viel gelernt haben Wir sind doch alle Kinder desselben Gottes!« – Die Gründe, derentwegen er meine Ablehnung befürchtete, fielen mir nicht im Traum ein. Ich sagte ihm, daß ich zwar Klavierspielen gelernt, aber seit vielen Jahren keine Taste mehr angerührt hätte. Ich würde es gern einmal versuchen, mich aber nicht verpflichten, regelmäßig den Organistendienst zu versehen, höchstens ein-, zweimal, um ihm einen Gefallen zu tun. Den Gesang notdürftig zu begleiten, würde ich wohl fertigbringen: aber um spielen zu können, müßte ich mir Noten kommen lassen. Wir stiegen zur Kirche hinauf, um das Instrument anzusehen, das gut sichtbar neben dem Altar aufgestellt war und bereits die Neugier der Kinder erregte. Der Erzpriester war glücklich: er hatte gefürchtet, ich würde ablehnen, und meine unerwartete Bereitschaft machte ihn kühner. Er zeigte auf die nackten, rissigen Wände der Kirche. – »Hier müßten Bilder her.« – Der Gedanke mißfiel mir nicht. – »Wer weiß, vielleicht male ich eines Tages die ganze Kirche mit Fresken aus«, sagte ich ihm. »Ich muß noch zwei Jahre hierbleiben und werde also genug Zeit haben, darüber nachzudenken. Schade, daß die Mauern so schlecht sind. Aber ich möchte Mornaschi nicht eifersüchtig machen, er ist solch ein netter Mensch.« – Die Kirchendecke war nämlich mit goldenen Sternen auf blauem Grund und mit dekorativen Gewinden, die sie von den Wänden abgrenzten, in Freskomalerei ausgeschmückt. Diese Arbeit war vor ein paar Jahren von einem Mailänder Maler Mornaschi ausgeführt worden, einem jungen, blonden Menschen, der damals von einem Ort zum andern wanderte, um Kirchen auszumalen, so lange blieb, bis sein Werk beendet war, und dann anderswo wieder neu anfing. Aber in Gagliano kam dieses Wanderleben zu einem Ende. Er war hier erschienen, um die Decke zu malen, dann wurde ihm aber eine Anstellung bei der Steuer angeboten, und er gab das Ungewisse für das Sichere, die Kunst für die Verwaltung auf. Mornaschi war nicht mehr abgereist, und sein Pinsel blieb verwaist. Er war ein bescheidener, höflicher, zurückhaltender Mensch, der einzige Auswärtige, der ständig in Gagliano lebte. Ich traf ihn manchmal, und er war immer sehr liebenswürdig zu mir.

»Mornaschi kann Ihnen helfen«, sagte der Erzpriester, der offenbar in den wenigen Tagen bereits den ganzen Ort kennengelernt hatte. Er war begeistert von den wundervollen Aussichten, die sich ihm eröffneten, um seine gleichgültige Herde in den Stall zurückzuführen. Aber leider war auch ich ein verlorenes Schaf, und der gute Priester begann, getrieben von seiner glühenden Einbildungskraft, von etwas noch Rosigerem, einer feierlichen Zeremonie zu träumen, an der vielleicht – warum auch nicht? – der Bischof teilnehmen würde. Das sagte er nicht gleich damals, obwohl ich merkte, daß er sich kaum halten konnte. Don Liguari war pfiffig und diplomatisch zugleich und beschränkte sich zunächst nur auf einige freundliche hinweisende Andeutungen, die ersten von vielen und deutlicheren, die er mir in der Folgezeit machte. Damals sagte er mir nur, es sei schade, daß ich so allein lebe, ich sei zwar noch jung, aber ich müsse doch daran denken, mich zu verheiraten, und während wir die Kirche verließen, lud er mich für den nächsten Sonntag zum Essen ein. »Kommen Sie, Herr Doktor, und teilen Sie das frugale Mahl eines armen Priesters.« Die Vorräte, die ich in der Küche aufgehäuft gesehen hatte, ließen mich hoffen, daß es um die Frugalität nicht allzu schlimm bestellt sein würde. Die strenge Montemurreserin, seine mütterliche Haushälterin, erwies sich in der Tat als glänzende Köchin: seit einem Jahr hatte ich nicht mehr so gut gegessen. Vor allem gab es hausgemachte Würstchen, die nach hiesigem Brauch rot von spanischem Pfeffer und geradezu köstlich waren. Von da an ging mir der Erzpriester nicht mehr vom Leibe. Er besuchte mich zu Hause und saß mir für ein Porträt, von dem er hoffte, daß ich es ihm schenken würde. Don Luigino war auf diese heftige Freundschaft eifersüchtig, aber Don Liguari war sehr geschickt und hielt ihn, sicher mit irgendeinem evangelischen Vorwand, im Zaum. Eines Tages sah der Priester bei mir auf dem Nachttisch eine protestantische Bibel liegen. Er fuhr entsetzt zurück, als habe er eine Schlange gesehen. »Was lesen Sie da für Bücher, Herr Doktor! Werfen Sie das um Gottes willen weg!« Er tat äußerst intim und sagte jedesmal, wenn er mich sah, mit rührender, mütterlicher Miene: »Wir werden uns taufen lassen, dann werden wir uns verheiraten. Überlassen Sie das nur mir.«

Eines Sonntags hatte ich seine Einladung erwidert und die ganze Kunst meiner Hexe Maria aufgeboten, damit er nicht etwa berechtigterweise von einem »frugalen Mahl« sprechen konnte. Es geschah nun, daß zwei Tage vorher, am Freitag, Poerio, der Alte mit dem Bart, der schon seit vielen Monaten krank war, starb. Trotzdem er es sehnlichst gewünscht, hatte er mich nie konsultieren können, weil er zur Gevatterschaft des

Doktors Gibilisco bei den Sankt-Johanns-Brüdern gehörte. Am Sonntag wurde er feierlich bestattet, und an dem Begräbnis nahmen auch der Erzpriester von Stigliano und ein anderer dortiger Priester teil. Ich mußte also meine Einladung auch auf diese beiden ausdehnen; einer war mächtig und dick, der andre klein und dürr. Beide gehörten zum gleichen Schlag wie Don Liguari: schlau, an gutes Leben gewöhnt, geschickt und erfahren in der Behandlung der Bauern. Es war eine ausgezeichnete Mahlzeit mit diesen drei sonderbaren Gesellen, die sich darüber beklagten, daß nur arme Bauern stürben und es ein so schönes Begräbnis wie das heutige höchstens einmal im Jahr gebe.

Inzwischen waren ein paar Noten mit Kirchenmusik eingetroffen, und ich hatte manchmal auf dem Harmonium geübt. Als ich den Eindruck hatte, ich würde bei dieser einfachen Zuhörerschaft imstande sein, den Gottesdienst ohne allzu viele Fehler zu begleiten, setzte ich mit Don Liguari den nächsten Sonntag fest, sagte ihm aber, daß es nur für dies eine Mal sein würde. Ich hatte erfahren, daß der Barbier und Zahnkünstler nach dem Gehör etwas auf dem Klavier klimpern konnte, und war überzeugt, er würde es besser als ich machen. Deshalb war ich entschlossen, ihm das Organistenamt nach dem erstenmal, für das ich mich verpflichtet hatte, zu überlassen, obwohl er nicht gerade gern in die Kirche ging.

Am Sonntag war die Kirche überfüllt. Der Erzpriester hatte verbreitet, daß ich spielen würde, und keiner wollte sich das ungewöhnliche Schauspiel entgehen lassen. Die Frauen mit ihren weißen Schleiern drängten sich bis an die Türe; viele hatten keinen Platz mehr gefunden. Es waren Leute erschienen, die seit undenklichen Zeiten nicht mehr in die Kirche gingen. Sogar Donna Concetta, die älteste Tochter des Rechtsanwaltes S., des reichen, melancholischen Gutsbesitzers, den ich oft abends auf der Piazza traf, hatte sich mit ihrer Schwester eingefunden. Donna Concetta lebte wegen des Todes ihres Bruders seit fast einem Jahr in Klausur: sie ging nie aus, und ich hatte sie nie gesehen. Um des heutigen Gottesdienstes willen hatte sie sich jedoch entschlossen, ihr Gelübde zu brechen, und so saß sie in der ersten Reihe. Sie galt mit Recht als das schönste Mädchen von Gagliano. Sie war achtzehn Jahre alt, ziemlich klein, mit einem runden, makellosen Madonnengesicht mit großen, schmachtenden Augen, einer Fülle schwarzer, glattgescheitelter Haare, sehr weißer Haut, einem kleinen roten Mund, einem schlanken Hals und sanfter, zurückhaltender Miene.

Es war das einzige Mal, daß ich sie inmitten der verschleierten Menge sah, und ihre Stimme hörte ich nie. Doch die Bauern hatten ihren bestimmten Plan. »Du gehörst jetzt nach Gagliano«, sagten sie oft zu mir. »Du mußt Donna Concetta heiraten. Sie ist das schönste und reichste Mädchen im Ort. Sie ist für dich geschaffen. So wirst du auch nicht wieder fortgehen und wirst immer bei uns bleiben.« Deshalb war ich auch neugierig, die mir im geheimen zugedachte Braut zu sehen.

Die Frauen waren vom Gottesdienst begeistert. »Wie schön du bist«, riefen sie mir zu, als ich an ihnen vorbei zum Ausgang schritt. Das Vertrauen des Erzpriesters in die religiöse Macht der Musik erwies sich jedoch als übertrieben. Obwohl der Barbier viel besser als ich zur Begleitung spielte, blieb die Kirche nach jenem Tag wieder fast leer. Don Liguari verlor aber nicht den Mut: er wanderte den ganzen Tag durch die Häuser der Bauern und taufte die Kinder, und mit der Zeit mag er vielleicht auch etwas erreicht haben.

Der flüchtige, eigenartige Frühling war jetzt vorbei. Das Grün hatte, wie eine widersinnige Erscheinung, nicht länger als zehn Tage gehalten. Dann dörrten die Sonne und der glühende Wind des plötzlich sommerlich gewordenen Monats Mai das bißchen Gras aus. Die Landschaft war wieder die gleiche wie immer: weiß, eintönig und kalkig. Genauso wie bei meiner Ankunft vor vielen Monaten zitterte die Luft vor Hitze, und es wirkte, als huschte immer wieder der graue Schatten der gleichen Wolken über das gleiche, öde, weißliche Meer. Ich kannte jede Farbe und jede Falte des Bodens. In der neuen Hitze schien das Leben Gaglianos noch langsamer als vorher abzurollen. Die Bauern waren auf den Feldern, die Schatten der Häuser lagen träge auf dem Pflaster, und die Ziegen sonnten sich. Die ewige bourbonische Faulheit lagerte über dem auf Totenknochen erbauten Ort. Ich unterschied jede Stimme, jedes Geräusch, jedes Flüstern wie etwas, das ich seit undenklichen Zeiten kannte, das sich unendlich oft schon wiederholt hatte und sich noch unendlich oft in Zukunft wiederholen würde. Ich arbeitete, malte, behandelte Kranke, aber ich war auf dem äußersten Punkt der Gleichgültigkeit angelangt. Ich kam mir vor wie ein in eine vertrocknete Nuß eingeschlossener Wurm. Fern von allen Empfindungen, in der mönchischen Schale der Monotonie, erwartete ich die kommenden Jahre; mir schien, als schwebte ich ohne Stütze in einer absurden Luft, in der auch der Ton meiner Stimme seltsam war.

Der Krieg neigte sich seinem Ende zu. Addis Abeba war gefallen. Das Imperium war auf die Hügel Roms gestiegen, und Don Luigino hatte versucht, es in einer seiner kümmerlichen, öden Versammlungen auch auf die Hügel Gaglianos steigen zu lassen. Von nun an würde keiner mehr sterben müssen, und man erwartete die Rückkehr der wenigen, die sich dort unten befanden. Julias Sohn schrieb, er würde bald zurückkommen, man möge die Braut vorbereiten und die Hochzeit richten. Don Luigino fühlte sich gewachsen, als ob etwas von der Kaiserkrone sich auch auf sein Haupt gesenkt habe. Die Bauern dachten, daß trotz allen Versprechungen für sie in diesen übel erworbenen Fabelländern kein Platz sein würde, und verschwendeten weiter keine Gedanken an Afrika, wenn sie zum Agriufer hinunterstiegen.

Eines Vormittags ging ich gegen Mittag über die Piazza. Die pralle Sonne leuchtete grell, der Wind trieb kleine Staubwirbel empor, und Don Cosimino winkte mir heftig von der Schwelle des Postamtes. Ich näherte mich und sah, mit welch herzlichen und fröhlichen Blicken er mich betrachtete. »Gute Nachrichten, Don Carlo«, sagte er. »Ich möchte keine Hoffnungen erregen, die sich dann nicht verwirklichen; aber es ist ein Telegramm aus Matera gekommen, das die Befreiung des Genueser Konfinierten anordnet. Ich habe ihn eben holen lassen. Es sagt auch, daß ich am Nachmittag dableiben soll, weil mir weitere Namen von zu befreienden Konfinierten telegraphiert werden. Ich hoffe, Sie werden auch darunter sein. Es scheint, es ist wegen der Einnahme von Addis Abeba.« Wir blieben den ganzen Tag in der Tür des Postamtes. Von Zeit zu Zeit ertönte das Ticken des Telegraphenapparates, und dann erschien mit strahlendem Lächeln der Kopf Don Cosiminos in der Schalteröffnung, und der bucklige Engel rief einen Namen. Meiner war der letzte: es war schon beinah Abend. Alle waren befreit worden, bis auf die beiden Kommunisten, den Pisaner Studenten und den Arbeiter aus Ancona. Alle Herren auf der Piazza umringten mich und beglückwünschten mich zu der gewährten Freiheit, um die ich mich nicht einmal bemüht hatte. Die unverhoffte Freude verwandelte sich mir in Traurigkeit, und ich ging mit Baron nach Hause.

Alle Konfinierten fuhren am nächsten Morgen ab. Ich beeilte mich nicht. Mir tat es leid, abzureisen, und ich erfand allerlei Vorwände, um es hinauszuziehen. Ich hatte Kranke, die ich nicht so plötzlich im Stich lassen konnte; Bilder waren fertigzu-

machen, außerdem mußten unendlich viele Sachen wegge-
schickt und Bilder verpackt werden. Ich mußte Kisten machen
lassen sowie einen Käfig für Baron, der sich mit großer Geschicklichkeit von der Leine losmachte und zu unbändig war,
als daß ich ihn einfach einem Zug hätte anvertrauen können. Ich
blieb also noch zehn Tage.

Die Bauern suchten mich auf und sagten: »Reise nicht ab!
Bleibe bei uns! Heirate Concetta! Sie werden dich zum Bürgermeister machen. Du mußt immer bei uns bleiben.« Als sich der
Tag meiner Abfahrt näherte, erklärten sie, sie würden die Rei-
fen des Autos, das mich wegbringen sollte, durchlöchern. »Ich
komme wieder«, sagte ich. Aber sie schüttelten den Kopf.
»Wenn du abreist, kommst du nicht mehr zurück. Du bist ein
guter Mensch. Bleib bei uns Bauern!« Ich mußte ihnen feierlich
versprechen, daß ich zurückkehren würde, und ich tat es ganz
aufrichtig. Aber bis heute habe ich mein Versprechen nicht halten können.

Schließlich verabschiedete ich mich von allen. Ich sagte der
Witwe, dem Ausrufer und Totengräber, Donna Caterina, Julia,
Don Luigino, der Parroccola, dem Doktor Milillo, dem Doktor
Gibilisco, dem Erzpriester, den Herren, den Bauern, den Frau-
en, den Kindern, den Ziegen, den Monachicchi und den Geistern Lebewohl, schenkte der Gemeinde Gagliano zur Erinnerung ein Bild, ließ meine Kisten aufladen, verschloß die Haustür mit dem großen Schlüssel und warf einen letzten Blick auf
die kalabrischen Berge, den Friedhof, den Pantano und den
Lehmboden, und eines Morgens in der Dämmerung, während
die Bauern mit ihren Eseln aufs Feld zogen, bestieg ich mit
Baron in seinem Käfig das Auto des Amerikaners und fuhr ab.
Nach der Biegung unterhalb des Sportplatzes verschwand Gagliano, und ich habe es nicht wiedergesehen.

Ich hatte eine vorgeschriebene Reiseroute und mußte mit
Bummelzügen fahren; deshalb dauerte die Reise lange. Ich sah
Matera, seine Felsen und sein Museum wieder. Ich fuhr durch
die apulische, mit weißen Steinen wie ein Friedhof übersäte
Ebene, durch Bari und bei Nacht durch das geheimnisvolle
Foggia und näherte mich in kleinen Etappen dem Norden. In
Ancona bestieg ich den Dom und sah seit langer Zeit zum
erstenmal wieder das Meer vor mir. Es war ein schöner Tag,
und vor jener Höhe breiteten sich die Fluten ins Unendliche
aus. Eine frische Brise wehte aus Dalmatien und kräuselte den
ruhigen Meeresspiegel mit kleinen Wellchen. Ziellos schweiften

die Gedanken: Das Leben des Meeres war wie das unendliche Schicksal der Menschen, ewig gebunden in immer gleichen Wogen, die eine unveränderliche Zeit bewegt. Und ich dachte mit zärtlicher Beklemmung an jene unwandelbare Zeit und jene düstere Kultur, die ich verlassen hatte.

Aber schon trug mich der Zug davon, durch die geometrisch eingeteilten Felder der Romagna hin zu den Weinbergen Piemonts und in jene geheimnisvolle Zukunft der Exile, der Kriege und der Toten, die mir damals noch kaum sichtbar wie eine ferne Wolke am endlosen Himmel erschien.

Manès Sperber

GESAMMELTE WERKE
IN EINZELAUSGABEN

*

Wie eine Träne im Ozean

Romantrilogie

Der verbrannte Dornbusch
Tiefer als der Abgrund
Die verlorene Bucht

1036 Seiten, Leinen,
DM 42,–, öS 298,–, sfr 42,–

*

Essays zur täglichen
Weltgeschichte

Die Achillesferse · Zur täglichen
Weltgeschichte · Leben in dieser Zeit
In dieser rauhen Welt

720 Seiten, Leinen,
DM 42,–, öS 298,–, sfr 42,–

EUROPAVERLAG

Weltgeschichtliche Erinnerung, Dichtung und Wahrheit: Historische Romane für Leser, die Ansprüche stellen

Marguerite Yourcenar:
Ich zähmte die Wölfin
Die Erinnerungen des
Kaisers Hadrian

dtv

Annemarie Selinko:
Désirée
Roman

dtv

Hervey Allen:
Antonio Adverso
Historischer Roman

dtv

Marguerite
Yourcenar:
Ich zähmte die
Wölfin. Die
Erinnerungen des
Kaisers Hadrian
dtv 1394

Robert von Ranke
Graves:
Ich, Claudius, Kaiser
und Gott
dtv 1300

Henry Benrath:
Die Kaiserin
Galla Placidia
dtv 1322

Henry Benrath:
Die Kaiserin
Theophano
dtv 1368

Henry Benrath:
Die Kaiserin
Konstanze
dtv 1415

Otto Rombach:
Adrian der
Tulpendieb
dtv 1329

Annemarie Selinko:
Désirée
dtv 1399

Hervey Allen:
Antonio Adverso
dtv 1514

Frans G. Bengtsson:
Die Abenteuer
des Röde Orm
dtv 1400

Heinrich Böll

»Ohne daß er es wollte, verkörpert er heute die deutsche Literatur und mehr als die Literatur.«
(Marcel Reich-Ranicki)

Heinrich Böll:
Wo warst du, Adam?
Roman

dtv 856

Heinrich Böll:
Und sagte
kein einziges Wort
Roman

dtv 1518

Heinrich Böll:
Haus ohne Hüter
Roman

dtv 1631

Heinrich Böll:
Billard um halbzehn
Roman

dtv 991

Heinrich Böll:
Ansichten
eines Clowns
Roman

dtv 400

Heinrich Böll:
Gruppenbild mit Dame
Roman

dtv 959

Was nicht im Baedeker steht ...
Schriftsteller reisen

Heinrich Böll:
Irisches Tagebuch
dtv

Gerd Gaiser:
Sizilianische Notizen
dtv

Rudolf Hagelstange:
Reisewetter
dtv/List

Heinrich Böll:
Irisches Tagebuch
dtv 1

Gerd Gaiser:
Sizilianische Notizen
dtv 1509

Rudolf Hagelstange:
Reisewetter
dtv 1272

Marie Luise Kaschnitz:
Engelsbrücke
Römische Betrachtungen
dtv

Horst Krüger:
Poetische Erdkunde
Reise-Erzählungen
dtv

Günter Kunert:
Ein englisches Tagebuch
dtv neue reihe

Marie Luise Kaschnitz:
Engelsbrücke
dtv 1107

Horst Krüger:
Poetische Erdkunde
dtv 1675

Günter Kunert:
Ein englisches
Tagebuch
dtv 6310

Heinrich Böll

»Was läßt die Leser zu ihrem Böll greifen?
Vielleicht das völlige Fehlen dessen, was sonst
unser Leben ausmacht: die Herrschaft der
Heuchelei.«   (Gerhard Zwerenz)

Heinrich Böll:
Zum Tee
bei Dr. Borsig
Hörspiele

dtv

Heinrich Böll:
Hausfriedensbruch
Hörspiel
Aussatz
Schauspiel

dtv

Zum Tee bei Dr. Borsig
Hörspiele
dtv 200

Hausfriedensbruch
(Hörspiel)
Aussatz
(Schauspiel)
dtv 1439

Ein Tag wie sonst
Hörspiele
dtv 1536

Die verlorene Ehre der
Katharina Blum
dtv großdruck 2501

Heinrich Böll:
Die verlorene Ehre
der Katharina Blum

dtv-großdruck

Heinrich Böll:
Ein Tag wie sonst
Hörspiele

dtv

Das Buch

»Wir sind keine Christen«, sagen die Bauern in Lukanien.
»Christus ist nur bis Eboli gekommen.« Im Jahre 1935 wird der
Schriftsteller, Maler und Arzt Carlo Levi wegen seiner antifa-
schistischen Aktivitäten in dieses gottverlassene Land verbannt.
Der urbane Norditaliener kommt in das Dorf Gagliano irgendwo in den Bergen hinter Salerno und wird mit einer fremden
Welt konfrontiert, in der die Menschen von ewigem Elend,
ewiger Armut und Krankheit und von urzeitlichem Aberglauben geprägt sind. Es ist der Mezzogiorno, der Süden Italiens,
kaum berührt von den Entwicklungen des 20. Jahrhunderts,
wenig beeinflußt von der Tagespolitik. Carlo Levis dokumenta-
rischer Roman ist Anklage und Liebeserklärung zugleich. Wer
ihn gelesen hat, wird nie mehr aus oberflächlichem Ästhetizis-
mus heraus über einer grandiosen Landschaft und ihren Bau-
denkmälern die Menschen vergessen, die dort leben und leben
müssen.

Der Autor

Carlo Levi wurde am 29. November 1902 in Turin geboren.
Nachdem er als aktiver Antifaschist 1935 für einige Jahre nach
Lukanien verbannt worden war, ging er nach Paris und schloß
sich der französischen Widerstandsbewegung an. Später lebte er
als Schriftsteller in Rom, wo er am 4. Januar 1975 starb. 1945
veröffentlichte er ›Christus kam nur bis Eboli‹, seinen erfolg-
reichsten Roman, der zu den Hauptwerken des literarischen
Neorealismus gehört und 1979 von Francesco Rosi verfilmt
wurde.